黑龙江省研究生精品课建设项目
哈尔滨工程大学高水平研究生教材建设项目
哈尔滨工程大学研究生教改项目（JG2022Y013）

船用燃气轮机控制与健康管理

曹云鹏　李淑英　编著

哈尔滨工程大学出版社
Harbin Engineering University Press

内容简介

本书系统地阐述了船用燃气轮机控制与健康管理技术，内容包括船用燃气轮机控制技术综述、燃气轮机动态特性分析方法、面向控制的燃气轮机建模、燃气轮机控制系统总体设计方法、发电燃气轮机典型控制模式设计方法、推进燃气轮机并车控制方法、燃气轮机健康管理技术综述、燃气轮机气路故障建模方法、燃气轮机气路健康状态评估方法、基于模型的燃气轮机气路故障诊断方法、基于线性多模型的气路故障诊断方法、基于 LSTM 的气路性能退化趋势预测方法、燃气轮机剩余使用寿命预测方法等。

本书作为燃气轮机控制与状态监测领域设计、科研、教学以及高校学生和研究生的教材，也可以作为燃气轮机控制、状态监测、故障诊断、预测及健康管理等设计人员参考书。

图书在版编目(CIP)数据

船用燃气轮机控制与健康管理／曹云鹏，李淑英编
著. -- 哈尔滨：哈尔滨工程大学出版社，2025.1.
ISBN 978-7-5661-4630-4

Ⅰ. U664.131

中国国家版本馆 CIP 数据核字第 2025RJ4839 号

船用燃气轮机控制与健康管理
CHUANYONG RANQILUNJI KONGZHI YU JIANKANG GUANLI

选题策划	刘凯元
责任编辑	刘凯元
封面设计	李海波

出版发行	哈尔滨工程大学出版社
社　　址	哈尔滨市南岗区南通大街 145 号
邮政编码	150001
发行电话	0451-82519328
传　　真	0451-82519699
经　　销	新华书店
印　　刷	哈尔滨市海德利商务印刷有限公司
开　　本	787 mm×1 092 mm　1/16
印　　张	18.5
字　　数	461 千字
版　　次	2025 年 1 月第 1 版
印　　次	2025 年 1 月第 1 次印刷
书　　号	ISBN 978-7-5661-4630-4
定　　价	78.00 元

http://www.hrbeupress.com
E-mail:heupress@hrbeu.edu.cn

前　　言

　　燃气轮机是国之重器,是装备制造业的尖端,被誉为"工业皇冠上的明珠",对于推动能源结构调整优化,实现低碳发展,提升综合国力具有重要意义。党中央、国务院高度重视燃气轮机的发展。"十三五"时期,航空发动机及燃气轮机专项(简称两机专项)被列为100项重大工程之首。在"十四五"规划和2035年远景目标中,航空发动机及燃气轮机再次被列入制造业核心竞争力提升专栏。

　　燃气轮机产业链条长、学科综合性强,对基础理论和科学技术方面的创新性要求高。随着国家两机专项的实施,燃气轮机相关领域对人才需求量越来越大。为实现两机专项的发展目标和推动燃气轮机创新发展,弥补人才缺口,我国需培养一大批具有国际视野、创新意识、基础扎实、专业面宽的高水平人才,以筑牢燃气轮机技术的人才基础。为此,在2022年"卓越拔尖人才培养计划"中,明确提到"加快重型燃气轮机、病毒学、人工智能、国土空间规划等紧缺领域新形态教学资源建设",燃气轮机专业人才被列入紧缺人才。为了加强急需学科专业建设,深入实施战略型紧缺人才培养及教学资源储备,2022年9月教育部启动重点领域教学资源建设项目,批准了西安交通大学、哈尔滨工程大学、清华大学联合申报的燃气轮机专业课程虚拟教研室,以期做好知识图谱迭代与更新、优质教学资源建设、教学资源应用与示范课程建设、教师培训与交流、技术研究与教学改革等工作,提高燃气轮机领域人才培养质量,为燃气轮机发展提供人才支撑。

　　燃气轮机控制与健康管理是哈尔滨工程大学燃气轮机专业课程群的重要课程,肩负着为国家两机专项培养燃气轮机智能控制、先进测试、故障诊断与健康管理方向专业人才的使命。燃气轮机控制与健康管理是燃气轮机实现数字化、自动化和智能化的核心关键技术之一,是两机专项首批重点攻关课题。针对燃气轮机控制与健康管理领域人才紧缺、知识体系不完整等问题,哈尔滨工程大学与中国船舶集团有限公司第七〇三研究所(以下称为中船703所)/中船重工龙江广瀚燃气轮机有限公司成立校企融合教学团队,建立了校企协同教学平台,聚焦船用燃气轮机控制与健康管理领域关键核心技术,组织双方科研力量着力打造燃气轮机控制与健康管理课程,服务于卓越工程师培养。

　　本书共13章。第1章至第6章为燃气轮机控制技术,综述了船用燃气轮机控制技术发展历程和趋势,以动态特性分析和面向控制建模为基础,论述了燃气轮机控制技术设计方法,介绍了燃气轮机典型控制模式的实现方法;结合推进、发电两种船用燃气轮机需求,给出了燃气轮机控制策略设计方法。第7章至第13章为燃气轮机健康管理技术,论述了燃气轮机健康管理发展现状,给出了面向健康管理的建模方法,以燃气轮机气路性能监测为抓手,详细论述了气路健康状态评估、气路故障诊断、性能退化趋势预测、剩余使用寿命预测等方法。

本书是哈尔滨工程大学与中船703所/中船重工龙江广瀚燃气轮机有限公司校企融合课程建设成果。哈尔滨工程大学曹云鹏、李淑英、费景洲、颜世林,以及中船703所王伟影、马亮、衣爽共同参与本书知识体系构建与内容编写。其中,曹云鹏主要撰写了第1、2、3、7、8、12章,剩余各章均参与撰写。李淑英撰写了第10、11章;费景洲撰写了第6章;颜世林撰写了第4章;马亮撰写了第5章;王伟影撰写了第13章;衣爽撰写了第9章。全书由曹云鹏统稿和定稿。

课题组毕业的博士研究生王伟影、应雨龙、杨庆材,硕士研究生李辉、衣爽、顾恒文、刘冰冰、黎振宇、欧慧宇、王强、王森、刘达波、赵鹤楠、孙跃武、金刚、秦宇、张兵、殷耀君、贺彦鹏、李明、高伟冲、陈列、吴明昊、闫东阳、赫英辉、刘睿、陶新中、胡盼、曾可卉、韩国栋、吕欣然等的论文成果支撑了书稿内容的形成,谨向他们表示衷心的感谢。

特别感谢中国舰船研究院余放研究员对本书的审阅及提出的宝贵意见。

本书获得黑龙江省研究生精品课建设、哈尔滨工程大学高水平研究生教材建设和哈尔滨工程大学研究生教改项目(JG2022Y013)的资助。

由于作者水平有限,书中难免存在不足之处,恳请广大读者批评指正。

曹云鹏

2024年6月

目　　录

第1章　船用燃气轮机控制技术综述

控制系统是船用燃气轮机的"大脑",是其技术指标达成的保障。本章以船用燃气轮机推进装置为主要分析对象,阐述燃气轮机推进控制系统功能,介绍燃气轮机控制技术涉及的专业术语及面临的复杂性;综述燃气轮机控制技术发展历程,讨论燃气轮机控制技术主要发展趋势。

1.1　燃气轮机推进控制系统功能分析

燃气轮机与减速齿轮箱、推进器等组成船用燃气轮机推进装置,其推进控制系统组成如图 1.1 所示。

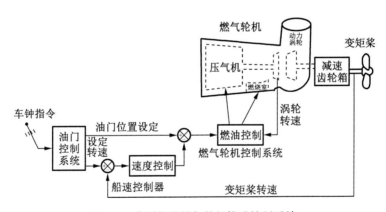

图 1.1　典型船用燃气轮机推进控制系统

1.1.1　系统输入、输出与干扰

船用燃气轮机自动控制技术是在没有人直接参与的情况下,控制系统根据操作人员指令自动进行调节与控制,使之能够在复杂海洋环境下达到要求的指标。从控制学科角度出发,在一个被控系统中,不同变量之间的相互作用将会产生一些可观测变量,通常把人们关心的或者感兴趣的可观测变量称为输出,外部可操纵的变量称为输入,而外部不可测的变量则称为干扰。从图 1.1 中可以看出,推进器产生的推力是燃气轮机推进装置的基本输出,此推力必须保证船舶操纵人员制定的航速。对于操纵人员来说,其主要兴趣并不是推力。

对于大部分船舶来说,一定的推力所产生的船速是最有意义的。燃气轮机推进装置的基本输入是燃气轮机所需要的燃油量。因此,为了控制航速就要调节流入燃气轮机的燃油流量。对于燃气轮机推进控制系统,其干扰来源较多,如电磁对传感器的干扰,海浪对螺旋桨负载的干扰。

1.1.2 闭环控制

自动控制系统分为开环控制系统和闭环控制系统。在开环控制系统中,控制器与被控对象之间是顺向作用,响应速度快,稳定性好。闭环控制系统增加了状态检测、反馈比较、调节器等部件,控制器与被控对象之间不仅有正向作用,还有逆向联系。总体来讲,开环控制系统一般用于对控制精度不高或对控制性能要求较低的场合。实际工程大多采用闭环控制,以便使被控对象的被控量达到较高的控制精度。

燃气轮机推进控制系统是典型的闭环控制系统,通过燃油流量的调节,控制螺旋桨的推力或船速。船速既是推力的函数,也是推进装置输出轴的单值函数。由于轴转速比推力更容易测量,而且对燃气轮机来说,这是一个更有意义的参数,因此采用轴转速作为推进装置的状态参数。如果推进器是变距桨,则推进装置控制的概念必须加以修正。因为某个推力或转速可以由各种螺距与转速的组合产生,所以船用燃气轮机推进控制的主要功能是调节燃油量和螺距,从而使设定的螺距与转速组合产生所需要的航速。因此,我们可以把固定螺距的螺旋桨看作一个特定的简化情况。燃气轮机推进装置的各组成部分,如燃气轮机、变距桨等都有自己的控制要求。其中某些控制要求取决于组件固有的特性,而与用途完全无关。例如,燃气轮机的温度和转速限制,无论是否作为船用都是必需的,所以燃气轮机制造厂同时提供一个控制系统是必要的。随着燃气轮机的装船,此分系统应该统一到总的推进装置控制系统中。因此,讨论燃气轮机控制问题时,需要充分考虑由燃气轮机组成的整个装置的控制要求。

1.1.3 控制规律与控制模式

控制规律是能够使燃气轮机达到所期望的性能以及保持实现这种性能的控制量随工作状态变化的规律。性能是指功率、耗油率等被控参数,但是性能参数一般不能直接测量。也就是说,控制系统并不能实现对性能参数的直接控制,而是利用反映燃气轮机性能、可以测量的状态参数作为被控参数,如发动机转速、主要截面的压比、温度等。决定燃气轮机状态和性能,使其满足期望变化的量称为控制量,如燃油流量等。因此,控制规律也就是随着燃气轮机运行环境和工作状态变化的状态参数及控制这些状态参数的控制量所期望的变化规律,如转速控制规律/调速规律、温度控制规律等。

控制模式是控制系统为实现所期望的功能而采取的控制策略。燃气轮机控制系统有以下3种基本控制模式。

1. 设定点控制

设定点控制用于调节燃气轮机的性能使其接近期望工作状态的性能,称为稳态控制。中型水面船舶具有多种使用模式,要求燃气轮机推进装置能够提供较大的航速范围,因此目前各种中型船舶广泛采用不同的联合动力装置,如柴油机-燃气轮机交替联合动力装置、全燃联合动力装置、综合电力推进系统等。所以,动力装置的自动控制也由单台机控制发展到联合动力装置的统一控制,并须在不同的功率下将两种不同类型或两种同种类型的主机及离合器、推进器等很好地协调起来。

为了提高船舶的操纵性,减少船员的劳动强度,改善船员的工作条件,避开高温、高噪声的机舱,提供一种恰当的手段使操纵人员在一定距离以外的几个不同操纵部位,实现对船舶的控制,是非常必要的。所以,船舶上一般设有舰桥控制和靠近机舱的集中操纵部位的控制(集控),此外机舱还设有机旁控制,这就是通常所说的"三级控制"。为实现舰桥和集中控制室的远距燃气轮机控制,应具有一套远距控制系统,同时在进行远距操控的情况下,必须备有大量的监视设备。控制部位的多重性及种种监视设备都是造成控制系统复杂的因素。操纵人员给出指定信号后,发动机控制分系统从推进控制系统接收指令,通过调配适当的燃气发生器转速或动力涡轮的转速,产生一定的功率或一定的轴转速,从而获得所需要的船速,并保持在预定值上。

2. 过渡控制

过渡控制用于使燃气轮机的稳态工作点在规定的时间内和给定的边界范围内从一种状态变化到另一种状态。燃气轮机推进装置产生的动力需要改变方向,所以控制系统必须给出操作指令中所需要的方向,燃气轮机的切换和正倒车的变换都需通过离合器的离、合和螺距等变化来实现。必须强调,在一切情况下,离合器的离合或变速箱螺距的变化要与发动机的控制相配合,因为在这些情况下发动机的负荷是突然改变的。因此,为了实现燃气轮机输出轴的反转必须使离合器脱开或咬合,同时这些动作必须与转速和扭矩相配合,以防止离合器被损坏。如果燃气轮机传给传动系统的扭矩超过额定值,那么推进控制就需要对扭矩加以监视,并在扭矩达到限制值时减小燃油量。机动过程,欲使推力迅速减小时螺距不能减小太快,否则会使螺旋桨出现自由旋转,从而引起燃气轮机超转,所以螺距变化率必须加以限制。

3. 限制保护控制

限制保护控制用于保护燃气轮机避免进入不安全或并不期望的工作区域。保护装置各组件避免出现危险的运行情况是装置控制的重要功能,不过其中的一部分保护功能可以由发动机控制分系统完成,如在超速时减少燃油,或者在严重超速情况下关闭燃油停止阀,几乎肯定是燃气轮机控制的功能。其他一些故障情况,如滑油压力降低,更是燃气轮机特有的问题,所以限制保护也是燃气轮机控制的一个任务。

燃气轮机的启动、停机控制与推进控制部分没有直接的联系。一般来说,在启动程序指令的指引下,把燃气轮机从静止状态运转到稳定的慢车工况,只有当达到慢车工况之后,才把燃气轮机控制纳入推进装置控制系统。这套程序机构为启动过程安排了适当的程序,避免了燃气轮机启动过程中可能出现的故障。其他过渡工况有的也需要燃气轮机控制系统的专门控制作用。例如,燃油控制器可以把一个瞬时增加功率的指令转变为一个燃油流量的缓慢增加,以防止转速、温度和力矩超过规定值。

综上所述,燃气轮机推进装置控制总的要求概括如下。

(1)调整推进装置的输出参数并使它保持在指定的数值上。

(2)为操作人员的远距操纵提供手段。

(3)对推进装置的过渡工况做出必要的控制,这些过渡工况包括启动和停机、加速和减速、推力换向、主机切换等。

(4)保护推进装置,避免出现事故。这种保护功能包括以下几个方面:防止外来事故,如负荷突降或操作人员的错误指令;防止任何部件受到其他部件的作用所引起的应力、压力等超过额定值;防止部件内部功能失灵,或者防止这些部件的辅助设备的故障引起的事故,如燃气轮机滑油系统滑油压力下降。

燃气轮机推进装置对自动化有强烈的需求。自动化这个术语意味着操作人员可以从远程进行控制,同时更重要的是指控制功能是利用自动化设备以闭合回路的形式实现的。由于燃气轮机工作时产生高温、高噪声,因此通常对它采取远距离控制,实现无人机舱,再就是把燃气轮机本身做成一个箱装体,而不采用直接的人工监控。燃气轮机之所以必须自动化,这是考虑到它对负荷的变化和燃油的供给反应很迅速,同时它在额定状态时,燃气温度接近危险值,工作中有可能迅速偏离额定值,出现不安全状态,所以要保证它安全运行,只靠人工操控,是不能实现的。

1.2　燃气轮机控制系统的复杂性分析

燃气轮机控制系统的复杂性,可以用控制变量的数量或系统中的被测变量的数量来衡量。通常情况下,控制变量的数量直接对应执行器的数量,而被测变量的数量直接对应传感器的数量,另外,所选的执行器和传感器可以重复设置,以通过冗余的方法提高控制系统的可靠性,但同时也增加了系统的复杂性。船用燃气轮机控制系统设计主要面临如下难点。

1.2.1　可靠性

船用燃气轮机工作在恶劣的海洋环境中,随着时间的推移,其自身性能不可避免地发生退化,部件在工作过程中也面临各类失效,因此燃气轮机控制系统必须具备发动机的监控功能,实现健康状态连续监控,以通过反馈控制手段调节燃气轮机性能的退化,从而提高运行可靠性(或任务成功率)。为了监控燃气轮机健康状态、保持其可用性,燃气轮机监控系统必须能够及时探测到尚未发生的潜在性故障,以及燃气轮机在"已知"性能退化的情况下运行时,在燃气轮机尚未发生灾难性的严重故障之前就能够预测燃气轮机还能工作多长时间。燃气轮机的大部分故障发生在控制部件中,而这些故障是可以通过控制系统的某些作用来避免及包容的。

因此,监控系统必须和控制系统一起工作,以对工作信号进行采样并对燃气轮机及其部件的健康状态做出评估。另外,燃气轮机控制器具有双重或三重余度,这需要进行大量的交叉通道通信和容错逻辑。因此,对于故障检测和包容问题,控制系统和监视系统的共同协调已成为实现可靠性的基础。

1.2.2 适应性

虽然燃气轮机性能和可靠性一直在不断提升,但两台性能完全一样的燃气轮机是不存在的。由于加工公差、材料、装配等因素,燃气轮机个体之间的性能存在一定的差异。即使是同一台燃气轮机,随着使用时间的增加,其部件也发生性能衰减的现象;燃气轮机修理或大修后,所带来的部件之间的重新匹配,也导致燃气轮机个体性能存在一定的差异。另外,由于燃气涡轮发动机运行环境恶劣,热端部件如涡轮的性能恶化问题要比压气机严重得多,所以这些热端部件需要不断修复或更换。

由于燃气轮机控制系统的工作寿命要持续数个发动机大修周期,因此控制系统不仅要处理燃气轮机部件性能缓慢衰退的问题,还要能处理燃气轮机在修理后所带来的性能突变的问题,这就意味着控制系统必须易于调整,或必须具备自我调整的能力。

1.2.3 维护性

在机舱碰到一些不曾预见的问题时,通常希望通过调整控制系统来解决,这是因为,相对于重新设计、制造、装配新的燃气轮机部件而言,修改控制逻辑和代码更容易。因此,控制系统应具备适应现场修改调整的能力。

1.3 船用燃气轮机控制系统发展历程

控制系统是船用燃气轮机的"大脑",其发展历程与航空发动机、地面燃气轮机控制系统的发展紧密相关。从控制系统的计算装置来看,燃气轮机控制系统经历了液压机械式控制、电子控制到综合控制的发展阶段。

1.3.1 液压机械式控制阶段

1947年,第一艘用燃气轮机推进的英国炮艇MGB2009开始试航,揭开了燃气轮机在船舶应用的序幕。在船舶燃气轮机小批量应用阶段,燃气轮机的功率为2 500~13 000马力(1马力=735 W),翻修周期一般小于1 000 h,机型以加速机组为主,且多数用于炮艇、快艇和扫雷艇等辅助舰艇。燃气轮机进入船舶领域的十余年间,早期的燃气轮机控制的计算装置主要是机械装置,包括齿轮泵、连轩和凸轮。如我国自主研制的401船用燃气轮机,其控制系统采用涡喷六上的一套调节器,以控制燃气发生器为主,对动力涡轮则采用了最大转速限制器,另外还设有超扭保护装置和超温保护装置。图 1.2 所示为机械液压燃油系统的原理结构图。

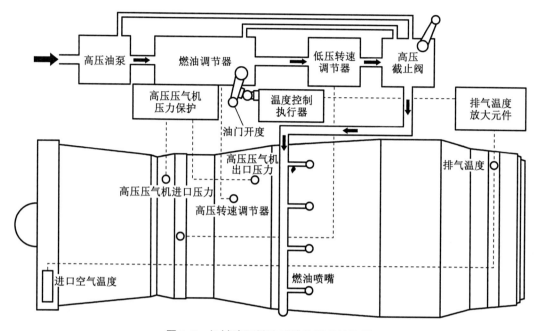

图 1.2　机械液压燃油系统的原理结构图

此阶段控制的设计方法主要是利用频域响应法,即利用伯德图来绘制控制系统的频域响应曲线,使之能够满足期望的增益裕度和相位裕度。时域响应设计法(如阶跃响应法和根轨迹法)也可用于改善控制系统的性能。以 PID 为代表的经典控制算法开始应用到燃气轮机控制中,利用机械液压式控制器实现单变量控制。闭环反馈控制原理的成功应用使控制系统的控制精度和动态性能得到了很大改善。经典控制理论设计方法简单,易于实现,能够保证燃气轮机在一定使用范围内具有较好的性能。因此,目前这种方法仍然应用于燃气轮机控制中。

发动机建模主要是基于稳态性能分析进行的,性能分析的主要依据是发动机组件(或部件)的特性图。

1.3.2　电子控制阶段

随着燃气轮机性能的提高,人们对其控制系统的要求也不断提高,如从一种工作状态过渡到另一种工作状态的过渡时间应尽可能短,且不喘振、不熄火;在共同工作线上,性能或效率要保持最佳;较高的控制精度,可靠的稳定性等。这就要求采用更多的控制变量来控制发动机更多的参数。液压机械式调节器难以满足不断发展的需求。20 世纪 70 年代,航空发动机的控制系统由液压机械式控制变为全权限数字电子控制,计算装置从机械装置过渡到模拟电路,再过渡到基于微控制器的数字电路。通用电气公司(GE)开发了

SPEEDTRONIC 燃气轮机控制系统,在此阶段从 MARK-Ⅰ、MARK-Ⅱ、MARK-Ⅳ到 MARK-Ⅴ,先后经历了分列固态元件、常规仪表显示、继电器、声光报警器、冗余微处理器、微计算机和输出继电器系统,使燃气轮机的寿命、可靠性、可利用率、应用适应性和维护方便性得到了改善与提高。对于船用燃气轮机而言,其控制系统比航空发动机技术发展滞后。如到 2009 年,GE 才将船用 LM2500 燃气轮机原来安装的液压-机械式燃油控制器更换为 Woodward 公司的数字式燃油控制器(DFC),这标志着船用燃气轮机从液压机械式阶段进入电子控制阶段。

在此阶段,现代控制理论在燃气轮机控制系统设计中得到了应用。计算机技术的发展为现代控制理论的应用提供了重要的技术手段;计算机技术在状态监控与故障诊断的应用方面显示了强大的功能。控制系统采用电子控制后,控制方案选择更加合理,控制规律修改更方便,结构趋于简化和通用标准化设计,减小了整个系统的质量和体积。

1.3.3 综合控制阶段

随着电子技术、计算机技术、通信技术的发展,燃气轮机控制系统计算装置从微控制器发展到数字处理器 DSP、ARM 和 PLC。航空发动机从 21 世纪初到现在,全权限数字发动机控制器(FADEC)发展到第三代双-双余度 FADEC,两个 FADEC 系统同时受控,配置机上的自适应发动机模型采用卡尔曼滤波器计算发动机的稳态参数,实现机上实时自适应优化战斗机和发动机性能,具备部件寿命跟踪能力;采用诊断和健康管理系统,使控制系统和发动机的维修性能得到明显改善。在重型燃气轮机领域,GE 推出了 MARK-Ⅵ的升级版 MARK-Ⅵe,该控制器继承了之前控制器的优点,其主要改进之处在于通过多层冗余以太网架构来互联各个独立的节点设备,这些网络把不同的通信对象按照特定的功能分成若干个功能组。这些功能组从设备的 I/O 测量点开始延伸到 I/O 组件、控制器和人机界面;每个层次的网络使用标准的部件和协议。这种分布式网络控制架构在船用燃气轮机装置中得到应用与推广,如船用燃气轮机发电机组采用 Allen-Bradley PLC 控制器中的 ControlLogix 控制系统实现燃气轮机发电机组的综合控制。

此阶段,为了提高燃气轮机的可靠性、安全性、运行经济性,对燃气轮机进行综合控制成为主要发展方向。船用燃气轮机综合控制一方面表现在从关注单机控制品质过渡到联合动力船-机-桨匹配控制;另一方面,表现在状态监测、故障诊断、预测及健康管理等方面。

此外,图形化用户界面的模拟和仿真工具达到了非常成熟的发展水平,并被控制工程师广泛用于建立和分析发动机模型,如 MathWorks 公司的 MATLAB/SIMULINK、NI 公司的 LabView 等软件,同时,控制系统的快速原型设计能力也得到增强。为减小研制成本并降低风险,在设计过程中从顶层的模型建立控制分析和模拟送代码模型,自动模产生模型代码编码,传送代码到实时控制硬件以闭环的方式在控制系统执行器和传感器硬件中运行已成为标准的流程。自动软件产生工具成为实时仿真的新标准,如普惠公司的图形化代码实践表明利用该工具可大大减少控制和诊断软件的研制时间。

1.4 燃气轮机控制技术发展趋势

未来燃气轮机控制系统的发展将向主动控制、智能控制、智能健康管理等方向发展,从而提高燃气轮机运行的可靠性、安全性和经济性。

1.4.1 压气机稳定性控制技术

压气机的气动稳定性直接制约了燃气轮机的稳定工作范围。传统的失速控制方法为被动控制,其核心思想是保证发动机的工作点有足够的喘振裕度。但在工程应用中无法准确测量发动机的稳定速度,也无法采用模型准确估算出喘振裕度。这是因为进气场畸变、部件性能退化及制造偏差等因素,都会使喘振边界更加靠近工作点。这就使得设计的喘振裕度在大多数情况下过于保守,极大地牺牲了燃气轮机的效率和机动性能。

主动稳定控制是在预先探测即将发生的喘振与失速,即在刚出现失速征兆时就采取措施。如在失速征兆发生的初期,采取向流场中主动加入反向扰动或调整放气量或燃油流量及导叶角度等措施来抑制失速现象的产生和发展,以达到控制失速的目的,使压气机始终在最佳的状态下工作。

图1.3(a)是NASA Stage 35压气机主动稳定控制示意图。该系统的Coanda式排气槽位于定子的下游,并通过"桥"连接到转子上游的Coanda喷射器。当速度为设计速度的70%时,图1.3(b)中所示的失速流量系数的变化(失速)为6%,而在设计速度下失速为2%。

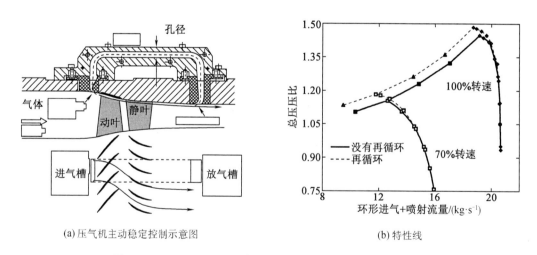

(a)压气机主动稳定控制示意图　　　　　(b)特性线

图1.3　NASA Stage 35压气机主动稳定控制示意图及特性线

1.4.2 主动间隙控制

叶尖间隙是指燃气轮机转子叶片和机匣的距离,它对燃气轮机的性能有很大的影响。叶尖间隙过大会使发动机性能降低,而叶尖间隙过小又有可能引起叶尖与机匣的碰撞或摩擦,严重危害发动机的安全,甚至导致严重的事故。研究并解决这一难题,对于燃气轮机性能的提高具有重要的意义。主动叶尖间隙控制技术的执行机构主要有主动热控制和主动机械控制。主动热控制是通过低温气流对机匣表面进行冷却的,这股冷气可以是大气或压气机引气。主动机械控制主要是通过特殊装置使机匣变形,从而达到控制叶尖间隙的目的。

从控制回路来说,主动间隙控制技术又可分为闭环叶尖间隙主动控制和开环叶尖间隙主动控制。闭环叶尖间隙主动控制利用先进的间隙传感器,检测出某工况时的叶尖间隙值,用反馈控制回路控制间隙最佳值。开环叶尖间隙主动控制通过找出叶尖间隙变化的准确规律,即当发动机工况改变时,用机载计算机计算出此时的间隙大小,及时调整外部所需的空气量,进行最佳间隙控制。燃气轮机工况会改变叶尖间隙,一般慢车时叶尖间隙高度较大,加速时叶尖间隙高度减小,巡航时叶尖间隙高度变化不大。为了尽可能减少叶尖间隙泄漏损失,避免叶尖与机匣之间发生碰擦,西北工业大学提出了机械式主动间隙控制系统(图1.4),其采用径向调整机构,利用独立的作动器、片状的机械结构和叶顶间隙测量反馈来提供发动机所处工作状态来精确控制间隙。图1.5所示为高压涡轮叶尖间隙在飞行过程中的变化。

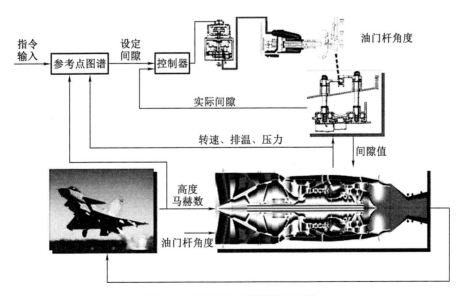

图 1.4 机械式主动间隙控制系统

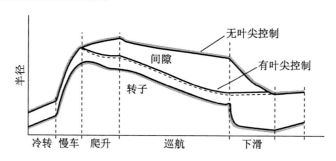

图 1.5　高压涡轮叶尖间隙在飞行过程中的变化

1.4.3　主动燃烧控制

　　主动燃烧控制是提高燃烧室性能、降低排放污染的关键技术之一。主动燃烧控制通过快速改变燃油的数量,实现对燃烧行为的调节。例如该技术可以实现定时喷入燃油,而不是根据需要被动地对流场进行空间结构的改变。由于定时调节比被动控制的几何改变更简单,因此主动燃烧控制有更好的灵活性。中船 703 所设计了一套燃烧压力脉动主动控制系统,在燃气轮机全尺寸燃烧室(图 1.6)进行了振荡燃烧主动控制试验研究,实现了对燃烧室内压力脉动的主动控制。该系统采用的脉动喷嘴为控制器,试图实时改变扰动源的频率和相位,改变放热与压力脉动间的相位差,实现对热声振荡的解耦,避免和抑制振荡燃烧,动态压力测量和控制系统原理如图 1.7 所示。图 1.8 为零路燃料喷嘴在高频阀控制下,从关闭状态到以 100 Hz 频率供给燃料,并切换 8 个不同相位,最后计算循环结束并停止工作的全过程压力脉动时域图。图 1.9 为该时间段燃烧室内压力脉动时域图。

图 1.6　燃烧试验台试验段安装图

　　可以看出,主动控制系统投入工作后,燃烧室内压力脉动幅值明显降低。燃烧室内压力脉动变化略滞后于燃料路内压力脉动变化,这是由于两个压力传感器分别安装在气路的上游和下游。因此,通过控制中心值班路燃料供给,可以实现对燃烧室内由贫燃燃烧引起的压力脉动的抑制。主动燃烧控制可改善发动机的性能,提高燃烧的效率,降低耗油率和减少形状因子,降低污染物排放,减小燃烧室的体积。

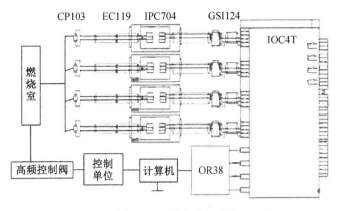

图1.7 动态压力测量和控制系统原理图

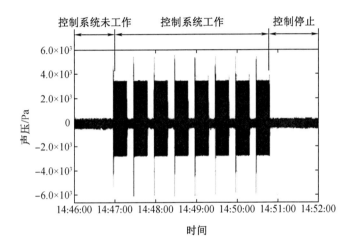

图1.8 零路燃料压力脉动时域图

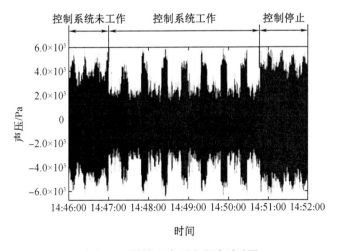

图1.9 燃烧室内压力脉动时域图

1.4.4 智能控制技术

未来的燃气轮机控制将向智能控制方向发展。智能控制就是将人工智能的方法引入燃气轮机控制系统,模拟人的智能活动控制信息实现控制规律。智能算法是实现智能控制的灵魂,目前正在研究的智能算法有模糊控制、专家控制、神经网络控制及模糊神经网络控制等。

模糊控制是在控制方法上应用模糊集合理论、模糊语言变量及模糊逻辑推理知识来模拟人的模糊思维方法,以便能够对某些无法用精确的数学模型描述的对象或过程进行控制。模糊控制是一种非线性控制方法,适用范围广且不依赖于被控对象的数学模型。

专家控制是智能控制的一种,它的主要特点是:在信息存储方面,应对那些对做出控制决策有意义的特征信息进行记忆,对于过时的信息则应加以遗忘;在信息处理方面,应把数值计算与符号运算结合起来;在信息利用方面,应对各种反映过程特性的特征信息加以抽取和利用,不要仅限于误差和误差的一阶导数。灵活地处理与利用在线信息将提高系统的信息处理能力和决策水平。

神经网络控制是一种先进的控制方法,它能以任意精度逼近任意非线性函数,对复杂的不确定性问题具有自适应和自学习能力,并具有很强的信息综合能力,能同时协调和处理多种输入信息的关系。神经网络控制具有信息处理的并行机制,对解决复杂系统大规模计算问题非常有利,对非线性、强耦合系统有很好的适应性。而且这种控制对被控对象的特性变化不敏感,因而具有很强的鲁棒性。

模糊神经网络控制就是模糊理论同神经网络相结合的产物,它汇集了神经网络与模糊理论的优点,集学习、联想、识别、信息处理于一体,在燃气轮机控制及故障诊断方面具有广泛应用。

1.4.5 状态监测与健康管理技术

基于复杂系统的可靠性、经济性和安全性考虑,以及适应信息化战争的需求,早在20世纪70年代,美国首先在航天器上提出综合健康管理的概念。随着科技和工业的发展,以预测技术为核心技术的故障预测与健康管理(prognostics and health management,PHM)策略得到了更多的重视和应用。20世纪90年代,美国军方开始引入视情维修技术或基于状态的维修(condition-based maintenance,CBM)。PHM的引入不是为了消除故障,而是用于预报故障可能发生的时间。提前预知故障的发生,提前做准备,便能最大限度地减少维修的次数,从而延长维修的周期,实现自主式保障,降低使用与保障的费用。如图1.10所示的美国海军的船舶综合状态评估系统(integrated condition assessment system,ICAS)是在OSA-CBM架构的基础上发展起来的,已经在超过100艘船舶上装备,其采用网络式拓扑结构,分船上和岸上两部分,重点用于船队的协调管理。

ICAS系统的管理对象主要包括LM2500型燃气轮机、轴系、主减速齿轮箱、空气调节系统、螺旋桨推进器和电气设备,涵盖整个船舶的各个分系统。ICAS包括状态监测、健康评估、故障诊断等功能,实现了基于状态的视情维修,已经取得一定的应用成就。但是,由于缺少故障预测功能,关于燃气轮机的状态信息尚未延伸到未来,使得维修决策的优化空间仅限于当前,因而做出的维修决策也是基于当前的、局部的优化策略,难以实现自主保障,因此由故障造成的任务失败事件仍时有发生。

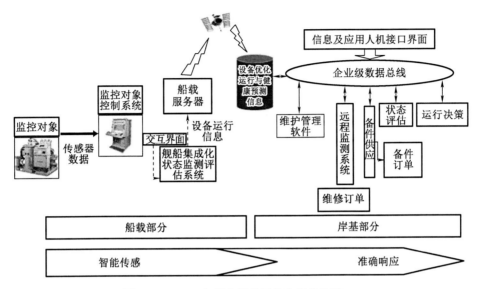

图 1.10　ICAS 与船上其他系统之间的关系

目前,智能运维技术已成为燃气轮机监控技术的一个研究热点,可以预见在未来将为燃气轮机高效、可靠和安全运行注入更多新的活力。

第2章 燃气轮机动态特性分析方法

控制系统设计本质上是用来处理燃气轮机的动态特性。鉴于燃气轮机的复杂性,燃气轮机动力学分析呈现多学科性,包括机械流体力学、热力学领域的物理现象。本章将根据燃气轮机动力学性质,导出三个基本动力学方程,即转子动态方程、压力动态方程和温度动态方程,然后基于 MATLAB 控制工具箱进行燃气轮机控制系统稳定性分析、时域及频域响应分析。

2.1 非线性特性的线性化方法

控制元件是组成自动控制系统的基本单元。实际元件大多呈现非线性特性。典型的非线性特性如图 2.1 所示,呈现连续特性或折线特性。

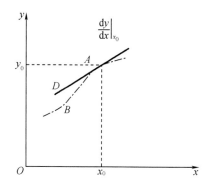

图 2.1 典型的非线性特性

根据非线性的特性,非线性特性的线性化方法包括以下两种近似方法。

(1)线性近似法:它适用于分析连续特性的非线性,要求元件的特性 $y=f(x)$ 有稳定的对应关系,而且要知道对应分析状态的稳态工作点。如图 2.1 中的 A 点,由 A 点作一切线 AB,用切线 AB 代替曲线 AD,切线 AB 在 A 点左右小范围内代替曲线 AD 是允许的。这种方法称为小偏差线性化方法。

(2)分段线性化法:它适用于分析具有折线或断续特性的非线性。应用此方法仍可分段按上述小偏差线性化方法对元件及系统进行分析,但要注意分段处交接点的原始条件。

一般情况下,变量 y 与 n 个自变量呈函数关系:

$$y=f(x_1,x_2,\cdots,x_n) \tag{2.1}$$

现用线性关系代替上述函数关系,则有

$$y=K_0+K_1x_1+K_2x_2+\cdots+K_nx_n \tag{2.2}$$

式(2.1)表示变量 y 有 n 维空间的曲面函数关系。式(2.2)表示该函数有 n 维空间的多面关系特性。这两个公式只会在工作点处重合。

因此,变量可以相对其工作点取偏差量:

$$\begin{cases} \Delta y = y - y_0 \\ \Delta x_1 = x_1 - x_{10} \\ \Delta x_2 = x_2 - x_{20} \\ \vdots \\ \Delta x_n = x_n - x_{n0} \end{cases} \tag{2.3}$$

式中,$y_0, x_{10}, x_{20}, \cdots, x_{n0}$ 为工作点的变量值。

由式(2.3)取增量为

$$\Delta y = f(\Delta x_1 + x_{10}, \Delta x_2 + x_{20}, \cdots, \Delta x_n + x_{n0}) \tag{2.4}$$

或

$$\Delta y = \Delta f(\Delta x_1, \Delta x_2, \cdots, \Delta x_n) = K_1 \Delta x_1 + K_2 \Delta x_2 + \cdots + K_n \Delta x_n \tag{2.5}$$

因此,线性化问题就是选取式(2.5)中的系数。从数学的角度来说,线性化的条件是:这个非线性函数在静态工作点应满足展开泰勒级数的条件,即对其各变量的各阶偏导数均为有限值。因此,略去高阶项,式(2.1)用增量线性方程表示为

$$\Delta y = \frac{\partial f}{\partial x_1} \Delta x_1 + \frac{\partial f}{\partial x_2} \Delta x_2 + \cdots + \frac{\partial f}{\partial x_n} \Delta x_n \tag{2.6}$$

2.2　转动惯性分析

转子动力学代表了燃气轮机最简单却又最重要的动态行为。燃气轮机转子动力学可以简化为两个圆盘与轴组成的系统,如图2.2所示。两个圆盘通过刚性轴连接。该系统包括盘和轴的加速度,由牛顿力学可知

$$\dot{\omega} = \frac{\Delta Q}{I} \tag{2.7}$$

式中,$\dot{\omega}$ 为转子的角加速度;ΔQ 为作用在两个盘上的转矩差;I 为刚性转子的质量惯性矩。

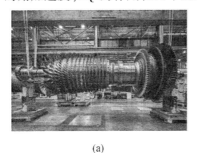
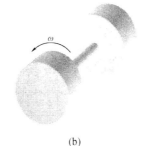

(a)　　　　　　　　　　　　　　(b)

图 2.2　燃气轮机转子动力学及简化系统

15

对于燃气轮机来讲,角速度 ω 通常用转子的转速 n 代替。转矩差 ΔQ 可以用转子的转速 n 和燃油流量 W_f 的函数表示,代入式(2.7)后,转子动态方程可写为

$$\dot{n} = \frac{f(n, W_f)}{I} \qquad (2.8)$$

如果我们对函数 f 在一个稳态工作点进行泰勒级数展开并保留一阶项,则可得到如下线性化转子动态方程:

$$\dot{n} = \frac{1}{I} \frac{\partial f}{\partial n} \Delta n + \frac{1}{I} \frac{\partial f}{\partial W_f} \Delta W_f \qquad (2.9)$$

例如,把燃气轮机发电组在轴系上的惯性力引起的变化表达为力矩平衡方程:

$$\frac{\pi}{30} J \frac{\mathrm{d}n}{\mathrm{d}t} = M_e - M_g \qquad (2.10)$$

式中,燃气轮机发出的力矩 M_e,即涡轮发出的力矩 M_t 减去压气机所需要的力矩 M_c 及带动辅机、摩擦损失等所需要的力矩 M_f;M_g 为拖动同步发电机所需要的力矩;$\frac{\pi}{30} J \frac{\mathrm{d}n}{\mathrm{d}t}$ 为机组轴系上质量引起的惯性力矩。

式(2.10)写成偏差量后,为

$$\frac{\pi}{30} J \frac{\mathrm{d}\Delta n}{\mathrm{d}t} = \Delta M_e - \Delta M_g \qquad (2.11)$$

现对 ΔM_e 和 ΔM_g 做小偏差线性化。已知 $M_e = 9\,550 \frac{N_e}{n}$,对 M_e 做偏微分可得

$$\Delta M_e = \frac{\partial M_e}{\partial N_e} \Delta N_e + \frac{\partial M_e}{\partial n} \Delta n \qquad (2.12)$$

在 M_{e0} 和 n_0 处,$\frac{\partial M_e}{\partial N_e} = 9\,550 \frac{1}{n_0}$,$\frac{\partial M_e}{\partial n} = -M_{e0} \frac{1}{n_0}$。

单轴燃气轮机特性曲线簇 $N_e = f(B, n)$,如图 2.3 所示。在这簇曲线上可以求得偏差值 ΔN_e。

$$\Delta N_e = \frac{\partial N_e}{\partial n} \Delta n + \frac{\partial N_e}{\partial B} \Delta B = \frac{\delta N_e}{\delta n} \Delta n + \frac{\delta N_e}{\delta B} \Delta B \qquad (2.13)$$

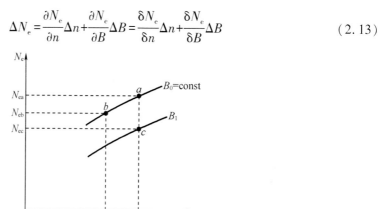

$N_e = f(n, B)$ 曲线簇

图 2.3　单轴燃气轮机特性曲线簇

将式(2.13)代入式(2.12),可得

$$\Delta M_e = \frac{\partial M_e}{\partial N_e}\frac{\delta N_e}{\delta n}\Delta n + \frac{\partial M_e}{\partial N_e}\frac{\delta N_e}{\delta B}\Delta B + \frac{\partial M_e}{\partial n}\Delta n$$

即

$$\Delta M_e = \frac{9\,550}{n_0}\frac{\delta N_e}{\delta n}\Delta n + \frac{9\,550}{n_0}\frac{\delta N_e}{\delta B}\Delta B - \frac{M_{e0}}{n_0}\Delta n \qquad (2.14)$$

将式(2.14)代入式(2.11),可得

$$\frac{\pi}{30}J\frac{\mathrm{d}\Delta n}{\mathrm{d}t} + \left(\frac{M_{e0}}{n_0} - \frac{9\,550}{n_0}\frac{\delta N_e}{\delta n}\right)\Delta n = \frac{9\,550}{n_0}\frac{\delta N_e}{\delta B}\Delta B - \Delta M_g \qquad (2.15)$$

用相对单位表示各变量,机组转速 $\varphi = \dfrac{\Delta n}{n_0}$,燃料量 $\nu = \dfrac{\Delta B}{B_0}$,负载力矩 $\theta = \dfrac{\Delta M_g}{M_{g0}}$。

将各相对变量代入式(2.15),可得

$$\frac{\pi}{30}Jn_0\frac{\mathrm{d}\varphi}{\mathrm{d}t} + \left(M_{e0} - 9\,550\frac{\delta N_e}{\delta n}\right)\varphi = \frac{9\,550}{n_0}B_0\frac{\delta N_e}{\delta B}\nu - M_{g0}\theta$$

在静态平衡工况下,$M_{g0} = M_{e0}$,代入上式可得

$$\frac{\frac{\pi}{30}Jn_0}{M_{e0} - 9\,550\frac{\delta N_e}{\delta n}}\frac{\mathrm{d}\varphi}{\mathrm{d}t} + \varphi = \frac{\frac{9\,550}{n_0}B_0\frac{\delta N_e}{\delta B}}{M_{e0} - 9\,550\frac{\delta N_e}{\delta n}}\nu - \frac{M_{e0}}{M_{e0} - 9\,550\frac{\delta N_e}{\delta n}}\theta$$

两边进行拉普拉斯变化可以得到油量和负载作为输入、转速体作为输出的传递函数模型:

$$(T_0 s + 1)\varphi = K_1\nu - K_2\theta \qquad (2.16)$$

式中,燃气轮机机组惯性时间常数为

$$T_0 = \frac{\frac{\pi}{30}Jn_0}{M_{e0} - 9\,550\frac{\delta N_e}{\delta n}}, (s)$$

燃油系数为

$$K_1 = \frac{\frac{9\,550}{n_0}B_0\frac{\delta N_e}{\delta B}}{M_{e0} - 9\,550\frac{\delta N_e}{\delta n}} = \frac{\frac{B_0}{n_0}\frac{\delta N_e}{\delta B}}{\frac{N_e}{n_0} - \frac{\delta N_e}{\delta n}}(无量纲)$$

负载力矩系数为

$$K_2 = \frac{M_{e0}}{M_{e0} - 9\,550\frac{\delta N_e}{\delta n}}(无量纲)$$

由以上公式可以看出,燃料量增加,转速上升,其动态过程为一阶惯性过程;需要增加功率,机组转速下降,下降过程也是动态过程,转速均按照指数曲线变化。

另外,得到系数 $\dfrac{\delta N_e}{\delta B}$ 及 $\dfrac{\delta N_e}{\delta n}$ 的值就能得到式(2.16)中的常数。由图 2.3 可看出,机组在额定工况点 $N_{ea}=f(B_0,n)$。

由 $B_0=\text{const}$ 曲线可求得 $\dfrac{\delta N_e}{\delta n}\bigg|_{B_0=\text{const}}=\dfrac{N_{ea}-N_{eb}}{n_a-n_b}$;

由 $n_a=\text{const}$ 曲线可求得 $\dfrac{\delta N_e}{\delta B}\bigg|_{n_a=\text{const}}=\dfrac{N_{ea}-N_{ec}}{B_0-B_1}$。

2.3　容积惯性分析

一台燃气轮机包含众多小容腔,这些小容腔也可以称作空气/燃气的小容积。每一个小容积可以存储热能和一定质量的空气、燃气。由于空气和燃气是连续介质,一个小容积内的能量和质量动力学行为均是分布式系统,而小容积的大小决定了用集中参数系统来近似容积动力学的逼近程度,空气/燃气通道的小容积划分得越小则逼近越准确。以船用三轴燃气轮机为例,如图 2.4 所示,有四个容积。第一个容积是位于低压压气机(LC)与高压压气机(HC)之间的容积;第二个容积位于高压压气机和高压涡轮(HT)之间,包括燃烧室(B)的容积及高压压气机和高压涡轮之间的管道容积;第三个容积是位于高压涡轮和低压涡轮(MT)之间的容积;第四个容积是位于低压涡轮和动力涡轮(LT)之间的容积。容积内的质量存储效应,导致容积内的压力和温度发生变化。这些变化是容积内空气或燃气的压力和温度存在热力学联系的结果。图 2.5 所示为单位容积模型。

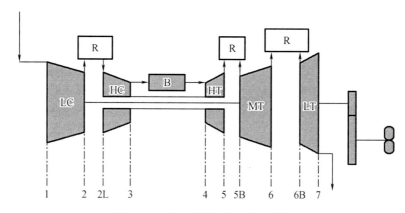

图 2.4　船用三轴燃气轮机物理模型

控制面内空气(或燃气)质量的变化率为

$$\dot{m}=\dot{m}_i-\dot{m}_o \tag{2.17}$$

容积 V 内的空气以温度 T、压力 p 和密度 $\rho=m/V$ 来表征。假设空气在工作点附近为理想气体(摩尔气体常数为 R),容积内压力的微小变化量为

$$dp = (\rho R)_0 dT + (RT)_0 d\rho = (\rho R)_0 dT + \left(\frac{RT}{V}\right)_0 dm \tag{2.18}$$

式中，V 是控制面包围的体积，为常量；下标 0 表示工作点。式(2.18)对时间微分得到

$$\dot{p} = (\rho R)_0 \dot{T} + \left(\frac{RT}{V}\right)_0 \dot{m} \tag{2.19}$$

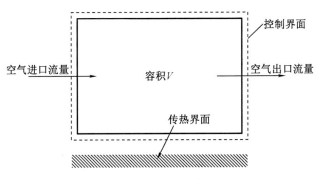

图 2.5 单位容积模型

因而容积内的压力变化率与温度和质量的变化率相关。然而，由于式(2.19)右边第 1 项变化要远小于第 2 项，因此可以舍去。所以，压力变化就近似正比于容积内质量的变化率，即

$$\dot{p} \approx \left(\frac{RT}{V}\right)_0 \dot{m} \tag{2.20}$$

这意味着压力的变化带来的 Δp 是右边项时间的积分。因而线性化的压力动力学的频域表示为

$$\frac{p(s)}{\Delta M(s)} = \frac{(RT/V)_0}{s} \tag{2.21}$$

式中，$\Delta M(s) = M_i(s) - M_o(s)$ 为 $\dot{m}(t)$ 的拉普拉斯变换，它是容积内质量流量的变化率。

2.4 热惯性分析

燃气轮机有两种不同类型的温度动力学：一种是由于容积内空气/燃气的热力学状态的直接改变而引起的温度变化；另一种则是由于发动机的热端金属部件和燃气流间进行热传导所引起的温度变化。热力学状态的直接改变是由于涡轮机械做功或消耗功而带来的空气/燃气的压力或温度的改变。化学反应对空气/燃气的加热也可以导致热力学状态的改变。相对于金属加热或吸热效应，这种直接由热力学效应引起的动态变化要快得多，热力学效应所引起的温度变化的时间，要比金属加热效应的时间快一个数量级。

由于燃气轮机金属加热效应引起的这种温度变化缓慢，而且变化量大，因而其成为发动机控制和监视系统设计特别感兴趣的内容。一个瞬态响应和实际发动机吻合良好的模

型,必须能够反映出这种大的温度变化。

下面的例子可以说明这个过程的影响。对于一台 6 000 kW 燃气轮机在甩负荷(3 000 kW)时测得的过渡过程如图 2.6 所示。按此过渡过程得超调量

$$\sigma = \frac{3\ 110 - 3\ 020}{3\ 080 - 3\ 020} \times 100\% = 150\%$$

计算表明,如只考虑执行器的时间常数,不会有这样大的超调量。因此,在燃气轮机中除了转子这个储藏转子动能的蓄能器外,还有一个储藏热能的蓄能器。这个蓄能器就是过渡过程中燃气与其流过的通道的金属表面之间的不稳定热交换,在短时间内吸收或释放出的附加能量,从而对燃气轮机动态性能产生影响。

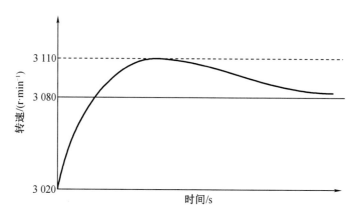

图 2.6　6 000 kW 燃气轮机甩 3 000 kW 的过渡过程

在这个热交换过程中,热量一是由燃烧时火焰筒、过渡段、管道壁、涡轮通流部分的金属表面与燃气之间的放热系数所决定;二是在金属较深处的热量的吸收与释放,由放热系数与导热系数共同决定。以某机组甩负荷为例,可以粗略估计气道内不稳定热交换过程对动态过程的影响。现粗略计算,该机组在过渡过程中参加热交换的表面金属质量约为400 kg。当负荷从 5 000 kW 甩到空载时,这些部件的温度变化约为 150 ℃。假设这些热量在 6 s 内发出,则每秒平均发出的热量约为 5 000 kJ/s。如果这个热量以 21% 的效率转化成机械能,即相当于 1 050 kW,也就是说机组从 5 000 kW 甩负荷到空载时,转子由于机组内部的不稳定,热交换得到的功率为 1 050 kW。这就为 6 s 内提供了附加加速,当然实际过程比上述分析复杂得多。这个例子给出了气道不稳定时热交换过程对动态影响的数量级的概念。

由能量守恒定律可知一个模块中的温度的变化包括快和慢两种温度动力学,可以表示为

$$\dot{T} = \left(\frac{RT}{c_1 pV}\right)_0 (\dot{m}_i h_i - \dot{m}_o h_o + \dot{q}) - \left(\frac{RT^2}{pV}\right)_0 \dot{m} \tag{2.22}$$

式中, c_V 是气体的定容比热容(比定压热容); $\dot{q}$ 是热传导率,主要是金属向容积内燃气的热扩散,属于慢温度动力学;右边第 2 项为热力学引起的温度快动力学。

现主要考虑燃气轮机中慢温度变化。因为快温度和慢温度变化的时间常数存在巨大

差异,因而运用频率分离理论,假设燃气温度高于金属温度,那么从燃气到金属的热传导,可以用一个一维热传导方程来近似:

$$\dot{q} = \bar{h} A_m (T - T_m) = c_m m_m \dot{T}_m \tag{2.23}$$

式中,$\bar{h}$ 是标准热传导系数;A_m 是和空气/燃气接触的金属壁面积;T 是燃气温度;T_m 是金属温度;c_m 是金属比热容;m_m 是金属质量。由于燃气损失的能量等于金属获得的能量,我们可以用热交换前后的燃气温度关系表示为

$$\dot{q} = c_p \dot{m}_t (T_i - T_o) = \bar{h} A_m (T - T_m) \tag{2.24}$$

式中,C_p 为比定压热容;$\dot{m}_t$ 是燃气通过涡轮的质量流量;T_i 是燃气进口温度;T_o 是燃气出口温度。式(2.23)和式(2.24)为容积内慢温度变化的动力学方程。

令 $T = T_i$,将式(2.23)代入式(2.24),并对两边进行拉普拉斯变化可以得到从涡轮进口温度到涡轮出口温度的传递函数为

$$\frac{T_o(s)}{T_i(s)} = \frac{\left[(c_m m_m / \bar{h} A_m) - (c_m m_m / c_p m_t) \right] s + 1}{(c_m m_m / \bar{h} A_m) s + 1} \tag{2.25}$$

式中,时间常数 $c_m m_m / \bar{h} A_m$ 是通过涡轮的质量流量和燃气出口温度的函数。

对于船用燃气轮机而言,其属于轻型燃气轮机,其热惯性与转动惯性和容积惯性相比要小得多,因此,船用燃气轮机在实际建模过程大多忽略过渡过程中各部件金属吸收或放出的热量及气道不稳定热交换等热惯性的影响,主要考虑其转动惯性和容积惯性对燃气轮机动态特性的影响。

2.5 系统动态响应分析方法

2.5.1 稳定性分析

在经典控制分析中,线性定常系统稳定性的概念是:若控制系统在初始条件和扰动作用下,其瞬态响应随时间的推移而逐渐衰减并趋于原点(原平衡工作点),则称该系统是稳定的。反之,如果控制系统受到扰动作用后,其瞬态响应随时间的推移而发散,输出呈持续振荡过程,或者输出无限制地偏离平衡状态,则称该系统是不稳定的。系统稳定性是系统设计与运行的首要条件。只有稳定的系统,才有价值分析与研究系统自动控制方面的其他问题。控制系统的稳定性分析是系统时域分析、稳态误差分析、根轨迹分析与频率分析的前提。对一个稳定的系统,还可以用相对稳定性进一步衡量系统的稳定程度。系统的相对稳定性越低,则系统的灵敏性和快速性越强,系统的振荡也越激烈。

对于线性连续系统:如果系统的所有特征根(极点)的实部为负,则系统是稳定的;如果有实部为零的根,则系统是临界稳定的(在实际工程中视临界稳定系统为不稳定系统);如

果有正实部的根,则系统是不稳定的。

线性连续系统稳定的充分必要条件是:描述该系统的微分方程的特征方程的根全具有负实部,即全部根在左半复平面内,或者说系统的闭环传递函数的极点均位于左半 s 平面内。

线性离散系统稳定的充分必要条件是:当线性离散系统的所有特征根(极点)的模都小于 1 时,即 $|\lambda_i|<1, i=1,2,\cdots,n$,则该系统是稳定的;当线性离散系统的所有特征根的模都大于 1 时,则该系统是不稳定的。

由系统的稳定判据可知,判断系统的稳定性实际上是判定系统闭环特征方程的根的位置。其前提需要求出特征方程的根。MATLAB 提供了与之相关的函数,见表 2.1。

表 2.1　控制系统特征根求解命令

$p = eig(G)$	求取矩阵特征根。系统的模型 G 可以是传递函数、状态方程和零极点模型,也可以是连续或离散的
$P = pole(G), Z = zero(G)$	分别用来求系统的极点和零点。G 是定义好的系统数学模型
$[p, z] = pzmap(sys)$	求系统的极点和零点。sys 是定义好的系统数学模型
$r = roots(P)$	求特征方程的根。P 是系统闭环特征多项式降幂排列的系数向量

除了采用闭环特征根判断控制系统的稳定性外,根轨迹也是一种有效表征特征根与系统参数全部数值关系的图解方法。根轨迹是指当开环系统某一参数从零变化到无穷大时,闭环系统特征根(闭环极点)在复平面上移动的轨迹。通常,根轨迹指示增益由零到正无穷大时根的轨迹。通过根轨迹可以清楚地反映如下信息:

①临界稳定时的开环增益;
②闭环特征根进入复平面时的临界增益;
③选定开环增益后,系统闭环特征根在根平面上的分布情况;
④参数变化时,系统闭环特征根在根平面上的变化趋势等。

MATLAB 中提供了 rlocus( )函数,如表 2.2 所示,可以直接用于系统的根轨迹绘制,还允许用户交互式地选取根轨迹上的值。

表 2.2　根轨迹主要命令格式

$rlocus(G)$	绘制指定系统的根轨迹
$rlocus(G, k)$	绘制指定系统的根轨迹。k 为给定增益向量
$[r, k] = rlocus(G)$	返回根轨迹参数。r 为复根位置矩阵。r 有 length(k)列,每列对应增益的闭环根

2.5.2　时域分析

系统性能的描述可以分为动态性能和稳态性能。粗略地说,在系统的全部响应过程中,系统的动态性能表现在过渡过程结束之前的响应中,系统的稳态性能表现在过渡过程结束之后的响应中。对于系统性能的描述,如以准确的定量方式来描述则这种描述称为系统的性能指标描述。系统测试信号的选取原则:对于一个实际的控制系统,测试信号的形式应接近或反映系统工作时最常见的输入信号形式,同时也应该注意选取对系统工作最不利的信号作为测试信号。人们习惯选择阶跃信号测试系统的时域响应。对于稳定系统,通常在系统阶跃响应曲线上定义系统动态性能指标。

系统的单位阶跃响应不仅完整反映了系统的动态特性,而且反映了系统在单位阶跃信号输入下的稳定状态。同时,单位阶跃信号又是一个最简单、最容易实现的信号。系统动态性能指标,如图2.7所示。

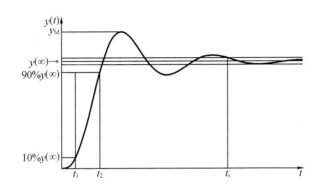

图 2.7　系统动态性能指标

延迟时间 t_1:从阶跃响应给出到反馈达到终值10%所需要的时间。

上升时间 t_2:对于有振荡系统,定义为从零到第一次上升到终值所需要的时间;对于无振荡的系统,定义为从终值10%上升到终值90%所需要的时间。

调节时间 t_s:阶跃响应达到并保持在终值±5%所需要的最短时间。

稳态误差 $\zeta(\%)$:稳定状态响应达到并保持在终值±5%所需要的最短时间。

超调量 $\sigma(\%)$:最大偏差,即输出量的最大值减去稳态值,与稳态值之比的百分数。

例如,某型燃气轮机燃油流量的控制品质要求:当计量阀初始位置为任意位置时,给定阶跃流量变化为 1 000 kg/h 时;延迟时间 $t_1 \leq 0.5$ s,调整时间 $t_s \leq 1.2$ s,超调量 $\sigma \leq 10\%$。

表2.3所示为用MATLAB求取单位阶跃响应下系统动态性能指标step函数的基本用法。给定线性传递函数表达的系统,可使用表中所列函数调用方式得到系统阶跃响应。

表 2.3　单位阶跃响应函数 step 的用法

step(G)	绘制系统阶跃响应曲线
step(G,t)	绘制系统阶跃响应曲线
y＝step(G,t)	返回系统阶跃响应曲线 y 值,不绘制图形

2.5.3　频域分析

在正弦输入信号的作用下,线性定常系统输出的稳态分量是与输入信号相同频率的正弦函数。输出稳态分量与输入正弦信号的复数比称为频率特性。控制领域常用对数频率特性,又称伯德图。伯德图有两张图,一张是对数幅频特性曲线图,另一张是对数相频特性曲线图。前者以频率 ω 为横坐标,并采用对数分度,将 $20\lg|G(j\omega)|$ 的函数值作为纵坐标,并以分贝(dB)为单位均匀分度。后者的横坐标也以频率 ω 为横坐标(也用对数分度),纵坐标则为相角 $\varphi(\omega)$,单位为度(°),均匀分度。两张图合起来称为伯德图。表 2.4 为使用MATLAB 绘制伯德图的基本用法。

表 2.4　伯德图命令使用方法

bode(G)	绘制系统伯德图。系统自动选取频率范围
bode(G,w)	绘制系统伯德图。由用户指定选取频率范围
$[\text{mag},\text{phase},w]=\text{bode}(G)$	返回系统伯德图相应的幅值、相位和频率向量。可使用 $\text{magdb}=20*\log 10(\text{mag})$ 将幅值转换为分贝值

对数频率稳定判据:当 $p=0$ 时,在开环对数幅相特性曲线 $20\lg|G|>0$ 的范围内,若相频特性曲线 $\varphi(\omega)$ 对 $-\pi$ 线的正穿(由下至上)次数与负穿(由上向下)次数相等,则系统闭环稳定;当 $p\neq 0$ 时,在开环对数幅相特性曲线 $20\lg|G|>0$ 的范围内,若相频特性曲线 $\varphi(\omega)$ 对 $-\pi$ 线的正穿次数与负穿次数之差为 $p/2$,则系统闭环稳定。

2.5.4　实例分析

以单轴燃气轮机燃油控制为例,由 2.1 节分析可知,从燃油流量到转子转速的传递函数是一阶滞后环节。如果采用比例-积分(PI)控制规律来控制燃气轮机转速,则系统整体控制回路如图 2.8 所示,其中,$1/\alpha$ 是燃气轮机时间常数,K_e 是燃气轮机传递函数的增益,K_p 是比例控制增益,K_i 是积分控制增益。输出变量是转子转速。控制器以指令值 n_{cmd} 的要求对转速进行调节。

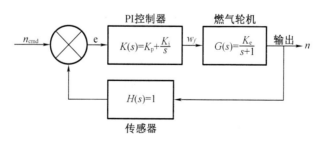

图 2.8　转速控制回路框图

由于转速传感器的动态比转子转速的动态快得多,因此转速传感器的传递函数可由 1 逼近,则单轴燃气轮机开环传递函数 OLTF 为

$$\text{OLTF} = \frac{K_e K_p (s + K_i / K_p)}{s(s + \alpha)} \qquad (2.26)$$

1. 稳定性分析

这是一个极点位于 0 和 $-\alpha$,零点位于 $-K_i/K_p$ 的二阶系统,常数 $K_e K_p$ 称为回路增益。同理,假设执行器的动态远比燃气轮机动态快得多,则可忽略执行器的传递函数。为了说明设计的结果,定义单轴燃气轮机的标称工作点为:稳态转速为 3 300 r/min,时间常数 $1/\alpha$ = 1/0.6 s,增益 $K_e = 33 (\text{r/min})/\text{lb} \cdot \text{h}^{-1}$。由稳定性判据可知,不论开环增益值 $K_e K_p$ 如何选择,两个闭环极点都将落在 s 平面的左半域内,因而系统是稳定的。

零点位置的差异将造成:

(1)弱积分器:积分器的增益值较小,导致零点位于 0 与 $-\alpha$ 之间。

(2)强积分器:积分器增益较大,导致零点将位于 $-\alpha$ 的左半域内,闭环极点可能出现两个实数数值或两个复共轭值。

对于弱积分情况,一个闭环极点将位于 0 和 $-K_i/K_p$ 之间,而另一个极点将位于 $-\alpha$ 的左侧。两个极点都落在实轴上,输出变量的闭环响应是两个一阶滞后环节响应的组合,因此在输出响应中也就不会出现振荡现象。假定设计器 $K_p = 0.04$,$K_i = 0.04$,即零点为 -1,其根轨迹如图 2.9 所示。

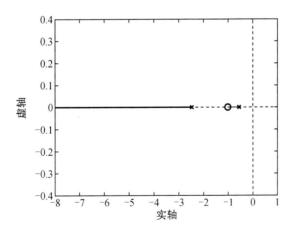

图 2.9 弱积分情况下根轨迹

该情况下极点分别是 $-1.814\ 8$ 和 $-0.181\ 8$,均在 s 平面的左侧,系统稳定,零点为 -1,落在两个极点之间。弱积分情况程序见表 2.5。

表 2.5 弱积分情况程序

```
Kp = 0.04; Ki = 0.04;s = tf('s');
G1 = 33/(s + 1/0.6)
G2 = Kp + Ki/s;
G = feedback(G1 * G2,1) %建立转速控制回路模型
P = pole(G); Z = zero(G);  %求解系统极点和零点
rlocus(G);  %绘制系统根轨迹
```

　　如果比例控制增益调整的比积分控制增益小,则变为强积分器情况。假定 $K_p =$ 0.000 4,强积分情况程序见表 2.6,根轨迹如图 2.10 所示。

表 2.6　强积分情况程序

```
Kp = 0.0004；
Ki = 0.04；
s = tf('s')；
G1 = 33/(s+1/0.6)
G2 = Kp+Ki/s；
G = feedback(G1 * G2,1) %建立转速控制回路模型
P = pole(G)；Z = zero(G)；　%求解系统极点和零点
rlocus(G)；　%绘制系统根轨迹
```

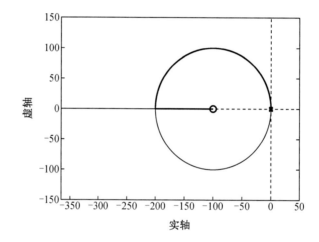

(a)情况 2 下根轨迹

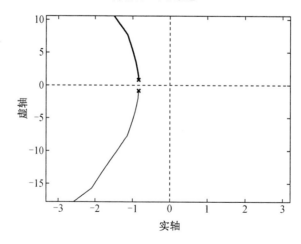

(b)(a)中右侧分支放大图

图 2.10　情况 2 下的根轨迹及右侧分支放大图

可以看出根轨迹的两个初始分支在实轴的 0 和-α 之间相遇,而后各自远离实轴,直到再次相遇在零点左侧的两个实轴点上。大多数情况下,优选第一种设计方法。

2. 时域响应分析

由于发动机传递函数的增益 K_e 已知,因此只需要改变 K_p 就能观察回路增益 K_eK_p 对系统的影响,也就是闭环极点的位置直接与比例控制增益相关。所以,设计 PI 控制器问题就等同于选择两个设计参数:控制增益的比值 K_i/K_p 和比例控制增益 K_p。

对于第 1 种情况,保持积分控制增益 K_i 不变,比例控制增益分别为 0.004,0.04 和 0.08,分别定义为 GC1、GC2 和 GC3,回路增益分别为 1.32、13.2 和 26.4。图 2.11 为这三种增益下的阶跃响应结果,相应的时频分析程序表 2.7。

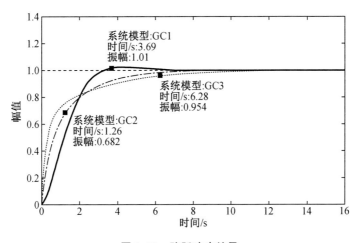

图 2.11 阶跃响应结果

表 2.7 时频分析程序

```
Kp1 = 0.004；   %情况 1
Kp2 = 0.04；    %情况 2
Kp3 = 0.08；    %情况 3
Ki = 0.04；
s = tf('s')；
G1 = 33/(s+1/0.6)
G21 = Kp1+Ki/s；
G22 = Kp2+Ki/s；
G23 = Kp3+Ki/s；
GC1 = feedback(G1 * G21,1)   %情况 1 系统模型
GC2 = feedback(G1 * G22,1)   %情况 2 系统模型
GC3 = feedback(G1 * G23,1)   %情况 3 系统模型
step(GC1,GC2,GC3)   %时域阶跃响应
```

可以看出：

（1）随着回路增益的增加，PI 控制器中积分作用减弱，由强积分器变为弱积分器。适当增加比例控制增益，可降低欠阻尼现象，但随着比例控制增益的增加，系统的响应时间也变长了。

（2）控制参数的设计过程就是闭环极点位置变化的过程。

（3）强积分器会引起输出响应变快，但也可能出现不希望的振荡现象。在本例中将传感器视为理想 1 传递函数，但是在实际回路中存在噪声。因此，增大比例控制增益将会使闭环系统对高频干扰变得灵敏。

3. 频域响应分析

频率响应法的设计要点在于选择一个控制器传递函数，可通过设计开环传递函数的频率响应的特性幅频线的形状来完成，使开环传递函数 OLTF 满足期望的响应特性。在很低的频段，开环传递函数起到积分器的作用；在高频段，开环传递函数起到低通滤波作用，类似一阶滞后环节。对于弱积分情况，比例控制增益分别为 0.04 时，转速控制回路的伯德图频率响应曲线如图 2.12 所示，在截止频率处相角裕度大于 45°，满足通道特性设计要求。在高频段，相位接近 $-90°$，在增益穿越频率处相角裕度均大于 45°。

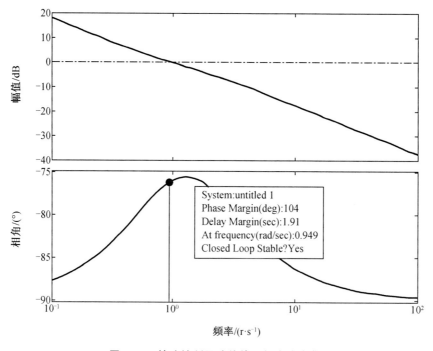

图 2.12　转速控制回路伯德图频率响应曲线

第3章　面向控制的燃气轮机建模方法

本章面向控制分析需求,以典型的分轴船用燃气轮机为例,建立燃气轮机非线性模型,采用模块化建模的方法,详细分析各部件数学模型;根据控制分析需要,详细讨论如何将非线性模型简化为线性小偏差模型和状态空间模型,从而为开展燃气轮机控制规律设计和验证提供模型基础。

3.1　燃气轮机非线性模型

下面以 LM2500 燃气轮机为研究对象,分析非线性建模方法。图 3.1 为 LM2500 燃气轮机结构示意图。

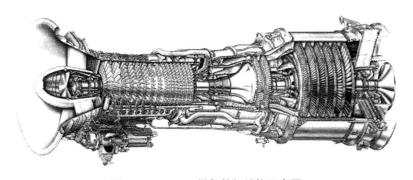

图 3.1　LM2500 燃气轮机结构示意图

LM2500 燃气轮机是一种分轴的燃气轮机,由单转子燃气发生器和动力涡轮部件组成。其中,燃气发生器由压气机、环形燃烧室、涡轮构成;压气机是压比为 16 级的单转子轴流式压气机,主要由转子、静子、进气装置、防喘装置等部件组成;燃烧室是环形燃烧室,主要由涡流器、喷嘴、火焰筒外壁、火焰筒内壁、燃烧室内壳、燃烧室外壳等部件组成;高压涡轮是 2 级的单转子轴流式的涡轮,主要由转子、导向器及中间机匣等部件组成;动力涡轮是 6 级的轴流式涡轮。

根据分轴燃气轮机的物理组成和工作时物质、能量传递关系,将分轴燃气轮机分为进气道、压气机、燃烧室、高压涡轮、低压涡轮、转子及排气道等模块,同时在建模过程中考虑了流动的不稳定性,在高压涡轮与动力涡轮之间添加一个容积模块,LM2500 燃气轮机简图及参数符号如图 3.2 所示。下面分别建立各个部件的数学模型。

其中 P_i 和 $T_i(i=0,1,2,\cdots,5)$ 表示各部件进出口压力和温度,W_f 为燃烧室燃油流量,负载由减速齿轮箱及螺旋桨(推进)或发电机(发电)简化而成。

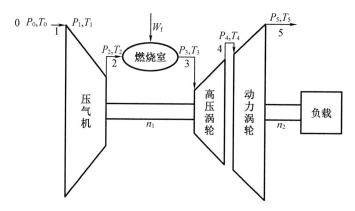

图 3.2　LM2500 燃气轮机简图及参数符号

3.1.1　进气道数学模型

空气在进入燃气轮机的过程中在进气管道中流动的时间是比较短的,故可以认为该过程是一个绝热的流动过程,即在这个过程中不存在能量损失,空气的温度是不变的。由于燃气轮机进气道的尺寸是固定的,所以在不同的工况下运行时需要的空气的流量存在较大的差异,因此在这个过程中空气的压力损失是不能被忽略的。值得一提的是,船用燃气轮机进气道总处于亚音速状态,因此可以采用进气道的总压恢复系数来表征:

$$P_1 = \sigma_i P_0 \tag{3.1}$$
$$T_1 = T_0 \tag{3.2}$$

式中,P_0 为外界大气总压,Pa;P_1 为压气机进口压力,Pa;σ_i 为进气管道的总压恢复系数;T_0 为环境大气总温,K;T_1 为压气机进口总温,K。

进气道恢复系数会影响燃气轮机的流量,也会影响燃气轮机的热效率、输出功率等性能参数,在本书中 $\sigma_i = 0.98$。

3.1.2　压气机数学模型

压气机在运行过程中把外界环境中的空气吸入并且在压气机中对空气进行加压,因此供给燃烧室的是高压气体。空气在压气机中的流动过程是一种逆压流动,具有很高的非线性。空气在压气机中的流动过程十分复杂,故一般很难比较准确地直接对压气机特性进行数学描述,一般通过实验获得压气机的特性线。为了弥补实验所获得的特性线的参数是绝对参数,只适合该型号压气机的缺点,使压气机特性线有更高的通用性,只要马赫数相等,就可以根据气体流动的相似准则,采用压气机通用特性线。此时压气机的工作特性一般用压比 π_c、折合流量 $G_c \sqrt{T_1}/P_1$、折合转速 $n/\sqrt{T_1}$、效率 η_c 四个参数来表示,如图 3.3 和图 3.4 所示。在燃气轮机的仿真过程中,一般将转子的转速设置为状态变量。与此同时,在仿真过程中压气机进出口的压力是已知的,因此就可以先利用压比和折合转速求出折合流量,之后利用折合转速和折合流量求得压气机的效率,此时压气机的四个参数就都已知了。

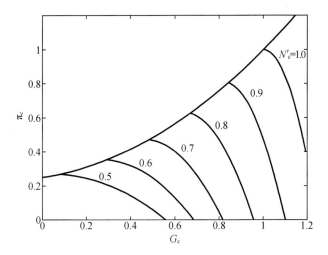

图 3.3 压气机压比(π_c)、流量(G_c)之间的变工况性能曲线

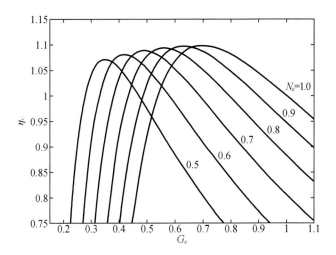

图 3.4 压气机拟合流量(G_c)、效率(η_c)之间的变工况性能曲线

在建立压气机的数学模型时需要做出如下假设：

（1）工质通过压气机外壳与外界环境进行的热量交换忽略不计；

（2）不考虑压气机内部的气体容积，即不考虑压气机的容积惯性；

（3）不考虑抽气冷却及压气机漏气的影响；

（4）忽略流体质量力及动量作用的影响。

由上述分析可知，压气机的通用特性曲线用下面的函数关系表示：

$$\frac{G_i \sqrt{T_1}}{P_1} = f_1\left(\frac{P_2}{P_1}, \frac{n_1}{\sqrt{T_1}}\right) \tag{3.3}$$

$$\eta_c = f_2\left(\frac{P_2}{P_1}, \frac{n_1}{\sqrt{T_1}}\right) \tag{3.4}$$

式中，P_1 为压气机进口压力，Pa；P_2 为压气机出口压力，Pa；T_1 为压气机进口温度，K；G_i 为压气机进口空气质量流量，kg/s；n_1 为压气机转速，r/min。

压气机的连续方程：

$$G_i - G_o = 0 \qquad (3.5)$$

式中，G_i 为压气机进口空气质量流量，kg/s；G_o 为压气机出口空气质量流量，kg/s。

压气机的温度方程：

$$T_2 = T_1 \left[1 + (\pi_c^{m_a} - 1)/\eta_c \right] \qquad (3.6)$$

式中，T_2 为压气机出口空气温度，K；T_1 为压气机进口空气温度，K；π_c 为压气机压比；$m_a = k_a - 1/k_a$，$k_a = 1.4$ 为空气比热比。

压气机的功率方程：

$$N_c = G_i c_{Pa} T_i (\pi_c^{m_a} - 1)/\eta_c \qquad (3.7)$$

式中，N_c 为压气机耗功，kW；c_{Pa} 为空气比定压热容，kJ/(kg·K)

3.1.3　燃烧室数学模型

燃烧室是一个用来燃烧工质的装置，它使来自压气机的高压气体在其中和喷嘴喷入的燃料进行掺混后燃烧，从而获得高温、高压的燃气。此时的燃气具有很大的做功能力，能推动涡轮做功。通常燃烧室工作性能的主要指标有燃烧室效率 η_B、燃烧稳定性、出口温度场、总压恢复系数 σ_B 等。研究表明，当进行燃气轮机变工况计算时，燃烧室效率和总压恢复系数随工况的变化不大，因此在本书中假设 η_B 及 σ_B 是不变的。假设条件：

（1）燃烧室通过壁面与外界环境进行的热量交换忽略不计；

（2）忽略燃烧室泄露的影响；

（3）忽略燃烧过程中存在的不稳定性及流动过程的不稳定性；

（4）认为燃烧室是一个纯燃烧的能量累加模块。

质量守恒方程为

$$G_g = G_c + G_f \qquad (3.8)$$

能量守恒方程为

$$G_c h_2 + G_f h_f + G_f \eta_B \text{LHV} = G_g h_3 \qquad (3.9)$$

燃烧室出口压力为

$$P_3 = P_2 \sigma_B \qquad (3.10)$$

式（3.8）、式（3.9）、式（3.10）中，G_f 为燃料的质量流量，kg/s；G_g 为燃气的质量流量，kg/s；h_f 为燃料的焓值，kJ/kg；LHV 为燃料低热值，kJ/kg；h_3 为燃烧室出口燃气的焓值，kJ/kg；P_3 为燃烧室出口压力，Pa。

3.1.4　涡轮数学模型

涡轮是将来自燃烧室的高温、高压燃气中的部分热能和压力能转换为机械功，高压涡轮带动压气机工作，动力涡轮则用来带动负载。涡轮的工作特性可以用膨胀比 π_t、折合流量 $G_t \sqrt{T_3}/P_3$、折合转速 $n/\sqrt{T_3}$、效率 η_t 来表示。图3.5和图3.6所示为高压涡轮工作特性，图 3.7 和图 3.8 为动力涡轮工作特性。

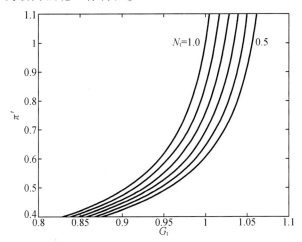

图 3.5 高压涡轮压比（π'）、流量（G_t）之间的变工况性能曲线

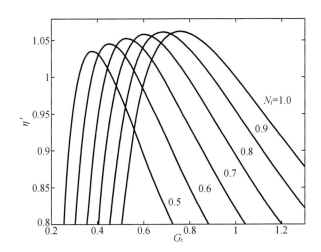

图 3.6 高压涡轮效率（η'）、流量（G_t）之间的变工况性能曲线

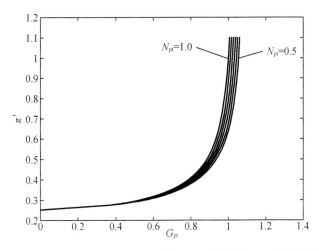

图 3.7 动力涡轮压比（π'）、流量（G_{pt}）之间的变工况性能曲线

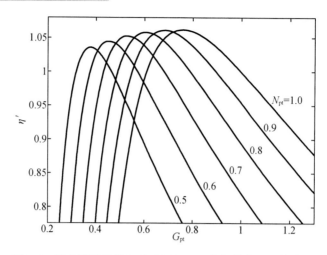

图 3.8 动力涡轮效率(η')、流量(G_{pt})之间的变工况性能曲线

在燃气轮机的仿真过程中,将转子的转速设置为状态变量,涡轮进出口的压力已知,故涡轮的膨胀比也是已知的。因此,可以先利用涡轮膨胀比和折合转速求出折合流量,之后利用折合转速和折合流量求得压气机的效率,此时涡轮的四个参数就都已知了。假设条件:

(1)忽略涡轮和外部环境的热量交换;

(2)忽略流体的质量和动量影响;

(3)将实际流动过程复杂的多元流动简化为一元流动;

(4)不考虑涡轮抽气冷却及涡轮漏气的影响。

由上述分析可知,涡轮的通用特性曲线可用以下的函数关系表示:

$$\frac{G_i\sqrt{T_i}}{p_i}=f_3\left(\frac{P_o}{P_i},\frac{n_t}{\sqrt{T_i}}\right) \tag{3.11}$$

$$\eta_t=f_4\left(\frac{P_o}{P_i},\frac{n_t}{\sqrt{T_i}}\right) \tag{3.12}$$

式(3.11)和式(3.12)中,P_i 为涡轮进口压力,Pa;P_o 为涡轮出口压力,Pa;T_i 为涡轮进口温度,K;G_i 为涡轮内部燃气质量流量,kg/s;n_t 为涡轮转速,r/min。

涡轮出口温度为

$$T_o=T_i\left[1+(\pi_T^{m_g}-1)\eta_T\right] \tag{3.13}$$

式中,T_o 为涡轮出口空气温度,K;T_i 为涡轮进口空气温度,K;π_T 为涡轮膨胀比;$m_g=k_g-1/k_g$,k_g 为燃气定熵指数。

计算透平功率:

$$N_T=G_i c_{pg} T_i(\pi_c^{m_g}-1)\eta_T \tag{3.14}$$

式中,N_T 为涡轮做的膨胀功,kW;c_{pg} 为燃气比定压热容,kJ/(kg·K)。

3.1.5 容积模块数学模型

由于燃气是可压缩气体,并且在高压涡轮和动力涡轮之间的流动连接段存在一定的容积,会使燃气在这段容积的进口和出口的流量产生一定的差异,且由于流量产生的差异会导致燃气在该流动连接段的进口和出口压力产生一定的变化,这就是容积惯性。在建立燃气轮机的仿真模型的过程中,为了使燃气轮机动态仿真模型比较准确,须考虑燃气容积惯性对燃气轮机仿真的影响。在该流动连接段中燃气的动态方程如下:

$$\frac{\mathrm{d}P_\mathrm{o}}{\mathrm{d}t} = \frac{R_\mathrm{g}T_\mathrm{o}}{V}(G_\mathrm{i}-G_\mathrm{o}) \tag{3.15}$$

式中,P_o 为容积模块出口压力,Pa;G_i 和 G_o 分别为容积模块的进口和出口质量流量,kg/s;

一般都会忽略气体在容积环节中跟外界环境之间的传热,因此一般认为在容积环节前后燃气的总温不变,即

$$T_\mathrm{i} = T_\mathrm{o} \tag{3.16}$$

式中,T_i 和 T_o 分别为容积模块进口和出口温度,K。V 为容积模块的容积,m³;R_g 为空气的气体常数,kJ/(kg·K)。

3.1.6　转子数学模型

LM2500 燃气轮机的转子分为高压涡轮转子和动力涡轮转子。转子的转动惯性是与转速有关的函数,在过渡过程中,作用在转子上的不平衡功率会使转子加速或者减速,根据动力学定律可知,此时高压转子的运动方程如下:

$$\frac{\mathrm{d}n_1}{\mathrm{d}t} = \frac{30}{J_1\pi}(M_\mathrm{ht}-M_\mathrm{c}) = \frac{900}{J_1\pi^2 n_1}(N_\mathrm{ht}-N_\mathrm{c}) \tag{3.17}$$

式中,n_1 为高压转子的转速,r/min;J_1 为高压转子的转动惯量,kg·m²;N_ht 为高压涡轮发出的功率,kW;N_c 为压气机消耗的功率,kW。

动力涡轮转子的运动方程如下:

$$\frac{\mathrm{d}n_2}{\mathrm{d}t} = \frac{30}{J_2\pi}(M_\mathrm{lt}-M_\mathrm{L}) = \frac{900}{J_2\pi^2 n_2}(N_\mathrm{lt}-N_\mathrm{L}) \tag{3.18}$$

式中,n_2 为动力涡轮转子的转速,r/min;J_2 为动力涡轮转子的转动惯量,kg·m²;N_lt 为动力涡轮转子发出的功率,kW;N_L 为负载消耗的功率,kW。基于式(3.17)和式(3.18)建立的转子模块适用于分轴燃气轮机。

3.1.7　排气道数学模型

排气导管中存在的压力损失不仅会影响动力涡轮的出口压力,还会影响动力涡轮的膨胀比及涡轮的效率等参数。由于燃气在排气道中流动时间比较短,因此可以认为气体在排气道中的流动是一种没有能量损失的绝热流动,但是导致了燃气的压力损失。

$$P_5 = P_0/\sigma_\mathrm{o} \tag{3.19}$$

式中,σ_o 为排气管道总压恢复系数。

3.1.8　仿真结果分析

以燃油流量为控制变量建立 LM2500 的非线性动态仿真模型,分别进行设计点工况仿真及变工况仿真,并将仿真结果与实际数据进行对比,验证模型的准确性。表 3.1 给出了设计点工况实际值与仿真值的对比,建立的燃气轮机模型在设计点处能够较好地吻合实际值,最大误差不超过 1%,表明该模型在设计点具有较高的精度。

表 3.1　燃气轮机设计点工况实际值与仿真值对比

参数	实际值	仿真值	相对误差/%
功率/kW	31 207	31 456	0.79
压气机进口空气流量/$(\mathrm{kg \cdot s^{-1}})$	88.4	88.19	−0.24
压气机出口温度/K	768.15	767	−0.15
压气机压比	23.54	23.54	0
燃气轮机出口温度/K	806.95	806.1	−0.11
热效率/%	37.7	37.83	0.34
燃油流量/$(\mathrm{kg \cdot s^{-1}})$	1.934	1.934	0

为验证所建立模型在非设计点工况下仿真的准确性,从设计点开始,仿真获得给定不同燃油流量下稳态时的各参数值。根据仿真结果对比了四个参数(压气机压比、压气机进口流量、燃气轮机热效率及燃气轮机出口温度)随功率的变化曲线。其对比结果分别如图 3.9 和图 3.10 所示。

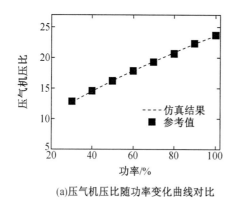

(a)压气机压比随功率变化曲线对比

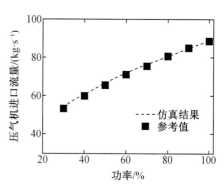

(b)压气机进口流量随功率变化曲线对比

图 3.9　压气机压比与进口流量随功率的变化与实际变化对比

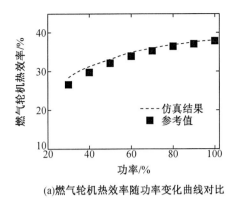

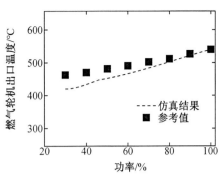

(a)燃气轮机热效率随功率变化曲线对比　　　(b)燃气轮机出口温度随功率变化曲线对比

图 3.10　燃气轮机热效率与燃气轮机出口温度随功率的变化与实际变化对比

由图 3.10 可知,热效率及出口温度随功率下降误差增大,但是能够反映相应的变化趋势。因此,所建立的模型能够反映 LM2500 燃气轮机的特性,可以用于监控技术研究。

3.2　燃气轮机线性小偏差模型

分轴燃气轮机有两根轴,即高压轴和低压轴,因此分轴燃气轮机可简化为两个动态环节,即将高压轴(燃气发生器)划分为一个动态环节,将低压轴(动力透平)划分为另一个动态环节。因此,压气机、燃烧室及高压透平可看作一个整体。喷入燃料量变化会引起送入低压透平的燃气流量、压力、温度的变化。

3.2.1　高压轴转子方程

高压轴动态特性主要考虑高压轴转子方程。高压轴发出的力矩 M_1 只用来加速高压轴转子,克服转子惯性力,即

$$\Delta M_1 = \frac{\pi}{30} J_1 \frac{\mathrm{d}n}{\mathrm{d}t} \tag{3.20}$$

高压轴发出的力矩 M_1 等于高压涡轮发出的力矩 M_{T1} 减去压气机消耗的力矩 M_K:

$$M_1 = M_{T1} - M_K \tag{3.21}$$

又根据力矩、功率和转速的关系:

$$M_{T1} = 975 \frac{N_{T1}}{n_1} \tag{3.22}$$

$$M_K = 975 \frac{N_K}{n_1} \tag{3.23}$$

代入式(3.21)得

$$M_1 = 975 \frac{M_{T1} - M_K}{n_1} \tag{3.24}$$

由式(3.24)可直接计算出高压轴发出的力矩 M_1 与高压轴转速 n_1 及送入燃料量 B 的关系,如图 3.11 所示。对 M_1 进行小偏差线性化可得

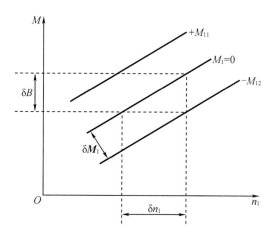

图 3.11　$n_1 = f(B,M)$ 曲线

$$\Delta M_1 = \frac{\partial M_1}{\partial n}\Delta n_1 + \frac{\partial M_1}{\partial B}\Delta B = -\frac{\delta M_1}{\delta n}\Delta n_1 + \frac{\delta M_1}{\delta B}\Delta B \qquad (3.25)$$

将 ΔM_1 的关系代入式(3.20),可得

$$\frac{\pi}{30}J_1\frac{\mathrm{d}(\Delta n_1)}{\mathrm{d}t} = \frac{\delta M_1}{\delta B}\Delta B - \frac{\delta M_1}{\delta n_1}\Delta n_1 \qquad (3.26)$$

用相对值表示各变量

$$\mu_B = \frac{\Delta B}{B_0}, \varphi_1 = \frac{\Delta n_1}{n_{10}}$$

代入式(3.26)可得

$$\frac{\pi}{30}J_1 n_{10}\frac{\mathrm{d}\varphi_1}{\mathrm{d}t} + \frac{\delta M_1}{\delta n_1}n_{10}\varphi_1 = \frac{\delta M_1}{\delta B}B_0\mu_B \qquad (3.27)$$

令 $T_{1\varphi} = \frac{\pi}{30}J_1\frac{\delta n_1}{\delta M_1}$, $K_{1\mu} = \frac{\delta n_1}{\delta B}\frac{B_0}{n_{10}}$,则

$$(T_{1\varphi}s+1)\varphi_1 = K_{1\mu}\mu_B \qquad (3.28)$$

由燃气轮机热力循环计算可得,燃气发生器特性 $n_1 = f(B,M_1)$,如图 3.11 所示。

在某个转速 n_1 情况下,供给燃料量 B 恰当,则高压轴为平衡工作状态,即 $N_{T1} = N_K$。这时 ΔN_1 和 ΔM_1 为 0。增大燃料 B,则 $N_{T1} > N_K$,有 $+\Delta N_1$ 和 $+\Delta M_1$,使高压轴转速上升;减小燃料 B,则 $N_{T1} < N_K$,有 $-\Delta N_1$ 和 $-\Delta M_1$,使高压轴转速降低。因此

$$\frac{\partial M_1}{\partial n_1} = -\frac{\delta M_1}{\delta n_1}, \frac{\partial M_1}{\partial B} = \frac{\delta M_1}{\delta B} \qquad (3.29)$$

3.2.2　低压转子运动方程

低压轴动力涡轮发出的力矩 M_e 用来克服低压轴系上低压涡轮及负载转子质量的惯性

力矩及负载力矩 M_L。显然有

$$\Delta M_e - \Delta M_L = \frac{\pi}{30} J_2 \frac{\mathrm{d}(\Delta n_2)}{\mathrm{d}t} \tag{3.30}$$

式中，ΔM_e 为低压涡轮发出力矩的变化量；ΔM_L 为负载力矩的变化量；J_2 为低压涡轮轴转动惯量。动力涡轮发出的力矩为

$$M_e = 975 \frac{N_e}{n_2} \tag{3.31}$$

则

$$\Delta M_e = \frac{\partial M_e}{\partial n_2} \Delta n_2 + \frac{\partial M_e}{\partial N_e} \Delta N_e \tag{3.32}$$

又 $\dfrac{\partial M_e}{\partial n_2} = -975 \dfrac{N_e}{n_{20}^2}$，$\dfrac{\partial M_e}{\partial N_e} = \dfrac{975}{n_{20}}$，代入式（3.32）可得

$$\Delta M_e = \frac{975}{n_{20}} \Delta N_e - 975 \frac{N_{e0}}{n_{20}^2} \Delta n_2 \tag{3.33}$$

已知 $N_e = f(B, n_1)$，由燃气轮机特性曲线可以求出低压涡轮发出的功率 N_e 与燃料量 B 及高压轴转速 n_1 的关系曲线，如图 3.12 所示。

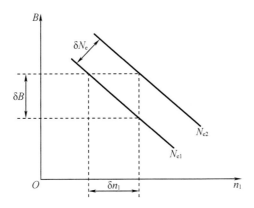

图 3.12 $n_1 = f(B, N_e)$ 曲线

$$\Delta N_e = \frac{\partial N_e}{\partial B} \Delta B + \frac{\partial N_e}{\partial n_1} \Delta n_1$$

可以看出

$$\frac{\partial N_e}{\partial B} = \frac{\delta N_e}{\delta B}, \quad \frac{\partial N_e}{\partial n_1} = \frac{\delta N_e}{\delta n_1}$$

则

$$\Delta N_e = \frac{\delta N_e}{\delta B} \Delta B + \frac{\delta N_e}{\delta n_1} \Delta n_1$$

将 ΔN_e 代入 ΔM_e 可得

$$\Delta M_e = \frac{975}{n_{20}} \frac{\delta N_e}{\delta B} \Delta B + \frac{975}{n_{20}} \frac{\delta N_e}{\delta n_1} \Delta n_1 - 975 \frac{N_{e0}}{n_{20}^2} \Delta n_2 \tag{3.34}$$

又 $M_L = 975\dfrac{N_L}{n_2}$,则

$$\Delta M_L = \frac{\partial M_L}{\partial n_2}\Delta n_2 + \frac{\partial M_L}{\partial N_L}\Delta N_L$$

式中,$\dfrac{\partial M_L}{\partial n_2} = -975\dfrac{N_{L0}}{n_{20}^2}$,$\dfrac{\partial M_L}{\partial N_L} = \dfrac{975}{n_{20}}$,代入上式可得

$$\Delta M_L = \frac{975}{n_{20}}\Delta N_L - 975\frac{N_{L0}}{n_{20}^2}\Delta n_L \tag{3.35}$$

将 ΔM_L 及 ΔN_e 的关系式代入式(3.30)可得

$$\frac{975}{n_{20}}\frac{\delta N_e}{\delta B}\Delta B + \frac{975}{n_{20}}\frac{\delta N_e}{\delta n_1}\Delta n_1 - 975\frac{N_{e0}}{n_{20}^2}\Delta n_2 = \frac{\pi}{30}J_2\frac{\mathrm{d}(\Delta n_2)}{\mathrm{d}t} + \frac{975}{n_{20}}\Delta N_L - 975\frac{N_{L0}}{n_{20}^2}\Delta n_2 \tag{3.36}$$

在稳态情况下,动力涡轮发出的功率 N_{e0} 与负载 N_{L0} 相等,则式(3.36)改写为

$$\frac{975}{n_{20}}\frac{\delta N_e}{\delta B}\Delta B + \frac{975}{n_{20}}\frac{\delta N_e}{\delta n_1}\Delta n_1 = \frac{\pi}{30}J_2\frac{\mathrm{d}(\Delta n_2)}{\mathrm{d}t} + \frac{975}{n_{20}}\Delta N_L \tag{3.37}$$

用相对值表示各变量,即

$$\mu_B = \frac{\Delta B}{B_0}, \quad \varphi_1 = \frac{\Delta n_1}{n_{10}}, \quad \varphi_2 = \frac{\Delta n_2}{n_{20}}, \quad \lambda_L = \frac{\Delta N_L}{N_{L0}}$$

代入式(3.37)可得

$$\frac{M_{e0}}{N_{e0}}\frac{\delta N_e}{\delta B}B_0\mu_B + \frac{M_{e0}}{N_{e0}}\frac{\delta N_e}{\delta n_1}n_{10}\varphi_1 = \frac{\pi}{30}J_2n_{20}\frac{\mathrm{d}\varphi_2}{\mathrm{d}t} + M_{e0}\lambda_L \tag{3.38}$$

此时考虑到 $M_{e0} = \dfrac{975}{n_{20}}N_{e0} = \dfrac{975}{n_{20}}N_{L0}$,并设 $T_{2\varphi} = \dfrac{\pi}{30}J_2\dfrac{n_{20}}{M_{e0}}$,$K_{2\varphi} = \dfrac{n_{10}}{N_{e0}}\dfrac{\delta N_e}{\delta n_1}$,$K_{2\mu} = \dfrac{B_e}{N_{e0}}\dfrac{\delta N_e}{\delta B}$,则式(3.38)可改写为

$$T_{2\varphi}s\varphi_2 = K_{2\varphi}\varphi_1 + K_{2\mu}\mu_L - \lambda_L \tag{3.39}$$

3.2.3　分轴燃气轮机线性模型

分轴燃气轮机的两个动态方程式为式(3.38)及式(3.39),如作为两个环节来考虑,可以画出框图,如图3.13所示。

由分轴燃气轮机的变工况计算求取 $n_1 = f_1(B, M_1)$ 及 $n_1 = f_2(B, N_e)$ 特性曲线,根据已知分轴燃气轮机额定工况的各项参数及压气机特性曲线,得高压轴转子方程,已知 $n_{10} = 10\,435$ r/min,$B_0 = 2\,020$ kg/h。由计算资料得到 $\delta_{M1} = 25$ kgf·m,$\delta_{n1} = 148$ r/min,$\delta_B = 102$ kg/h。又知 $J_1 = 0.57$ kg·m·s^2。由此可求得以下系数:

$$T_{1\varphi} = \frac{\pi}{30}J_1\frac{\delta n_1}{\delta M_1} = \frac{3.14}{30}\times 0.57\times\frac{148}{25} = 0.353$$

$$K_{1\mu} = \frac{\delta n_1}{\delta B}\frac{B_0}{n_0} = \frac{148}{102}\times\frac{2\,020}{10\,435} = 0.238\,8$$

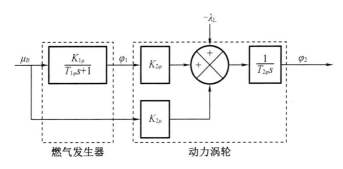

图 3.13　分轴燃气轮机模型简图

将以上系数代入式(3.28)可得

$$(0.353s+1)\varphi_1 = 0.238\ 8\mu_B$$

低压轴转子方程:已知 $n_{20}=3\ 000$ r/min, $N_{e0}=9\ 164$ kW, $J_2=49$ kg·m·s^2。可计算出

$$M_{e0}=975\times\frac{N_{e0}}{n_{20}}=975\times\frac{9\ 164}{3\ 000}=2\ 978\ \text{kgf·m}。$$ 由计算资料得到, $\delta N_e=500$ kW, $\delta n_1=136$ r/min,

$\delta_B=130$ kg/h。由此可求出式中各项系数:

$$T_{2\varphi}=\frac{\pi}{30}J_2\ \frac{n_{20}}{M_{e0}}=\frac{\pi}{30}(49)\times\frac{3\ 000}{2\ 978}=5.165\ \text{s}$$

$$K_{2\varphi}=\frac{n_{10}}{N_{e0}}\frac{\delta N_e}{\delta n_1}=\frac{10\ 435}{9\ 164}\times\frac{500}{136}=4.187$$

$$K_{2\mu}=\frac{B_0}{N_{e0}}\frac{\delta N_e}{\delta_B}=\frac{2\ 020}{9\ 164}\times\frac{500}{130}=0.848$$

将以上系数代入式(3.39)可得

$$5.165s\varphi_2 = 4.187\varphi_1 + 0.848\mu_B - \lambda_L$$

在 MATLAB/Simulink 中建立线性小偏差模型,如图 3.14 所示。假定涡轮转速在 5 s 时,从 3 000 r/min 设定为 3 150 r/min,在 PID 控制作用下,燃气轮机转速响应曲线如图 3.15 所示。

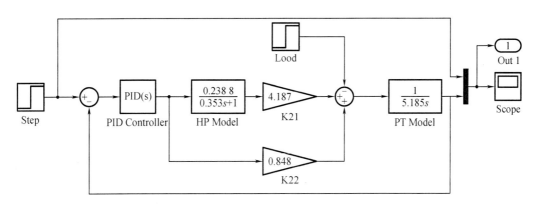

图 3.14　燃气轮机小偏差仿真模型

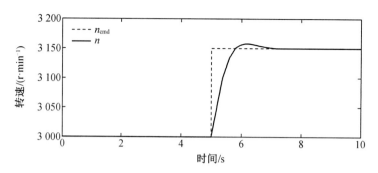

图 3.15　动力涡轮转速响应曲线

从图 3.15 中可以看出,燃气轮机动力涡轮转速在控制器的作用下实现了预期控制功能。

3.3　燃气轮机状态空间模型

设分轴燃气轮机的非线性热力学模型为

$$\begin{cases} \dot{x}=f(x,u,v) \\ y=g(x,u,v) \end{cases} \tag{3.40}$$

式中,x 为状态变量,表征的是燃气轮机转动惯性和容积惯性;u 为控制变量;v 为环境条件参数;y 为输出变量。假设燃气轮机所处的环境条件保持不变,即不考虑环境条件参数 v,此时控制变量 u 唯一决定了燃气轮机的工作状态,非线性模型可以简化为

$$\begin{cases} \dot{x}=f(x,u) \\ y=g(x,u) \end{cases} \tag{3.41}$$

在某一稳态工况点 (x_0,u_0) 对式(3.41)进行泰勒展开得

$$\begin{cases} \dot{x}=f(x_0,u_0)+\dfrac{\partial f}{\partial x}\bigg|_{\substack{x=x_0 \\ u=u_0}}(x-x_0)+\dfrac{\partial f}{\partial u}\bigg|_{\substack{x=x_0 \\ u=u_0}}(u-u_0)+\mathrm{HOT} \\[4mm] y=g(x_0,u_0)+\dfrac{\partial g}{\partial x}\bigg|_{\substack{x=x_0 \\ u=u_0}}(x-x_0)+\dfrac{\partial g}{\partial u}\bigg|_{\substack{x=x_0 \\ u=u_0}}(u-u_0)+\mathrm{HOT} \end{cases} \tag{3.42}$$

式中,HOT 为泰勒公式展开后的高阶项,略去式(3.42)中二阶以上的高阶导数项得

$$\begin{cases} \Delta\dot{x}=\dfrac{\partial\dot{x}}{\partial x}\bigg|_{\substack{x=x_0 \\ u=u_0}}\Delta x+\dfrac{\partial\dot{x}}{\partial u}\bigg|_{\substack{x=x_0 \\ u=u_0}}\Delta u \\[4mm] \Delta y=\dfrac{\partial y}{\partial x}\bigg|_{\substack{x=x_0 \\ u=u_0}}\Delta x+\dfrac{\partial y}{\partial u}\bigg|_{\substack{x=x_0 \\ u=u_0}}\Delta u \end{cases} \tag{3.43}$$

式中,$\Delta x=x-x_0$;$\Delta u=u-u_0$。

分轴燃气轮机的动态特性主要由转动惯性和容积惯性两部分组成,选取分轴燃气轮机的状态变量、控制变量和输出变量(表 3.2)。

表 3.2　分轴燃气轮机状态空间模型各变量表示

变量	参数	符号	单位
状态变量	压气机转速	n_1	r/min
	动力涡轮转速	n_2	r/min
	燃烧室出口温度	T_3	K
	燃烧室出口压力	P_3	Pa
控制变量	燃油流量	G_f	kg/s
输出变量	压气机转速	n_1	r/min
	动力涡轮转速	n_2	r/min
	压气机出口温度	T_2	K
	压气机出口压力	P_2	Pa
	高压涡轮出口温度	T_4	K
	高压涡轮出口压力	P_4	Pa
	动力涡轮出口温度	T_5	K
	动力涡轮出口压力	P_5	Pa

令 $A=\dfrac{\partial \dot{x}}{\partial x}\Big|_{\substack{x=x_0\\u=u_0}}$，$B=\dfrac{\partial \dot{x}}{\partial u}\Big|_{\substack{x=x_0\\u=u_0}}$，$C=\dfrac{\partial y}{\partial x}\Big|_{\substack{x=x_0\\u=u_0}}$，$D=\dfrac{\partial y}{\partial u}\Big|_{\substack{x=x_0\\u=u_0}}$，则式 (3.43) 可表示为

$$\begin{cases} \Delta \dot{x}=A\Delta x+B\Delta u \\ \Delta y=C\Delta x+D\Delta u \end{cases} \tag{3.44}$$

则分轴燃气轮机的状态空间模型为

$$\begin{bmatrix} \Delta \dot{n}_1 \\ \Delta \dot{n}_2 \\ \Delta \dot{T}_3 \\ \Delta \dot{P}_3 \end{bmatrix} = \begin{bmatrix} \left(\frac{\partial \dot{n}_1}{\partial n_1}\right)_0 & \left(\frac{\partial \dot{n}_1}{\partial n_2}\right)_0 & \left(\frac{\partial \dot{n}_1}{\partial T_3}\right)_0 & \left(\frac{\partial \dot{n}_1}{\partial P_3}\right)_0 \\ \left(\frac{\partial \dot{n}_2}{\partial n_1}\right)_0 & \left(\frac{\partial \dot{n}_2}{\partial n_2}\right)_0 & \left(\frac{\partial \dot{n}_2}{\partial T_3}\right)_0 & \left(\frac{\partial \dot{n}_2}{\partial P_3}\right)_0 \\ \left(\frac{\partial \dot{T}_3}{\partial n_1}\right)_0 & \left(\frac{\partial \dot{T}_3}{\partial n_2}\right)_0 & \left(\frac{\partial \dot{T}_3}{\partial T_3}\right)_0 & \left(\frac{\partial \dot{T}_3}{\partial P_3}\right)_0 \\ \left(\frac{\partial \dot{P}_3}{\partial n_1}\right)_0 & \left(\frac{\partial \dot{P}_3}{\partial n_2}\right)_0 & \left(\frac{\partial \dot{P}_3}{\partial T_3}\right)_0 & \left(\frac{\partial \dot{P}_3}{\partial P_3}\right)_0 \end{bmatrix} \begin{bmatrix} \Delta n_1 \\ \Delta n_2 \\ \Delta T_3 \\ \Delta P_3 \end{bmatrix} + \begin{bmatrix} \left(\frac{\partial \dot{n}_1}{\partial G_f}\right)_0 \\ \left(\frac{\partial \dot{n}_2}{\partial G_f}\right)_0 \\ \left(\frac{\partial \dot{T}_3}{\partial G_f}\right)_0 \\ \left(\frac{\partial \dot{P}_3}{\partial G_f}\right)_0 \end{bmatrix} \Delta G_f \tag{3.45}$$

$$
\begin{bmatrix} \Delta n_1 \\ \Delta n_2 \\ \Delta T_2 \\ \Delta P_2 \\ \Delta T_4 \\ \Delta P_4 \\ \Delta T_5 \\ \Delta P_5 \end{bmatrix} = \begin{bmatrix} 1 & 0 & 0 & 0 \\ 0 & 1 & 0 & 0 \\ \left(\dfrac{\partial T_2}{\partial n_1}\right)_0 & \left(\dfrac{\partial T_2}{\partial n_2}\right)_0 & \left(\dfrac{\partial T_2}{\partial T_3}\right)_0 & \left(\dfrac{\partial T_2}{\partial P_3}\right)_0 \\ \left(\dfrac{\partial P_2}{\partial n_1}\right)_0 & \left(\dfrac{\partial P_2}{\partial n_2}\right)_0 & \left(\dfrac{\partial P_2}{\partial T_3}\right)_0 & \left(\dfrac{\partial P_2}{\partial P_3}\right)_0 \\ \left(\dfrac{\partial T_4}{\partial n_1}\right)_0 & \left(\dfrac{\partial T_4}{\partial n_2}\right)_0 & \left(\dfrac{\partial T_4}{\partial T_3}\right)_0 & \left(\dfrac{\partial T_4}{\partial P_3}\right)_0 \\ \left(\dfrac{\partial P_4}{\partial n_1}\right)_0 & \left(\dfrac{\partial P_4}{\partial n_2}\right)_0 & \left(\dfrac{\partial P_4}{\partial T_3}\right)_0 & \left(\dfrac{\partial P_4}{\partial P_3}\right)_0 \\ \left(\dfrac{\partial T_5}{\partial n_1}\right)_0 & \left(\dfrac{\partial T_5}{\partial n_2}\right)_0 & \left(\dfrac{\partial T_5}{\partial T_3}\right)_0 & \left(\dfrac{\partial T_5}{\partial P_3}\right)_0 \\ \left(\dfrac{\partial P_5}{\partial n_1}\right)_0 & \left(\dfrac{\partial P_5}{\partial n_2}\right)_0 & \left(\dfrac{\partial P_5}{\partial T_3}\right)_0 & \left(\dfrac{\partial P_5}{\partial P_3}\right)_0 \end{bmatrix} \begin{bmatrix} \Delta n_1 \\ \Delta n_2 \\ \Delta T_3 \\ \Delta P_3 \end{bmatrix} + \begin{bmatrix} 0 \\ 0 \\ \left(\dfrac{\partial T_2}{\partial G_f}\right)_0 \\ \left(\dfrac{\partial P_2}{\partial G_f}\right)_0 \\ \left(\dfrac{\partial T_4}{\partial G_f}\right)_0 \\ \left(\dfrac{\partial P_4}{\partial G_f}\right)_0 \\ \left(\dfrac{\partial T_5}{\partial G_f}\right)_0 \\ \left(\dfrac{\partial P_5}{\partial G_f}\right)_0 \end{bmatrix} \Delta G_f \qquad (3.46)
$$

其中式(3.45)为状态方程,式(3.46)为输出方程,两个方程代表的是分轴燃气轮机在某一稳态点处的状态空间模型。为了减小矩阵的条件数,本书对各物理参数进行了归一化处理。选取非线性参数的额定值作为归一化的基准值,然后将各非线性输出参数与其对应的基准值的比值作为各参数的归一化参数,式(3.47)至式(3.57)是每个物理参数归一化的过程。

$$n_{1p} = n_1 / (n_1)_0 \times 100\% \qquad (3.47)$$

$$n_{2p} = n_2 / (n_2)_0 \times 100\% \qquad (3.48)$$

$$T_{2p} = T_2 / (T_2)_0 \times 100\% \qquad (3.49)$$

$$P_{2p} = P_2 / (P_2)_0 \times 100\% \qquad (3.50)$$

$$T_{3p} = T_3 / (T_3)_0 \times 100\% \qquad (3.51)$$

$$P_{3p} = P_3 / (P_3)_0 \times 100\% \qquad (3.52)$$

$$T_{4p} = T_4 / (T_4)_0 \times 100\% \qquad (3.53)$$

$$P_{4p} = P_4 / (P_4)_0 \times 100\% \qquad (3.54)$$

$$T_{5p} = T_5 / (T_5)_0 \times 100\% \qquad (3.55)$$

$$P_{5p} = P_5 / (P_5)_0 \times 100\% \qquad (3.56)$$

$$G_{fp} = G_f / (G_f)_0 \times 100\% \qquad (3.57)$$

式中,下标 p 表示归一化参数,则归一化后的状态空间模型的数学表达式为

$$
\Delta \dot{x}_p = A \Delta x_p + B \Delta G_{fp}
$$
$$
\Delta y_p = C \Delta x_p + D \Delta G_{fp} \qquad (3.58)
$$

将表 3.2 中的状态变量、控制变量、输出变量及系数矩阵相应元素代入式(3.58),得到以下表达式

$$
\begin{bmatrix} \Delta \dot{n}_1 \\ \Delta \dot{n}_2 \\ \Delta \dot{T}_3 \\ \Delta \dot{P}_3 \end{bmatrix} = \begin{bmatrix} a_{11} & a_{12} & a_{13} & a_{14} \\ a_{21} & a_{22} & a_{23} & a_{24} \\ a_{31} & a_{32} & a_{33} & a_{34} \\ a_{41} & a_{42} & a_{43} & a_{44} \end{bmatrix} \begin{bmatrix} \Delta n_{1p} \\ \Delta n_{2p} \\ \Delta T_{3p} \\ \Delta P_{3p} \end{bmatrix} + \begin{bmatrix} b_1 \\ b_2 \\ b_3 \\ b_4 \end{bmatrix} \Delta G_{fp}
$$

$$
\begin{bmatrix} \Delta n_1 \\ \Delta n_2 \\ \Delta T_2 \\ \Delta P_2 \\ \Delta T_4 \\ \Delta P_4 \\ \Delta T_5 \\ \Delta P_5 \end{bmatrix} = \begin{bmatrix} 1 & 0 & 0 & 0 \\ 0 & 1 & 0 & 0 \\ c_{31} & c_{32} & c_{33} & c_{34} \\ c_{41} & c_{42} & c_{43} & c_{44} \\ c_{51} & c_{52} & c_{53} & c_{54} \\ c_{61} & c_{62} & c_{63} & c_{64} \\ c_{71} & c_{72} & c_{73} & c_{74} \\ c_{81} & c_{82} & c_{83} & c_{84} \end{bmatrix} \begin{bmatrix} \Delta n_{1p} \\ \Delta n_{2p} \\ \Delta T_{3p} \\ \Delta P_{3p} \end{bmatrix} + \begin{bmatrix} 0 \\ 0 \\ d_3 \\ d_4 \\ d_5 \\ d_6 \\ d_7 \\ d_8 \end{bmatrix} \Delta G_{fp} \quad (3.59)
$$

式(3.59)就是在环境条件保持不变、某一稳态情况下,归一化后的分轴燃气轮机状态空间模型。后文中提到的状态空间模型指归一化后的模型,为了使公式简洁明了略去了下标 p。

3.3.1 状态空间模型系数矩阵求取方法

为了获得燃气轮机的最优控制,需要线性发动机模型,因为没有为非线性系统开发的最优控制理论体系,因此,必须从非线性状态和输出方程式获得发动机的线性表示。燃气轮机状态监视和故障检测隔离采用的最优估计理论也大都是基于线性系统理论,因此,需要用燃气轮机的线性模型来进行设计。燃气轮机状态变量模型就是在状态空间中建立的燃气轮机线性模型,广泛应用于燃气轮机先进控制律设计、燃气轮机状态监视和故障诊断中。状态变量模型可以由发动机非线性气动热力学模型提取出来,也可以用发动机运行中的测量数据来建立。后者涉及昂贵的发动机运行成本,且当测量数据不充分时,很难保证模型有足够的精度,因此很少采用。本节讨论前者,下面主要介绍两种建立状态空间模型的方法。

1. 偏导数法

求取燃气轮机线性状态变量模型 **A**、**B**、**C**、**D** 矩阵的主要方法是偏导数法,该方法利用有限差分的方法近似关于工作点的偏导数,使用强制稳态平衡的偏移导数法从所选择的发动机工作点的非线性发动机模拟中得出线性模态。有限差分法用于获得工作点系统偏导数的近似值。使用有限差分近似偏导数要求每个状态和输入变量被单独扰动,而所有其他状态和输入变量保持不变,最终得到系统的状态变量模型。但是实际上,对任何一个状态变量或控制变量做小扰动时均会引起其他状态变量的变化,因此偏导数法虽然简单,但其建模精度较低。

2. 拟合法

除偏导数法以外,建立燃气轮机线性状态化模型的常用方法还有拟合法,其建模的精度较高,现已被广泛采用。拟合法的基本思路是:在燃气轮机某稳态平衡点求得的线性状态变量模型的小偏差响应曲线与同一点处气动热力学模型的小偏差响应曲线应该相同。求解步骤:①在给定的稳态工作点分别求出状态变量模型在各控制变量小阶跃作用下的动态响应解析式;②对燃气轮机气动热力学模型在燃气轮机同一稳态平衡点,同样做各控制变量小阶跃作用下的非线性动态响应;③以状态变量模型的动态响应应与非线性气动热力学模型动态响应相一致为原则,用非线性动态响应数据来拟合状态变量模型公式中的 A、B、C、D 矩阵。

3.3.2 分步拟合法的原理

本节采用分步拟合法建立状态空间模型,将稳态的过程与瞬态的过程分别进行拟合,在保证状态空间模型与非线性模型稳态响应相同的条件下,对瞬态过程进行拟合。稳态瞬态分步拟合法是对线性方程组的直接拟合,因此其在保证充分利用非线性数据的情况下,仍然能保持较高的计算速度。分轴燃气轮机状态空间模型本质是一个线性微分方程组,系统的输入量、状态变量、状态变量的导数和输出变量呈线性关系,因此可以根据线性关系进行拟合。图 3.16 为分步拟合法流程图,首先是非线性模型的稳态拟合,满足要求拟合出稳态模型之后开始瞬态拟合,如果满足要求就可以进行系数矩阵的求解。

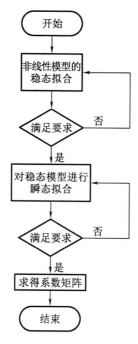

图 3.16　分步拟合法流程

接下来分别对稳态拟合和瞬态拟合进行介绍。

1. 稳态拟合过程

当系统稳定时,状态变化量 $\dot{x}_\infty=\mathbf{0}$,因此状态变量 x_∞ 与稳态输入量 u_∞ 之间满足

$$x_\infty=-A^{-1}Bu_\infty \tag{3.60}$$

将式(3.60)代入状态空间模型的输出方程中,得

$$y_\infty=Cx_\infty+Du_\infty=(-CA^{-1}B+D)u_\infty \tag{3.61}$$

令

$$K_x=-A^{-1}B \text{、} K_y=D-CA^{-1}B=D+CK_x$$

设系统稳态模型为

$$\begin{aligned}x_\infty&=K_xu_\infty\\ y_\infty&=K_yu_\infty\end{aligned} \tag{3.62}$$

由于模型的稳态变量之间满足线性关系,令燃气轮机的一系列稳态关系为

$$\begin{aligned}U_\infty&=\begin{bmatrix}u_{\infty,1}&u_{\infty,2}&u_{\infty,3}&\cdots\end{bmatrix}\\ X_\infty&=\begin{bmatrix}x_{\infty,1}&x_{\infty,2}&x_{\infty,3}&\cdots\end{bmatrix}\\ Y_\infty&=\begin{bmatrix}y_{\infty,1}&y_{\infty,2}&y_{\infty,3}&\cdots\end{bmatrix}\end{aligned} \tag{3.63}$$

其中 $x_{\infty,i}$ 和 $y_{\infty,i}$ 为非线性对象在 $u_{\infty,i}$ 稳态输入下的状态变量和输出变量,$i=1,2,3,\cdots$,则

$$\begin{aligned}K_x&=X_\infty U_\infty^{\mathrm{T}}(U_\infty U_\infty^{\mathrm{T}})^{-1}\\ K_y&=Y_\infty U_\infty^{\mathrm{T}}(U_\infty U_\infty^{\mathrm{T}})^{-1}\end{aligned} \tag{3.64}$$

要保证状态空间模型的稳态输出与非线性模型的稳态输出一致,即 K_x 和 K_y 不变,易知 A、B、C、D 矩阵必须满足

$$B=-AK_x,D=K_y-CK_x \tag{3.65}$$

因此,只需确定 A、C 矩阵,即可以得到 B、D 矩阵,不用对 B、D 矩阵再进行拟合。

2. 瞬态过程拟合

假设系统稳态模型已经建立,由式(3.65)可以将状态空间模型表示为

$$\begin{aligned}\dot{x}&=A(x-K_xu)\\ y-K_yu&=C(x-K_xu)\end{aligned} \tag{3.66}$$

设

$$\dot{X}=\begin{bmatrix}\dot{x}_1&\dot{x}_2&\dot{x}_3&\cdots\end{bmatrix} \tag{3.67}$$

$$X_d=\begin{bmatrix}x_1-K_xu_1&x_2-K_xu_2&x_3-K_xu_3&\cdots\end{bmatrix} \tag{3.68}$$

其中,u_i、$\dot{x}_i$、$x_i(i=1,2,3,\cdots)$ 分别为同一时刻下非线性模型的输入量、状态变化量及状态变量。若令拟合条件在非线性对象状态导数和线性模型在状态点 x_i 下的状态导数偏差满足最小二乘的条件,直接对线性微分方程组(3.66)进行拟合得

$$A=\dot{X}X_d^{\mathrm{T}}(X_dX_d^{\mathrm{T}})^{-1} \tag{3.69}$$

式中 T 为数据周期,x_n、$\dot{x}_n$ 分别为非线性对象在第 n 个周期下的状态响应和状态响应的导数。

$$\dot{x}_n=\frac{x_{n+1}-x_{n-1}}{2T} \tag{3.70}$$

在确定系统稳态模型的前提下,只要拟合出 C 矩阵即可。由于线性模型的输出与模型

状态变量有关,所以要单独对 $\boldsymbol{D}$ 矩阵进行拟合必须要知道所求线性模型的状态响应,即必须先确定 $\boldsymbol{A}$、$\boldsymbol{B}$ 矩阵。

令 $\overline{\boldsymbol{X}}_\mathrm{d}=[\overline{\boldsymbol{x}}_1-\boldsymbol{K}_x\boldsymbol{u}_1 \quad \overline{\boldsymbol{x}}_2-\boldsymbol{K}_x\boldsymbol{u}_2 \quad \cdots]$,$\boldsymbol{Y}_\mathrm{d}=[\boldsymbol{y}_1-\boldsymbol{K}_y\boldsymbol{u}_1 \quad \boldsymbol{y}_2-\boldsymbol{K}_y\boldsymbol{u}_2 \quad \cdots]$,其中 $\boldsymbol{u}_i$ 为系统输入,$\overline{\boldsymbol{x}}_i$ 为线性模型的状态响应,$\boldsymbol{y}_i$ 为非线性对象的输出响应($i=1,2,3,\cdots$)。根据式(3.66)的线性关系可得

$$\boldsymbol{C}=\boldsymbol{Y}_\mathrm{d}\boldsymbol{X}_\mathrm{d}^\mathrm{T}(\boldsymbol{X}_\mathrm{d}\boldsymbol{X}_\mathrm{d}^\mathrm{T})^{-1} \tag{3.71}$$

分步拟合法求解的线性方程组,主要计算矩阵,本书选取 MATLAB 进行计算,计算速度快,对数据可以充分利用。

3.3.3　分步拟合法求解状态空间模型

依据机理建模方法建立分轴燃气轮机的非线性模型,根据各部件的气动热力学工作原理和部件特性数据计算各截面的热力学参数,作为求解状态空间模型的数据样本。以标准大气条件下,1.0 工况为例,依次给控制变量 +0.5% 和 -0.5% 的扰动量。在非线性模型计算中,采用龙格库塔数值计算方法,采样周期 0.02 s,仿真步长为 0.02 s,总的仿真时间为15 s。采用分步拟合法,利用非线性数据样本进行拟合,分别对稳态非线性模型进行 +0.5% 和 -0.5%,利用该方法求出稳态模型,并求出该稳态工况下分轴燃气轮机的状态空间模型的系数矩阵 $\boldsymbol{A}$、$\boldsymbol{B}$、$\boldsymbol{C}$、$\boldsymbol{D}$。

$$\boldsymbol{K}_x=\begin{bmatrix} 0.460\,2 \\ 0.336\,1 \\ 0.534\,6 \\ 0.479\,1 \end{bmatrix},\boldsymbol{K}_y=\begin{bmatrix} 0.460\,2 \\ 0.336\,1 \\ 0.388\,5 \\ 0.479\,1 \\ 0.528\,6 \\ 0.433\,2 \\ 0.472\,5 \\ 0.009\,9 \end{bmatrix}$$

$$\boldsymbol{A}=\begin{bmatrix} -1.268\,1 & -2.652\,0 & 0.696\,4 & 1.853\,3 \\ -6.253\,0 & -27.149\,6 & 10.768\,2 & 17.773\,6 \\ 2.159\,9 & -0.978\,1 & -8.773\,9 & -1.656\,2 \\ 6.136\,1 & 3.849\,6 & -8.544\,6 & -10.228\,6 \end{bmatrix},\boldsymbol{B}=\begin{bmatrix} 0.221\,7 \\ -2.251\,2 \\ 4.845\,5 \\ 5.322\,1 \end{bmatrix}$$

$$\boldsymbol{C}=\begin{bmatrix} 1.000\,0 & 0.000\,0 & -0.000\,0 & 0.000\,0 \\ 0.000\,0 & 1.000\,0 & -0.000\,0 & -0.000\,0 \\ 0.579\,4 & -0.107\,7 & 0.128\,6 & 0.272\,6 \\ 0.000\,0 & 0.000\,0 & -0.000\,0 & 1.000\,0 \\ -0.188\,2 & 0.275\,7 & 1.260\,2 & -0.127\,8 \\ -0.069\,0 & 0.781\,8 & -0.091\,3 & 0.579\,8 \\ 0.006\,7 & 0.976\,9 & 1.026\,1 & -0.793\,1 \\ 0.002\,1 & 0.052\,8 & -0.043\,9 & 0.026\,1 \end{bmatrix},\boldsymbol{D}=\begin{bmatrix} 0.000\,0 \\ 0.000\,0 \\ -0.039\,7 \\ 0.000\,0 \\ -0.090\,7 \\ -0.027\,0 \\ -0.028\,9 \\ 0.002\,2 \end{bmatrix}$$

　　对燃气轮机状态空间模型做+0.5%的小扰动,得到状态空间模型与测量参数对比图(图3.17),图中的"非线性"表示非线性模型的测量参数,"线性"表示采用分步拟合方法求得的燃气轮机状态空间模型的测量参数,横坐标表示仿真时间,纵坐标为输出变量相对于稳态值的偏差占稳态值的百分比。

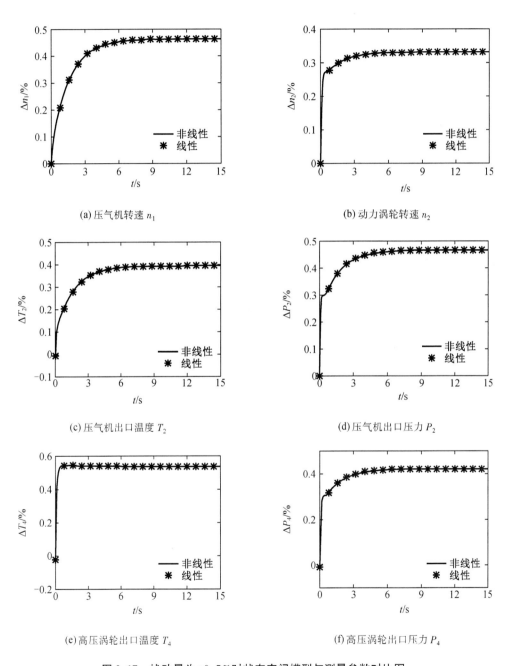

(a) 压气机转速 n_1

(b) 动力涡轮转速 n_2

(c) 压气机出口温度 T_2

(d) 压气机出口压力 P_2

(e) 高压涡轮出口温度 T_4

(f) 高压涡轮出口压力 P_4

图3.17　扰动量为+0.5%时状态空间模型与测量参数对比图

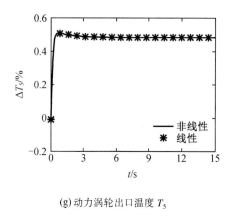
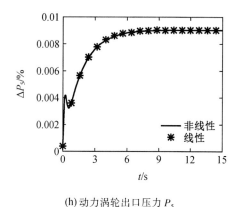

(g) 动力涡轮出口温度 T_5

(h) 动力涡轮出口压力 P_5

图 3.17(续)

通过拟合法求出燃气轮机状态空间模型的系数矩阵 A、B、C、D 之后,就得到了燃气轮机的状态空间模型。为了检验分步拟合的精度,本书采用残余标准差来进行拟合方程的显著性检验。式(3.72)给出了残余标准差的计算公式,将某型分轴燃气轮机的非线性模型与线性模型求残余平方和,然后再求其标准差。

$$\delta = \sqrt{\frac{Q}{N-2}} \times 100\% \tag{3.72}$$

$$Q = \sum_{t=1}^{N} (y_t - \hat{y}_t)^2 \tag{3.73}$$

式中,y_t 表示分轴燃气轮机非线性模型输出变量;$\hat{y}_t$ 为分轴燃气轮机线性模型的输出变量;N 表示观测值的数量;Q 表示平方和;δ 表示残余标准差。用 δ 来衡量所有的随机因素对 y_t 的一次性观测的平均变差的大小,δ 值越小表示拟合精度越高。表 3.3 给出了每一个测量参数的残余标准差。

表 3.3 非线性模型与线性模型输出变量的残余标准差

测量参数	$\delta/\%$	测量参数	$\delta/\%$
n_1	5.177 4	T_4	2.084 4
n_2	1.733 5	P_4	2.479 2
T_2	3.893 7	T_5	2.109 4
P_2	2.945 9	P_5	0.100 2

可以看出拟合出的模型与非线性模型的测量参数的残余标准差非常小,均不超过 6%,并且状态空间模型能够跟踪上非线性模型在稳态工况点处受到扰动后的动态响应过程,说明分步拟合法能够拟合出满足要求的状态空间模型。

以上给出的只是燃气轮机在 1.0 工况下的拟合结果,拟合只是对稳态点处进行拟合,结果只适用于其周围的状况。为了使状态空间模型适用于整个运行过程,保证其在变工况下运行有效,必须建立其所有运行工况下的模型,下面将对非线性模型进行分段线性化。

3.3.4 建立燃气轮机分段线性化模型

分段线性化的思想是将非线性模型从许多稳态工作点处划分开,在选取的每一个稳态点处分别施加小扰动,然后进行线性拟合,使线性模型适用于整个运行过程。在本书中,将燃气轮机的非线性模型分成 14 段,取 15 个稳态工作点,燃油流量从 0.3~1.0 每隔 0.05 依次变化,在每一稳态点处分别进行+0.5%和-0.5%的小扰动,采用分步拟合法进行拟合,最终得到 15 组正向扰动拟合结果和 15 组负向扰动拟合结果。将这 30 组数据应用于燃气轮机状态空间模型之中,最终会得到燃气轮机的分段线性化模型。燃油流量变化如图 3.18 所示,先是在 1.0 工况下持续 10 s 稳态过程,然后经 50 s 下降到 0.3 工况下,经过 30 s 的 0.3 稳态过程后,开始 50 s 的上升过程,最终在 1.0 工况处达到稳态。仿真时间总共持续 150 s,能分别代表分轴燃气轮机启动、加速、减速和停车等所有运行状态,很好地表征了分轴燃气轮机稳态工况和过渡态工况的情况。

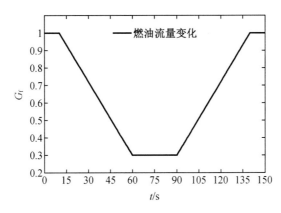

图 3.18 燃油流量变化

图 3.19 显示了输出变量随控制变量的变化过程,这里对输出变量进行了归一化处理,横坐标表示仿真时间,纵坐标为输出变量相对于稳态变量的百分比。从图 3.19 中可以看出,输出变量与控制变量的变化过程趋于一致,并且非线性模型与线性模型拟合良好。

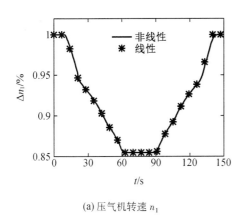

(a) 压气机转速 n_1

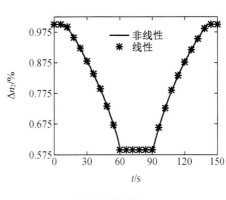

(b) 动力涡轮转速 n_2

图 3.19 测量参数随控制变量的变化

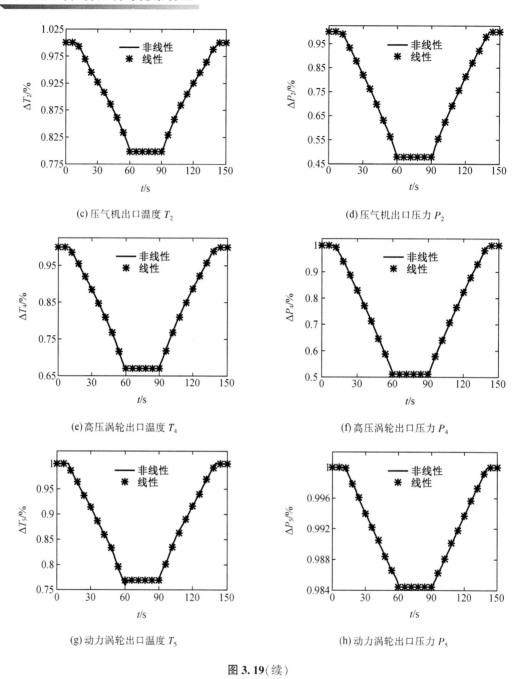

(c) 压气机出口温度 T_2

(d) 压气机出口压力 P_2

(e) 高压涡轮出口温度 T_4

(f) 高压涡轮出口压力 P_4

(g) 动力涡轮出口温度 T_5

(h) 动力涡轮出口压力 P_5

图 3.19(续)

　　为了更好地表征拟合程度,表3.4给出了每一个输出变量归一化之后与非线性模型归一化之后的残余标准差。从表3.4中可以看出,残余标准差最大值小于0.2%,非常好地满足了设计要求。

表 3.4 线性输出变量与非线性输出变量归一化的残余标准差

测量参数	$\delta/\%$	测量参数	$\delta/\%$
n_1	0.116	T_4	0.092 3
n_2	0.108 9	P_4	0.157 8
T_2	0.090 6	T_5	0.146 5
P_2	0.184 5	P_5	0.009 7

第4章 燃气轮机控制系统总体设计方法

本章简要分析船用燃气轮机控制需求,并进行控制功能设计,给出主要控制指标,最后分析典型船用燃气轮机控制系统。

4.1 控制需求分析

在燃气轮机中存在着一系列大小不同的调节,组成了整个燃气轮机的调节和控制。从压气机、燃烧室和透平的工作原理与结构可以知道,燃气轮机工况的改变是通过喷入燃烧室的燃料流量(或者改变负荷大小)来实现的。究竟按照什么规律来改变燃料流量呢? 不同的机组、所带不同类型的负荷就有不同的改变燃料流量的规律。燃气轮机调节的目的是使燃气轮机机组在运行过程中保持某些参数基本不变(如转速、压力、燃气温度等)或者按某个预先给定的变化规律而变化。

对于推进用燃气轮机而言,推进系统的主要目的是在设计速度范围内以某种期望的速度推进船舶。船速是通过控制螺旋桨产生的推力来控制的。由于燃气轮机的输出轴的旋转方向不容易反转,因此通常通过可控螺距螺旋桨(CPP)而不是反转齿轮箱来实现推力的反转。通过改变螺旋桨的螺距和速度,可以控制 CPP 在给定的船速下产生的推力。螺旋桨螺距通过螺距液压制动系统设定,螺旋桨速度通过操纵流向燃气轮机的燃料流量设定。调节流向燃气轮机的燃料流量并非易事,例如,无论船舶用途如何,都要求防止燃气轮机的转速和内部温度超过最大安全运行水平。船用燃气轮机控制系统的主要要求总结如下:

(1)具有通过自动(通过启动命令)或手动(通过控制单个组件)执行一系列操作来启动燃气轮机,并使其加速至怠速的功能;

(2)具有通过发出停止命令,以正常方式停止燃气轮机的能力;

(3)具有将燃气轮机加速至给定功率水平,而不会遇到压缩机失速或超过温度极限的能力;

(4)具有在任何稳态操作功率水平下,调节燃气轮机的能力,以便在不确定的时间内以稳定的方式维持恒定的燃气发生器的速度;

(5)具有在给定功率水平下,使燃气轮机减速,而不引起发动机熄火的能力;

(6)具有在感知到关键性能参数不在安全运行范围内时,使燃气轮机跳闸的功能;

(7)具有监视发动机的状态和辅助参数的能力,以使操作员能够在发动机跳闸之前尝试采取纠正措施;

(8)具有获取数据以监控发动机运行状况的能力;

(9)具有可靠地执行所有上述功能的能力;

(10)具有使控制系统具备适应其他燃气轮机的能力；

(11)具有控制参数具备易于调整的能力；

(12)具有易于维修和保养的能力。

燃气轮机的控制系统包括机上系统和机架系统两部分。机上系统的控制装置含有燃油和功率调节系统的各部件,包括燃气发生器的转速调节器、加减速控制、压气机可转导叶角度控制等。机架系统的装置包括台式的控制台和立式程序柜控制台,还包括所有的选择开关、指示灯、继电器、定时器、仪表和发动机运行记录设备等。

4.1.1 LM2500船用燃气轮机控制系统功能

1. 燃气发生器的转速调节

发动机的整个运行范围基本上采用功率控制。根据推进控制系统的功率指令调整燃气发动机的转速,达到所需的功率。

2. 发动机的加减速控制

加减速是根据压机的进口空气温度、出口压力和压气机的转速安排程序的,即根据压缩机进口空气温度和转速确定一个某一温度时的燃油量与压气机出口压力的比值随转速变化的一个程序。

3. 压气机可调导叶的控制

压气机可调导叶控制导叶角度,当压气机在非设计工况工作出现喘振时,控制进入压气机的空气流量,从而适应不同的工作条件。

4. 用于涡轮转速的极限调节和超速保护

动力涡轮的转速极值调节器的作用是防止输出的轴转速超过104%的额定值。调节器的转速测量由两个相同的电磁式转速传感器完成。超速开关用来保证动力涡轮转速达到100%额定转速时切断燃油。在发动机符合突然降低的情况下,超速开关比极值调节器的控制速度更为迅速。

5. 发动机的启动、停机控制

另外还有一些保证上述控制所需要的燃油压力调节以及温度压力和转速传感器。它们利用空气涡轮启动。空气涡轮启动机安装在发动机附件传动齿轮箱上。驱动齿涡轮的启动机的压缩空气由船上气源供给。

本章以三轴燃气轮机作为原动机,同步发电机作为发电机的发电模块,如图4.1所示。

首先收集有关燃气轮机及负载的数据,该型三轴燃气轮机的额定功率为20 MW,燃气轮机在额定功率安全运行时机组有10%的功率裕度。同步发电机为十二相同步整流发电机,发电机效率为95%。

4.1.2 燃气轮机发电模块控制系统功能

1. 控制调度功能

控制调度功能主要由信号处理模块、控制指令模块、设备控制模块等几个功能模块实现。信号处理指燃气轮机发电模块所有信号的输入输出处理,完成发电模块与外部传感器及各个执行机构间信号的处理工作,对信号进行工程量转化并进行容错检查,排除干扰信号。控制指令主要包含一些初始化指令、清零、复位指令,以及诸如启动进程、停机进程、紧急故障停机进程等一些顺序控制指令。设备控制主要指对一些阀、泵、点火器及燃料调节器的控制,其中还涉及这些执行机构相互间的联锁控制。

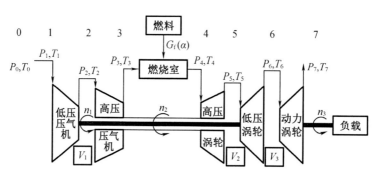

图 4.1　燃气轮机发电模块简图

2. 报警、限制保护功能

报警、限制保护功能主要通过报警模块、限制保护模块、故障停机模块来完成。

报警模块是生成所有燃气轮机发电模块运行过程中产生的报警的模块,它实时监测发电机组各个设备的运行参数和运转状态。报警模块以长期的试验结论及理论计算为依据事先设定好一些报警临界边界,当某一指标达到、超过或保持临界值时就会产生特定的报警信号,并在操作员界面上提供光、声报警,对于一些有报警处理逻辑的报警信息控制系统可进行自动处理,而其他一些报警信息则需要操作人员进行报警确认后通过人为手段解决。

限制保护模块是燃气轮机发电模块运转过程中重要的安全保护模块,它遵循设定的逻辑实时地监测发电模块的运转状态。一旦发现一些有损机组运行的故障问题,例如当压气机后空气压力达到某一特定值时防喘放气阀没有打开时,限制保护模块会产生一个联锁限制升保护信号,禁止燃气轮机继续升高工况,只有在排除故障并解除联锁限制保护的前提下燃气轮机才能升工况,限制保护模块生成的联锁限制升、降、卸载到慢车等信号都为发电模块正常运转提供了保护作用。

故障停机模块其实可以说是限制保护模块的特例,它也起到了保护机组的作用,当达到预先设定的一些逻辑条件后,机组会紧急故障停机,防止因故障导致机组产生不可逆的损坏。

3. 控制计算功能

控制计算系统在燃气轮机控制系统中的地位就如大脑在人体中的地位一样。它在燃气轮机发电模块运转的整个过程(从燃气轮机启动时的燃料供给量,到升工况时各个电磁阀的动作点,再到高压涡轮、动力涡轮转速控制时燃料量的控制)中起着主导的控制作用。

控制计算系统处理控制调度系统传输来的各个参数信号,按照控制策略将所要执行的指令反馈给控制调度系统,让其对各个执行机构进行控制。报警、限制保护及故障停机模块同样将信号发送到控制计算系统,通过控制计算系统的逻辑运算将指令交予控制调度系统执行报警动作、限制保护动作或者紧急停机动作。控制计算系统实现燃气轮机发电模块各项参数控制整理功能,是整个燃气轮机发电模块控制系统的核心。

4. 数据记录功能

数据记录功能是将燃气轮机发电模块运行过程中的所有运行状态、数据参数、产生的报警、限制保护及故障停机信息记录下来,通过对机组运行状态及运行参数的追溯,可以对机组的性能进行监测,对数据进行分析的同时了解机组的状态性能。通过查看机组的报警、限制保护及故障停机信息,可以有依据地分析机组出现问题的原因,这对机组维护人员进行排故维修有重要的指导意义。通过分析数据记录系统的数据,相关人员可以了解机组运行过程中的性能参数,分析机组的不足,对今后机组的性能改进有指导作用。

4.2 控制功能设计

燃气轮机上的燃油控制器的功能主要是调节,除转速调节外,还有超温保护及过渡过程的燃油调节等。

4.2.1 控制功能一

燃气轮机采用的调节器,不论是液压机械式的装置,还是电子式的,它们的调节原理基本相同,且调节是在稳定工况下连续不断进行的。显然在执行过程中,离合器从一个稳定状态过渡到另一个稳定状态时,为了保证燃气轮机正常工作,必须要有具备相应控制功能的设备。这种转换过程中的主要控制功能包括逻辑、程序和定时等。下面分别对它们进行介绍。

1. 逻辑

在控制系统中判断某个操作步骤是否有必要进行,或者是否能够进行,往往由某个或某几个状态来决定,即从一种运行状态到另外一种运行状态能否安全过渡,取决于是否满足一定的先决条件。例如要把燃气轮机2并入全燃联合动力装置,动力涡轮输出轴就必须满足轴制动器脱开、燃气轮机2在调节器控制下转速与燃气轮机1的转速相同等条件,显然这样一组条件组成了转换控制逻辑,在实现转速的控制回路中必须包括这种逻辑。

逻辑系统通过使用基本逻辑门实现各种逻辑功能,其中基本逻辑门包括与门、或门、非门。

2. 程序和定时

一个过渡过程经常包括一系列的步骤,这些步骤必须以一定的顺序出现。以燃气轮机启动为例,必须在燃气轮机具备一定转速,保证足够的空气流量下才能供油点火。只有当涡轮产生的一定的功率,足以带动压气机并使之加速的情况下,启动机才能退出工作。管理这样一些必要的工序的装备称为启动程序装置。它操纵各个工序使之按照适当的顺序进行。程序与逻辑有密切的关系,程序可能只是逻辑的结果,例如给出启动机信号后,启动机首先带动压气机工作,从而提供一定的空气流量,只有在压气机达到一定转速后,逻辑电路才允许开启燃油阀,激发点火器,在逻辑电路的保证下,相应的序列化就自然形成。定时在过渡过程的控制中也是常用的,还是以启动程序为例,当点火指令下达后,下一步的动作究竟该怎么进行,这有两种可能:如果实际上已经点着火,则可使程序继续向正常慢车工况进行;但是,如果点火失败,则应终止程序,并重新开始。因此,这里应按照当时的实际情况,决定下一步动作。在做这样一种决定的时候,需要有一个时间标准,规定某个启动温度上升的显示时间标志点火成功,超过这个时间说明点火失败。

4.2.2　控制功能二

利用上述逻辑、程序和定时可实现燃气轮机各种控制功能。

1. 稳定工况控制

船用燃气轮机大多为分轴或三轴结构。在此以分轴燃气轮机为例,燃气轮机在正常的稳定运行过程中受控制的参数包括动力涡轮转速、压气机转速、增压涡轮的进口温度。主要控制参数采用上述的哪一个取决于船用燃气轮机在机动情况下和稳态工况下的运行要求:主要控制是压气机转速还是动力涡轮转速,则会出现两种不同的调节规律。目前从实际使用的情况来看,燃气轮机的基本调节规律,一个是速度控制,另一个是功率控制。

(1)速度控制

速度控制就是对推进轴的转速进行严格的控制。通常采用调节器感受动力涡轮转速,调节燃油流量,使其转速保持在规定值。同时,利用极值调节器感受燃气发生器转速,当它的转速超过规定值时,调节器就会取代主调节器,使燃油减少。此外,涡轮进口温度也只是对其最大值加以限制以保护燃气轮机。如果首先要保持船舶航速,则速度控制是有利的。同时,在燃气轮机并入轴系和脱开轴系时,功率传递较平稳。但是这种控制方式存在较大的弊病,如船舶在航行时,轴转速会产生微小的摆动,引起调节器动作控制燃油,从而纠正这种转速摆动。这种调节过程是控制系统和燃油系统的部件连续运转,这会使它们受到过度损耗。一般只有在特殊需要时才采用转速控制,如采用电力推进时或者推进发动机带动船用交流发电机等情况时有必要采用速度控制。

(2)功率控制

功率控制是指在负荷变动的情况下,保持燃气涡轮的功率基本不变,为此把燃气发生器的转速控制作为基本控制。保持燃气发生器转速可以保证发动机功率输出基本不变。动力涡轮则根据它的负荷,自动找平衡转速。不过这个转速必须有极值调节器对它加以限制。机动航行时或者海情变化时,只影响动力涡轮。根据涡轮的等功率特性,动力涡轮转速的微小摆动不会引起显著的功率变化,因此控制燃气发生器转速的主调节器没有反应。所以,功率控制可以保护燃气发生器,使燃油系统部件和控制系统避免过度损耗。从燃油经济性和发动机寿命方面来说,功率控制比较有利。

为了适应负荷变化,动力涡轮的喷嘴(导向)是可调的,必须对它进行自动控制,使这个参数的控制与燃油的控制联系起来。调整动力涡轮导叶角的目的是使燃气燃烧室出口温度及动力涡轮进口温度保持在额定值,以改善部分负荷时的效率。当负荷变化,速度控制或功率控制调节器在调节燃油流量时,动力涡轮导叶角自动调节器对导叶角进行适当调整,使动力涡轮进口温度或者排气温度保持为常数。不过,由于受压气机产生极值的限制,这种调整不可能在整个可能的负荷范围内保持温度不变,因此在低功率情况下必须做另外的处理。如可在低负荷范围内保持压气机的转速为常数,比如说等于额定值的80%,而温度则随负荷变化。当负荷达到某个值,如50%时,温度达到额定值,负荷再继续增加。只要压气机转速在100%负荷时不超过额定值,则动力涡轮导叶角的控制就保持温度为常数。上述方案在美国通用电气公司的工业型发动机上已被采用。

2. 过渡工况控制

这里讲的过渡工况主要是指加速和减速。工况加速和减速过程,通常是通过快速加油或快速减油来实现的,所以在加速过程中容易出现超温、喘振等现象,而在减速过程中则可能出现贫油熄火。因此,在加速和减速过程中,必须对增加燃油和减少燃油时燃油流量的变化速率加以限制。

一般燃气轮机都设有加速控制器。燃油增加速率的限制方式可以是确定的,通过一个速率限制值或者根据空气流量增加的速率来限制燃油流量。加速控制器感受压缩机出口压力,用于反映空气流量,并按照此压力确定所需的燃油流量,使最后得到的空气燃油比限制在某一个数值上,以免引起超温。

通常可以给定一个合适的速率限制值,对减速时燃油流量的变化速率进行限制,一般来说,只要减油不是太猛,熄火的现象是可以避免的。

3. 安全保护

无论是速度控制还是功率控制,都需要对燃气温度加以限制,用作及时控制的温度则需要有所选择。按理应该直接对高压涡轮的最高进口温度加以限制,但实际上往往把排气温度作为一个实际的感受温度。因为测量的燃气温度的热电偶放在排气处,即使被打坏也不会对涡轮叶片造成危害。在给定控制的极值时,应该对排气温度与需要保护的高压涡轮进口温度之间的差值做出估计。运行条件改变时会使这个差值发生变化,所以在实际使用中必须做这方面的修正。一般把感受环境温度作为修正因素,因为这个温度会影响发动机各处的温度值。

如果燃气发生器是双轴结构,即高、低压压气机各为一轴,则低压压气机一般也需要有一个超速保护的机制调节器。不过,两对涡轮压气机之间的热力和流体动力方面有紧密联系,因此一个超速必然会引起另一个超速,所以在某些双轴发动机上就省略这个部件。

前面提到的极值调节器,其功能是当被调参数达到限制值时减少燃油流量以保护燃气轮机,所以它们是起安全保护作用的。但是只有这种极值调节器还不足以保证燃气轮机不出危险。比如,在某些情况下,被调参数可能超过限制值达到危险值。如仅有极值调节器作用,燃气轮机很有可能就会被损坏,所以在这种情况下必须立即切断燃气轮机的燃油供给,使燃气轮机停机。再如,一般调节器不对某些参数起调节和保护作用。滑油压力就是这样的参数,但是滑油压力过低则是不允许的,因此必须有专门的保护装置,在有关参数达到危险值时起保护作用。

综上所述,为了给控制器提供备用保险装置,或者填补正常运行控制器不起作用的那些空档,通常采用一种解脱装置,当发动机出现危险工况时,它就动作使发动机停机。燃气轮机上比较典型的例子就是超速跳闸装置,它可在比动力涡轮的最大转速调节器规定的转速稍高一些的情况下开始动作。这个转速一般规定在不超过115%的额定转速。滑油最低压力保护装置一般也是不可缺少的。燃气温度通常也是作为解脱保护对象。燃气轮机还装有振动传感器,当振动值超过安全值时就跳闸,因为振动过大意味着燃气轮机旋转失去了平衡,这就有可能是压气机或涡轮叶片损坏,或者是燃气轮机内部严重积垢所带来的结果。另外,熄火对燃气轮机来说也是一种危险情况,所以通常也应有一个跳闸装置动作。因为熄火后如不能快速切断燃油,则会有大量的燃油继续喷入发动机的热部件,这样在下次启动时就有可能破坏燃气轮机。

4. 启动和停机

启动就是把发动机从静止状态带到慢车状态,整个启动过程可以分为冷拖、加速、脱扣三个阶段。冷拖阶段是由启动机带动压气机使压气机工作的阶段。启动机可以有多种类型,如电动机、空气涡轮、小燃气轮机等。加速阶段就是当压气机产生一定空气流量后,燃气轮机的增压涡轮开始工作,这时由启动机和涡轮一起带动压气机工作的阶段。脱扣阶段是当涡轮发出的功率足以带动压气机工作时,启动机停止工作,发动机自行加速,直到达到慢车转速的阶段。

启动过程是一个比较复杂的过程,靠人工控制是无法完成的,所以每个燃气轮机都必须有一套启动程序装置。在自动启动设备中还应包含逻辑定时等,通过内装逻辑对燃气轮机起保护作用。利用程序逻辑定时,一般要完成以下操作:

(1)保证发动机在满足启动必须具备的条件下进行启动,如启动前应使轴制动器脱开、机舱通风装置工作等;

(2)启动机开始工作时,带动压气机达到自持转速;

(3)空气流量达到一定值后,给燃烧室供给燃油;

(4)使点火器点火;

(5)停止点火器和启动机的工作。

启动时所有稳态控制部件应该避开,如果它们参与工作则会与启动程序发生冲突。如果启动正常,达到慢车转速后,就可把控制任务移交给正常运行控制器;如果点火失败,启动不能顺利进行,则终止启动程序。以上动作一般也应包括在启动程序装置的操作程序里。在启动过程中操作人员的动作是很简单的,除了事先做必要的准备工作外,启动时只需按一下启动按钮,然后启动过程就由一套启动程序装置自动操作。

停机一般不需要复杂的程序,操作人员按停机按钮后主要是把转速降到慢车值,然后关闭燃油阀。通常,在停车后可能继续以燃气轮机的冷转带动燃气轮机继续旋转,目的是促使燃气轮机均匀冷却,并吹洗燃气轮机气路通道中的油气。

5. 监控

监控就是专门设置一些监视设备记录和显示各种参数的数据,为操作人员监视各运行参数是否处于正常范围提供方便。监视设备通常包括温度监视报警、控制系统内部测试、动态记录等项目。监控取得的各种信息数据可以有很多用途。从直接操作方面来说,它的用处就是使操作人员在某些不正常工况逐步上升到引起跳闸的程度之前,能够采取纠正动作;当某个参数出现不正常值并可能引起跳闸的时候,一般通过闪光灯和音响报警器发出闪光与声音,告诫操作人员应当采取排故措施的部位。报警信号的数值应该调到稍微低于跳闸的值,燃气轮机的监控通常与推进装置的监控结合在一起,所以推进器螺距、转速及离合器和轴制动器的状态等,要在监视部位一同得到显示。

与燃气轮机或者推进装置控制,有直接联系的一些参数也可以得到监控,例如减速器的滑油压力一般也是受监视的。这类参数可以通过监视系统产生的停机指令引起跳闸。上面所讨论的燃气轮机控制功能设计,只讲了一些原则,至于如何把这些原则付诸实践,每一个发动机制造厂生产的发动机各有其自己的形式和方法,该部分内容将在第6~第8章再进行讨论。

4.3 控 制 指 标

燃气轮机控制的目的是使其在任何环境条件和任何工作状态下都能稳定、可靠地运行,并且充分发挥其性能效益。具体性能要求可从以下三个方面描述。

(1)安全稳定性。控制系统必须保证燃气轮机在任何环境条件下以及受到任何形式干扰作用时都能有良好的稳定性,避免其发生喘振、超温、超速等不安全现象。

(2)稳态性能。控制系统应保证系统有足够高的控制精度,保证燃气轮机能够在给定的转速下安全稳定地运行,使其性能得到充分发挥。

(3)动态性能。控制系统应保证燃气轮机具有良好的动态品质,即响应快、超调小、振荡少;由一种工作状态到另一种工作状态的过渡控制、过渡时间要短,而且平稳、可靠。

控制指标包含控制器的稳态控制指标和动态控制指标。

1. 稳态控制指标

控制器的稳态特性就是工况稳定后转速与功率的变化曲线。对于发电用燃气轮机,为了能并网发电,都采用有差转速调节系统,即随着功率的增加,转速有一定程度的降低。功率由额定值降至空载时,平衡转速降变化 Δn_{max} 与额定转速 n_0 的比值称为转速调节系统的不均匀度,或称为不等率,用公式表示为

$$\delta = \frac{\Delta n_{max}}{n_0} \tag{4.1}$$

燃气轮机通常采用 $\delta = 4\%$。

对于状态控制参数,静态控制精度指标是利用 10~20 个测控周期读取平均值,反馈量平均值与给定值的差值为稳态控制精度。典型的稳态控制指标示例如下:

(1)低压转子转速的控制精度为 $\pm 0.25\%$。

(2)高压转子转速的控制精度为 $\pm 0.25\%$。

(3)高压压气机出口空气总压控制精度为 $\pm 0.5\%$。

2. 动态控制指标

燃气轮机在工作过程中,其负载经常变化,外界条件如大气压力及温度也经常变化。这些干扰都对燃气轮机的运行产生影响,如果没有自动调节,则需要操作人员经常监视并

进行手动调节。在使用自动调节系统之后,调节装置与燃气轮机组成一个闭环回路,每个环节的动态过程的不同闭环系统是否能够稳定工作就成为很重要的问题。燃气轮机本身的工作过程就是一个很复杂的热过程,燃油量变化以后不能立即引起燃气压力、温度的变化,也有延迟现象;燃气压力、温度改变后引起涡轮发出力矩的变化有延迟;涡轮转速变化要克服惯性力矩,必须考虑其惯性时间常数。由此可以看出,闭环回路中各环节都有惯性与延迟。由于自动调节系统各环节动态过程配合不恰当,如需要加油时实际在减油,不需要减油时实际在加油,就可能使燃气轮机产生不稳定现象,甚至不能正常工作,因此必须重视燃气轮机控制系统的动态控制品质。

衡量过渡过程的指标一般有以下两个。

(1)超调量:过渡过程中参数超过新平衡工况的数值。一个调节系统在甩负荷时的动态超调量和其负荷变化成正比,对于船用燃气轮机,负荷输出的涡轮不与压气机相连接,惯性相对较小,所以在甩负荷时抑制超调量是难题。

(2)过渡过程的时间:从一个工况过渡到另一工况所需要的时间。对于甩负荷而言,负荷变化较小时,过渡过程的时间也就短一些;当甩全部负荷时,其过渡过程就会长一些。

当燃气轮机工作状况变化时,有可能会引起燃气轮机自身状态的变化。如当工作环境的温度压力变化或负载特性产生变化时,有可能会引起压气机转子超速或高压涡轮前燃气温度升高。为了使燃气轮机能够安全运行,这时有必要对压气机转子的转速及高压涡轮前燃气温度进行限制,同时还要防止喘振失速以及富、贫油熄火等不安全现象发生。其限制控制规律如下。

(1)压气机转速限制

当 $n_1 \geqslant 1.04 n_{10}$ 时,有

$$n_{1L} = 1.04 n_{10}$$

式中,n_{10} 为压气机设计转速,即由于工作状况超过压气机设计转速1.04倍时,调节供油量,使压气机转子转速等于转速限制值 $1.04 n_{10}$。

(2)温度限制

高压涡轮前燃气是油气混合燃烧后直接从燃烧室排出的,其温度很高,不能直接测量,因此只能通过动力涡轮的出口温度来间接测量燃气温度。控制规律因此转化为对动力涡轮排气温度的控制,即当 $T_5 \geqslant 900$ K 时,$T_{5L} = 900$ K。

由于工作状况的变化,动力涡轮排气温度 T_5 超过温度限制值 900 K 时需调节供油量,使动力涡轮排气温度 T_5 等于温度限制值 900 K。

(3)燃油流量范围限定

为了避免喘振、富油熄火现象发生,必须限制燃油流量的最大值;同时为了避免失速、贫油熄火现象发生,必须保证燃油流量大于最小限制值,即燃油流量值必须在一定限制范围内。最大、最小燃油流量限制值根据燃气轮机工作状况的变化而改变。

燃气轮机发电模块通过燃气轮机带动同步发电机进行发电,燃气轮机在启动快速性上要求燃气轮机从启动到进入慢车的时间小于 4 min,从启动到能够带动发电机正常工作的

时间要小于 22 min。

发电模块对于输出电能的品质有要求,需要在发电机的负荷根据负载情况不断变化时输出的电能电压保持不变。影响发电机输出电能的是发电机的转子转速,而发电机的转子是由燃气轮机的动力涡轮所带动的,可保证燃气轮机动力涡轮的转速恒定。单个发电模块机组单独稳定运行时,发电模块发出的功率等于机组所带的负荷,动力涡轮转子处于平衡状态时的转速恒定。此时发电模块所带的负荷发生变化,而燃气轮机燃烧室的燃料流量未改变,原有的转子平衡被打破,动力涡轮转速发生变化。转子转速的变化不论是从影响输出电能的角度还是从转子叶片强度角度来讲都是不被允许的,所以发电模块控制系统必须含有燃气轮机转速控制。

①燃气轮机转速控制静态特性

燃气轮机转速控制可以分为无差控制与有差控制。无差控制是燃气轮机运行时燃气轮机转速不随燃气轮机功率的变化而变化。相对于无差控制,具有有差控制系统的机组运行时随着功率的增加燃气轮机稳定转速有一定程度的下降。对于有差控制其稳定转速变化由空载到额定功率时为最大变化 $\Delta n_{\max}$,燃气轮机额定转速为 n_0,通常在燃气轮机发电模块运行中要求 $\Delta n_{\max}/n_0 \leqslant 5\%$。发电模块工作时燃气轮机动力涡轮转速设为 3 000 r/min。

②燃气轮机转速控制不灵敏度

在发电模块控制系统中各个敏感传感器、放大机构、执行机构等结构都有自己的灵敏度,所以控制系统中相应的控制量都有一定的不灵敏度。通常发电模块控制系统的允许转速不灵敏 $\Delta n_{\max}/n_0 \leqslant 0.5\%$,即在燃气轮机发电模块稳定运行后,动力涡轮转速允许区间为 2 985~3 015 r/min。

③燃气轮机转速超调及调整时间

发电模块在运行过程中任意负荷变化的情况下瞬时转速超调最大不能超过 20%,要求控制系统的调整时间最长不能超过 20 s,即在负荷变化后控制系统在 20 s 内调节动力涡轮转速回允许区间 2 985~3 015 r/min。

燃气轮机发电模块的燃气轮机的运行状态主要由启动到慢车、高压压气机转速控制、动力涡轮转速控制三个主要部分构成。发电机的控制本书略去。

4.4　燃气轮机控制系统设计方法

燃气轮机控制系统设计的一般步骤如下:

(1)收集有关燃气轮机及负载的数据,明确控制的技术要求和技术指标;

(2)初步确定控制系统的原理实施框图;

(3)进行系统静态特性计算与分析,确定控制系统各部套件及环节的主要参数,以此为依据,进行通用件及外购件的选型;

（4）进行控制系统硬件设计；

（5）进行系统动态特性的计算分析与仿真试验分析；

（6）在试验件上进行初步试验，发现问题并提出改进设计；

（7）产品初步定型后进行长期运行考核试验，发现问题再进行改进；

（8）产品定型。

实际燃气轮机控制系统的研发步骤比上述步骤要更严格，研发过程是一个反复迭代的过程，目标是研发出质量可靠的控制系统。

第5章 发电燃气轮机典型控制模式设计方法

燃气轮机控制系统是由主控制程序、顺序控制程序、保护程序等组成的复杂装置。虽然燃气轮机型号、使用模式、应用环境不同,控制系统的程序模块也存在一定的差异,但是燃气轮机启动控制、燃油控制、压气机转速控制、动力涡轮转速控制、加减速控制、温度控制、停车控制、保护控制等主要核心控制模式是所有燃气轮机控制系统的核心功能。本章以发电用燃气轮机为例,针对这些典型控制模式,分析燃气轮机典型控制模式的需求、控制策略和功能设计方法。

5.1 启动控制模式设计

5.1.1 启动系统工作原理

启动是燃气轮机从静止状态到运转状态必须经历的过程。启动机是启动过程的关键部件,用于燃气轮机燃烧室正常工作前的启动状态,以及燃气轮机冷运转、假开车、启封、油封和清洗等工作状态的运行。燃气轮机常见的启动方式主要有 3 种,即液压启动、气动启动和电启动。其中,电启动方式具有安全可靠、系统简单、使用操作方便、维修工作量少等优点。本章所研究的燃气轮机主要由压气机、燃烧室、涡轮、传动箱、底架、启动电机、发动机支承及排气管等构成。图 5.1 为该型燃气轮机启动系统简图。

该型燃气轮机启动时,控制系统给三台启动电机发出指令,由控制柜(A、B、C)控制三台交流启动电机(#1、#2、#3)按一定顺序逐次投入工作,输出扭矩,带动低压压气机转动。启动电机不直接带动低压压气机,两者之间由两个齿轮箱连接,分别为外置传动齿轮箱(外传动箱)和下部传动齿轮箱(下传动箱)。外传动箱安装在燃气轮机的底架上,下传动箱固定在压气机前机匣上,下传动箱通过中央传动轴和锥齿轮与低压压气机进行传动。外传动箱和下传动箱之间由传动轴相连,超扭保护器安装在传动轴上,用以防止扭矩过大造成传动轴断裂或者电机烧坏等故障。

5.1.2 启动控制策略

三轴燃气轮机采用的是启动电机带动低压转子启动。如图 5.2 所示,船用燃气轮机启动过程可分为 A、B、C 三个阶段。

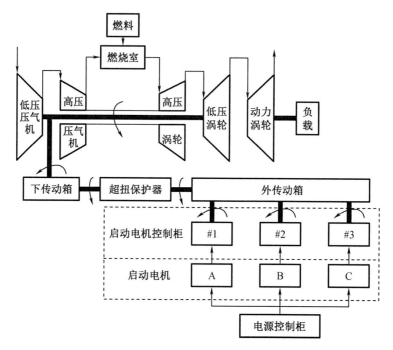

图 5.1 某型燃气轮机启动系统简图

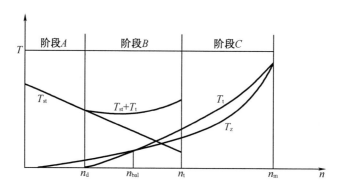

图 5.2 三轴燃气轮机启动过程力矩图

图 5.2 中，T_{st} 为启动电机产生的扭矩；T_t 为涡轮产生的扭矩；T_z 为燃气轮机阻力矩；n_d 为燃气轮机点火转速；n_{bal} 为涡轮产生的扭矩与阻力矩第一次平衡转速；n_t 为启动电机脱开转速；n_m 为慢车转速。启动过程 A、B、C 三个阶段对应的方程如下：

阶段 $A(0\sim90\ \mathrm{s})$：通过变频电机带动低压压气机旋转，此时随着电机的不断拖动，低压压气机转子旋转带动低压涡轮旋转，这样就会从燃气轮机的进口不断吸入空气。低压转子完全由启动电机带动，数学模型为

$$\left(\frac{\pi}{30}\right)^2 I_L n_L \frac{\mathrm{d}n_L}{\mathrm{d}t} = N_{st} - \frac{N_{LC}}{\eta_m} \tag{5.1}$$

式中，N_{st} 为启动电机的输出功率；N_{LC} 为低压压气机消耗的功率；η_m 为低压压气机的机械效率；I_L 为低压转子的转动惯量。

低压压气机对空气做功使气体流动，从而吹动高压涡轮转子旋转，最终带动高压压气机转动，这样气体工质经过低压压气机和高压压气机做功最终形成高温高压的空气流入燃

气轮机的燃烧室外。当转速达到点火转速 n_d 时,向燃烧室内注入燃料,燃料从喷嘴喷出形成雾化的燃料气与高温高压的空气混合,在点火器的作用下形成火焰,涡轮发出功率 N_{LT},进入下一阶段。

阶段 $B(90\sim150\ \text{s})$:燃烧室喷油点火,最终形成高温高压的气体工质推动后方的高压涡轮、低压涡轮开始做功,低压转子由启动电机和涡轮共同带动,数学模型为

$$\left(\frac{\pi}{30}\right)^2 I_L n_L \frac{dn_L}{dt} = N_{st} + N_{LT} - \frac{N_{LC}}{\eta_m} \tag{5.2}$$

当低压转子加速到第一次平衡转速 n_{bal} 时,涡轮产生的功率等于压气机所需要的功率,这时理论上启动电机可以停止工作。但是为了缩短启动时间,并增加启动的可靠性,一般启动电机辅助加速到 $n_t = (1.5\sim2.0)n_{bal}$。

阶段 $C(150\sim180\ \text{s})$:启动电机脱开,低压转子的加速仅由涡轮产生功率与压气机消耗功率的差值产生,控制方程为

$$\left(\frac{\pi}{30}\right)^2 I_L n_L \frac{dn_L}{dt} = N_{LT} - \frac{N_{LC}}{\eta_m} \tag{5.3}$$

以上为燃气轮机的启动过程,在启动过程中控制系统主要负责根据预先设定好的顺序流程完成启动电机一速、二速,供给燃料,点火等顺序指令。具体控制流程如下。

步骤1:给出启动电机一速指令,启动电机带动低压压气机转子旋转,同时低压涡轮旋转,形成的气流压差带动高压涡轮转子旋转,从而带动高压压气机旋转。

步骤2:30 s 后给出启动电机二速指令,启动电机频率升高从而提高转速带动低压、高压压气机转速提升。

步骤3:二速指令给出 50 s 后给出燃气轮机点火指令,此时启动燃料量调节为开环控制,燃料量在一定时间内保持不变。自动调节系统根据启动时经过调节阀的燃料流量变化速度与高压压气机转速的关系打开调节阀。

步骤4:当高压压气机转速达到 6 200 r/min 时燃气轮机启动完成,进入慢车工况。

多数燃气轮机启动过程中其燃料量的变化是依据该型燃气轮机固有的启动燃料曲线而定的,但在很多情况下燃气轮机运转时所处的环境温度不同以及燃气轮机是冷机启动还是暖机启动都会影响燃气轮机启动进程。燃气轮机入口环境温度过低时,如果初始的燃料量过低往往会导致点火失败,而环境温度过高时又容易引起超温停机,机组冷暖机状态的不同也会导致点火失败或是超温跳机。针对影响启动的两个因素,对启动过程的燃料量进行了修正,制定的启动燃料量控制策略如下:

$$G_{start} = G_{ini} f_1(T_1) + G_{inc}(T_{st}) f_2(N_2) f_3(T_4) T_{st} \tag{5.4}$$

式中,G_{start} 为启动阶段的总燃料量,其最大值受燃料限制曲线影响;G_{ini} 为启动初始的燃料量;$f_1(T_1)$ 为燃气轮机入口空气温度对初始燃料量的修正函数;G_{inc} 为启动阶段燃料的增速率;$f_2(N_2)$ 为高压压气机转速对燃料增速率的修正;$f_3(T_4)$ 为低压涡轮后燃气温度对燃料增速率的修正;T_{st} 为启动阶段的计时时间。

5.1.3 启动试验结果分析

典型的试验结果如下。

在燃气轮机的进口空气温度为 300 K、环境空气压力为 1 标准大气压的条件下,燃气轮机发电模块半物理仿真实验中燃气轮机启动阶段低压涡轮转速、高压压气机转速和动力涡轮转速变化曲线如图 5.3 所示。图 5.4 为启动阶段燃料量变化曲线。

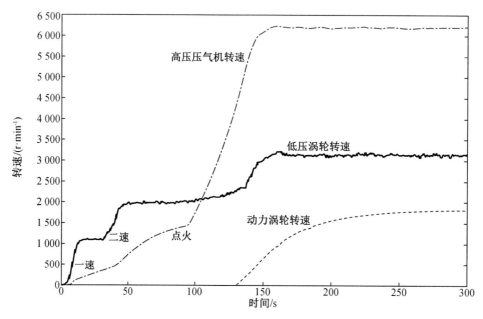

图 5.3　启动阶段转速变化曲线

可以看出,燃气轮机在 0 s 时开始启动,此时控制系统给出启动电机一速指令,35 s 时控制系统给出二速指令,在 90 s 时燃气轮机控制系统给出点火指令,同时向燃气轮机供给燃料并不断提高供给量,当高压压气机转速达到慢车的转速设定为 6 200 r/min 时,停止增加燃料量,燃气轮机在控制系统的时序控制下完成启动到慢车进程。

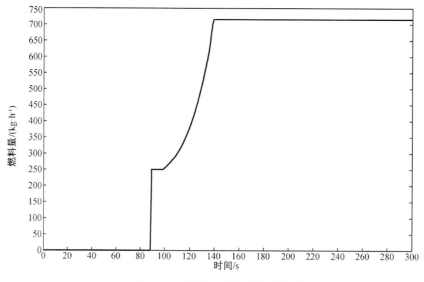

图 5.4　启动阶段燃料量变化曲线

5.2 燃油控制模式设计

5.2.1 燃油系统工作原理

燃气轮机燃油系统可分为启动燃油系统和主燃油系统两部分,原理示意图如图5.5所示。启动燃油系统主要由启动燃油系统开关阀、燃油滤器、电动燃油泵、燃油压力调节阀等组成。主燃油系统由燃油系统开关阀、燃油低压泵源、燃油滤器组、燃油增压泵、燃油调节阀、燃油分配器并通过燃油喷嘴为燃气轮机供油。由于燃油结蜡温度要比凝固点高6~7℃,因此船用燃气轮机一般采用−10号柴油作为主要燃料,适用最低温度为−5~4℃。因此,当船舶处于低温工作环境时,需要在船舶油箱中对燃油提前预热。

燃油系统主要部件的作用与工作过程如下。

(1)燃油启动系统通过电动燃油泵的带动率先开始工作,其任务是在燃气轮机从静止到运行过程中为燃气轮机系统提供燃油供给,并通过燃油压力调节阀调节进机燃油供油量。在达到燃气轮机可以自行运转工况时,启动燃油系统会随着工况的改变逐渐关闭。

(2)由于主燃油系统燃油泵与燃气轮机系统中低压压气机之间采用机械连接,随着燃气轮机的运行,低压压气机运转会带动主燃油系统中燃油齿轮泵运转,从而带动主燃油系统运行。

(3)燃油滤器组的作用是过滤燃油中所含的杂质。由于滤器不属于动力提供设备,通过滤器的燃油流量需要依靠燃油泵驳运完成,因此通过滤器的燃油流量应等于燃油泵输出燃油流量与泵前燃油回油流量之差。燃油通过燃油泵的增压后进入燃油调节阀,燃油调节阀通过转角开度的变化调节燃油输出量。由于燃油系统的燃油泵依靠燃气轮机带动,本身不完全受控于燃油调节阀,因此燃油泵输出且未通过调节阀输入燃气轮机的燃油需要通过燃油回油路返回燃油泵前。

(4)燃油通过燃油调节阀调节后进入燃油分配器,在燃油启动过程中燃油分配器的一油路率先开启为系统提供稳定压力,当压力达到1.5~1.6 MPa时二油路开启使两油路共同为燃气轮机供油。在这一过程中,燃油启动系统会逐渐关闭,直至燃气轮机达到相应工况稳定状态。此后,燃油通过燃油分配器的两个油路分别被分配给16个支路,并在各支路上重新两两合并,共同提供给相应的燃油喷嘴进行雾化,完成整个主燃油系统供油过程,如图5.6所示。

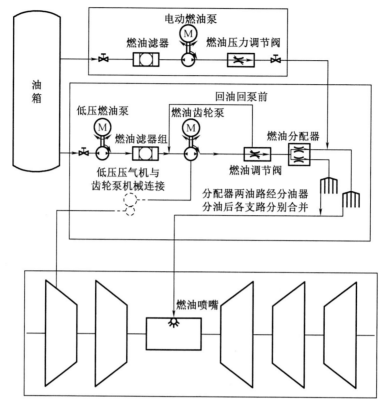

图 5.5　燃气轮机燃油系统示意图

此外,当燃气轮机燃油系统中燃油增压到 0.23~0.25 MPa 时,低压燃油泵开始运行为燃油系统提供稳定的燃油输入,即在燃气轮机燃油系统正常运行过程中输入燃油滤器组的燃油压力是稳定的。

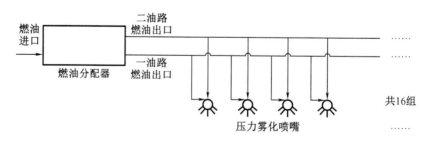

图 5.6　燃油分配器分配燃油示意图

5.2.2　燃油控制模式设计

燃油控制包括燃油流量调节和燃油流量约束。其中,燃油流量调节可以用 PID 控制方式实现,而燃油流量约束则通过输出范围限定实现,其结构如图 5.7 所示。该控制模式可以分为三个主要部分:控制偏差部分、PID 运算部分和结果输出部分。其中控制偏差部分、PID 运算部分属于燃油流量调节,结果输出部分属于燃油流量约束。

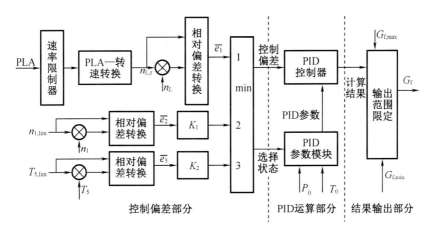

图 5.7　燃气轮机燃油控制模式结构图

1. 控制偏差部分

控制偏差部分主要是计算不同支路的设定值与实际值的偏差,并选择其中一个支路的偏差作为控制偏差。

(1)控制偏差部分的组成及运行方式

控制偏差部分主要用于计算实际工况与设计工况之间的偏差,并将偏差输入 PID 控制器中。它的另一个作用是根据需要选择控制模式。控制偏差部分主要由三个支路和一个最小值选择器组成。

三个支路分别是动力涡轮转速控制支路、压气机限制转速控制支路和动力涡轮排气限制温度控制支路。

支路之间的控制转换是通过最小值选择器实现的。最小值选择器通过选择各个支路计算偏差的最小值作为控制偏差输出,即被选中的控制支路对燃气轮机起控制作用,其余支路不起作用。通过选择最小偏差来转换控制支路主要有以下三个好处:

①偏差直接反映了实际情况与设定值之间的关系,对偏差进行选择具有更明确的物理意义;

②通过选择最小偏差,保证了燃气轮机的安全运行;

③保证各个控制支路之间的控制转换平稳,不会发生突变。

为了避免在最小偏差值的选择过程中,各个控制支路的不同量纲给比较带来的不便,本书采用相对偏差的方法来解决该问题。各个控制回路的相对偏差形式如下。

动力涡轮设定转速相对偏差:

$$\overline{e}_2 = \frac{n_{20} - n_2}{n_{20}} = \frac{\Delta n_{20}}{n_{20}}$$

式中,n_{20} 表示动力涡轮设定转速。

压气机限制转速的相对偏差:

$$\bar{e}_1 = \frac{n_{1,\lim} - n_1}{n_{1,\lim}} = \frac{\Delta n_{1,\lim}}{n_{1,\lim}}$$

式中，$n_{1,\lim}$ 表示压气机限制转速。

动力涡轮排气限制温度的相对偏差：

$$\bar{e}_3 = \frac{T_{5,\lim} - T_5}{T_{5,\lim}} = \frac{\Delta T_{5,\lim}}{T_{5,\lim}}$$

式中，$T_{5,\lim}$ 表示动力涡轮排气限制温度。

通过采用相对偏差的形式，可把各个控制支路的偏差信号统一为无量纲的形式，有利于各个控制支路间的偏差比较。通过对燃气轮机在一般情况（即标准大气条件）下的仿真试验得到，当动力涡轮从折合设计转速 0.5 r/min 上升至 1.0 r/min 时，其各控制支路相对偏差值的变化范围如下：

动力涡轮设定转速相对偏差值的变化范围：0~0.5。

压气机限制转速相对偏差值的变化范围：0.05~0.33。

动力涡轮排气温度相对偏差值的变化范围：0.03~0.12。

从仿真可以看出，各控制支路的相对偏差相差并不大，因此即使是在正常工作条件下，动力涡轮转速的相对偏差也有可能要大于另两个限制控制的相对偏差，使得最小选择器选中的是另两个限制控制支路进行控制，而动力涡轮转速控制失效，这显然是不符合实际要求的。因此有必要对两个限制控制的相对偏差乘上一个增益系数，以放大其相对偏差的值，保证动力涡轮转速控制能够在正常条件下工作。压气机限制转速相对偏差的增益倍数为 K_1，涡轮排气限制温度相对偏差的增益倍数为 K_2。通过对各个支路相对偏差变化情况的分析，取压气机限制转速控制的增益倍数 K_1 为 3，涡轮排气限制温度控制的增益倍数 K_2 为 6。这样就保证了动力涡轮转速控制在正常状况下能够运行。限制控制的增益倍数还有一个作用，就是当参数超过限制值时（偏差值为负时），增益倍数能使负偏差放大，保证了限制控制被最小选择器选中，并能很快地对参数进行限制控制。

（2）动力涡轮转速控制支路

动力涡轮转速控制支路主要用于控制动力涡轮转速，其控制过程分为稳态控制与过渡态控制。

当油门操纵杆位置（PLA）一定时，动力涡轮转速设定为 n_{20}，即确定动力涡轮转速控制支路保证动力涡轮转速 n_2 等于转速设定值 n_{20}，从而保证燃气轮机为给定的工作状态提供相应的功率。

当船舶行驶的阻力发生变化或其他情况使 n_2 产生变化，相对误差信号 $\bar{e}_1$ 通过 PID 控制器的计算，调节供油量 G_f，使 n_2 恢复到设定值 n_{20}，此时的控制过程为稳态控制。

当操作员推动油门操纵杆改变 PLA 位置输出时，速率限制器会限制位置信号的改变速率。该限制器的作用是使操作员可以不受限制地以任意速度快推或快收油门，但信号仍按速率限制器限制的速率变化。这样不但可以使供油量不产生剧烈变化，而且能减轻驾驶员的负担。位置信号通过位置-转速模块转换为动力涡轮设定转速，位置信号与转速的关系是线性的。动力涡轮设定转速 n_{20} 与实际转速 n_2 的相对偏差经最小值选择后输入 PID 控制器，改变供油量 G_f，从而改变 n_2，即改变了燃气轮机的工作状态和输出功率。此时的控制过程为过渡态控制。

动力涡轮转速控制支路通过稳态控制及过渡态控制保证燃气轮机的工作状态与设定值一致。

(3)压气机限制转速控制支路

当燃气轮机的工作环境发生改变或出现其他意外情况时,使压气机转速超过限制值 $n_{1,\text{lim}}$,其相对误差信号 $\bar{e}_2$ 经增益倍数 K_1 负放大后,被最小选择器选中,并通过 PID 控制器计算,调节供油量 G_f,使 $n_1 = n_{1,\text{lim}}$,而此时动力涡轮转速 n_2 不再保持 n_{20} 不变。

(4)涡轮排气限制温度控制支路

当燃气轮机的工作环境发生改变或出现其他意外情况时,使涡轮排气温度达到限制值 $T_{5,\text{lim}}$,其相对误差信号 $\bar{e}_3$ 经增益倍数 K_2 负放大后,被最小选择器选中,并通过 PID 控制器计算,调节供油量 G_f,使 $T_5 = T_{5,\text{lim}}$,而此时动力涡轮转速 n_2 不再保持 n_{20} 不变。

(5)最小值选择器

最小值选择器的主要作用是选择 n_2、$n_{1,\text{lim}}$ 和 $T_{5,\text{lim}}$ 三个控制回路中哪一个控燃气轮机工作状态。它根据相对误差信号 $\bar{e}_1$、$\bar{e}_2$ 和 $\bar{e}_3$ 通过最小值选择,选择最小相对偏差信号作为控制偏差信号输入 PID 运算部分中。同时它还将当前的选择状态信息传递给 PID 运算部分,告诉 PID 运算部分当前选择的是哪一个控制支路,以帮助 PID 运算部分根据不同的控制支路选择不同的 PID 控制参数,达到最佳的控制效果。

2. PID 运算部分

PID 运算部分则根据控制偏差计算出当前燃气轮机所需燃油流量值。PID 运算部分主要包括 PID 控制器和 PID 参数模块。PID 控制器的主要作用是根据控制偏差计算出所需的燃油流量值。而 PID 参数模块的主要作用是向 PID 控制器提供运算所必需的 PID 控制参数。只有这两个模块相互配合,才能完成 PID 运算。

(1)PID 控制器

PID 控制器根据 PID 算法及控制偏差计算出所需燃油流量值。值得注意的是,由于控制偏差采用无量纲形式的相对偏差,因此控制偏差经过 PID 算法计算后,得到的结果为相对形式的燃油流量值,因此还需将其转换为带量纲的绝对形式的燃油流量值。同时,PID 控制器还需要 PID 参数模块提供的参数才能完成计算。

(2)PID 参数模块

不同控制支路的 PID 控制参数并不一样,因此 PID 参数模块的主要作用是根据控制偏差部分传来的选择状态信号判断当前哪个控制支路起作用,并根据其控制状态将对应的 PID 控制参数输出 PID 控制器中。PID 控制参数是事先离线设定好的。

PID 控制参数的设定主要通过以下步骤实现:首先,对燃气轮机进行线性建模,得到其传递函数,并将其代入整个 PID 闭环控制系统中,得到整个闭环系统的传递函数;其次,通过对闭环系统的分析,并根据设定原则,设计出 PID 控制参数。其具体的设计过程将在后面进行阐述。

环境条件对燃气轮机运行有一定的影响,因此 PID 控制参数的设定考虑了环境条件因素。运用 PID 控制参数设定方法,经过多次的仿真试验得到在不同环境温度、压力下的 PID 参数,并将其整理成数据表格形式储存在 PID 参数模块中。在燃气轮机控制过程中,PID 参数模块根据输入的环境温度与压力查表得到 PID 控制参数。

3. 结果输出部分

结果输出部分的作用是判断 PID 运算部分计算出的结果是否在允许输出的范围内,如果结果在允许输出的范围内则将其输出,否则输出限制值。其具体实现过程如下。

(1)将 PID 运算部分计算得到的燃油流量与最大燃油流量限制值 $G_{f,max}$ 进行比较,选择其中的最小值,这一选择可保证供油量不会过大,避免燃气轮机喘振或燃烧室富油熄火。

(2)将所得到的值与最小燃油流量值 $G_{f,min}$ 进行比较,选择其中的最大值,这一选择保证燃气轮机不会失速或贫油熄火。

(3)将结果作为整个控制系统的输出。

最大燃油流量 $G_{f,max}$ 与最小燃油流量 $G_{f,min}$ 在不同工况下的值是不同的,它们主要是通过试验得到的。

5.3 压气机转速控制

燃气轮机在启动阶段完成后进入慢车工况,此时可通过改变燃料量来改变燃气轮机工况。燃气轮机进入慢车工况以增量式 PID 控制算法调节燃料量的方式控制燃气轮机工况,此阶段主要的控制量是高压压气机转速。

$$\Delta u(k) = u(k) - u(k-1)$$
$$= K_P[e(k) - e(k-1)] + K_I e(k) + K_D[e(k) - 2e(k-1) - e(k-2)] \qquad (5.5)$$

式中,u 为控制器在 k 时刻的输出变量;$e(k)$ 为输入与设定值在 k 时刻的偏差量;K_P、K_I 和 K_D 均为比例系数,其中 $K_I = K_P \dfrac{T}{T_I}$,$K_D = K_P \dfrac{T_D}{T}$。

发电模块机组正常的工况运行都是在动力涡轮转速达到额定转速的模式下进行的,而高压压气机转速控制在发电模块燃气轮机控制中主要起以下作用:

(1)发电模块的原动机是三轴燃气轮机,其动力涡轮处于自由状态,在燃气轮机进入慢车工况后高压压气机转速的变化趋势更能体现燃气轮机工况的变化,此时通过高压压气机转速控制将动力涡轮转速带到额定的工作转速,再进入动力涡轮转速控制,从而使发电模块进入正常工作模式,在这个过程中高压压气机转速控制主要起过渡作用。

(2)高压压气机转速控制对燃气轮机起到保护作用。当动力涡轮转速控制阶段动力涡轮转速低于某一限度时自动切入高压压气机转速控制,切换控制目标防止仍以动力涡轮转速为控制指标而引起燃气轮机超扭等损害燃气轮机的现象。

(3)高压压气机转速控制起限制保护的作用。发电模块正常运转时燃气轮机处于动力涡轮转速控制,同时根据当前高压涡轮转速反映的该环境下的功率限制线和燃料限制曲线计算最大燃料量,当达到燃料限制值时以当前高压转速值为设定值切换至高压压气机转速控制,从而对燃气轮机起到保护作用。

根据发电模块运行模式不同将高压压气机转速控制分为以下两种情况。

5.3.1 单机组运行

单机组发电模块在船舶上作为能量源使用时,燃气轮机发电模块的负载主要是一些小型或中型的用电设备,发电机输出电能的电压主要依靠燃气轮机动力涡轮转速确定。工况运行时高压压气机转速控制主要起过渡作用,在燃气轮机慢车工况后通过高压压气机转速控制使动力涡轮转速达到 2 850 r/min,从而进入动力涡轮转速控制。此时高压压气机转速设定值受动力涡轮转速影响,其修正公式如下:

$$n'_{2\text{set}} = n_{2\text{set}} + k_{n2} \frac{n_{30} - n_3}{n_{30}} \tag{5.6}$$

式中,$n'_{2\text{set}}$ 为实际高压压气机转速 PID 的设定;$n_{2\text{set}}$ 为高压压气机转速设定;k_{n2} 为系数;n_{30} 为允许进入动力涡轮转速控制的转速;n_3 为当前动力涡轮转速。

同时在上述两种情况下,从动力涡轮转速控制切换到高压压气机转速控制时相关参数的设置如下:

$$Gt_{n_2\text{out}} = Gt_{n_3\text{out}}$$
$$n_{2\text{set}} = n_2 \tag{5.7}$$

式中,$n_{2\text{set}}$ 为高压压气机转速设定;n_2 为当前高压压气机转速;$Gt_{n_2\text{out}}$ 为高压压气机转速控制输出燃料量;$Gt_{n_3\text{out}}$ 为动力涡轮转速控制输出燃料量。

5.3.2 发电模块机组并行运行

当发电模块机组并行运行时,这种情况下发电模块的控制主要为功率控制,燃气轮机高压压气机转速控制的实质就是燃气轮机功率控制,只要根据标准条件换算出当前条件下燃气轮机输出功率和高压压气机转速的对应关系,进而计算出目标功率下的燃气轮机目标燃料量和目标高压压气机转速,以发电模块输出功率为控制变量就可以实现多机组并行时发电模块控制系统的功率控制要求。

当某台机组出现限制保护时,主控系统将保持其承担的负荷不变,即使整个系统负荷发生变化也仅仅将额外的负荷对其他机组进行平均分配。功率控制对高压转速控制输出燃料量和转速设定的修正如下:

$$G_{\text{ex}} = F(T_1, L_{\text{ex}})$$
$$G'_{n_2\text{out}} = G_{n_2\text{out}} \left(1 + k_{\text{ex}} \frac{G_{\text{ex}} - G_{n_2\text{out}}}{G_{\text{ex}}}\right)$$
$$n_{2\text{ex}} = F_1(T_1, L_{\text{ex}})$$
$$n'_{2\text{set}} = n_{2\text{set}} \left(1 + k_{2\text{ex}} \frac{n_{2\text{ex}} - n_{2\text{set}}}{n_{2\text{ex}}}\right) \tag{5.8}$$

式中,G_{ex} 为目标功率下的燃料量;$F(T_1, L_{\text{ex}})$ 为根据当前入口温度和目标负载从标况下折合燃料的函数;$G_{n_2\text{out}}$ 为功率控制 PID 计算的燃料量;$G'_{n_2\text{out}}$ 为实际作用的燃料量输出;$n_{2\text{ex}}$ 为目标功率下的高压压气机转速;$F_1(T_1, L_{ex})$为根据当前入口温度和目标负载从标况下折合转速的函数;n_{2set}为功率控制 PID 计算的高压压气机转速设定;n'_{2set}为实际作用的转速设定值。

5.3.3 单机组高压压气机转速控制结果

燃气轮机进入慢车工况时高压压气机转速稳定在 6 200 r/min,此时燃气轮机进入高压压气机转速控制,以高压压气机转速为控制变量对燃料量进行调节,逐步提高燃气轮机的工况,此控制阶段的主要目的就是使动力涡轮转速达到 3 000 r/min,从而进入动力涡轮转速控制。从慢车进入高压压气机转速控制再到动力涡轮转速达到 3 000 r/min,燃气轮机涡轮转速的变化曲线如图 5.8 所示。图 5.9 为此控制阶段相应的高压压气机转速与燃料量对应的曲线。

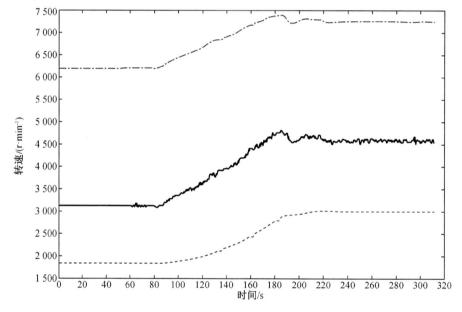

图 5.8　高压压气机控制转速变化曲线

从曲线可以看出,高压涡轮的转速发生的变化是依照高压压气机转速控制策略对其转速的设定受动力涡轮转速的影响,最终控制系统通过高压压气机转速控制将动力涡轮转速调整到 2 850 r/min,曲线中 180 s 时出现高压涡轮转速下降是由于切换到动力涡轮转速控制时虽然有燃料量跟随但是仍有一定的扰动,在动力涡轮转速控制下调整转速至 3 000 r/min,发电模块机组进入正常控制模式。

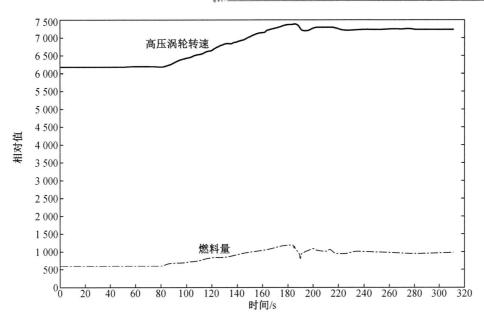

图 5.9　高压压气机转速与燃料量对应的曲线

5.4　动力涡轮转速控制策略

在启动到慢车、高压压气机转速控制完成后,动力涡轮转速达到 2 850 r/min,燃气轮机进入动力涡轮转速控制。动力涡轮转速控制是发电模块燃气轮机控制系统的核心部分,发电模块输出电能的主要工作阶段燃气轮机都处于动力涡轮转速控制下。动力涡轮转速控制的主要目标是保证发电模块各个工况状态下负载发生突变后,转速能够快速且稳定回到额定转速区间(3 000±15) r/min。燃气轮机在不同工况运行时,无论负载发生何种变化,控制系统都能很好地完成机组对燃气轮机控制品质的要求。

动力涡轮转速控制阶段,燃气轮机通过增量式 PID 控制算法对燃料量进行控制,控制器的 PID 参数按照当前转速与设定转速的偏差大小进行修正,此时增量式 PID 的控制系数如下:

$$K_{\alpha n_2}=K'_{\alpha n_2}(1+E_{n_2\alpha})$$
$$K_{\alpha n_3}=K'_{\alpha n_3}(1+E_{n_3\alpha})$$

$$(5.9)$$

式中,$\alpha=p$、i、d,分别为比例、积分、微分系数;K 表示实际作用系数;K' 表示设定系数;n_2 表示高压压气机转速;n_3 表示动力涡轮转速;E 表示转速与设定值的偏差的修正系数。

5.4.1　单机组动力涡轮转速控制结果

图 5.10 为燃气轮机负荷由 0~0.4 时动力涡轮转速和燃料量的变化曲线,分析曲线可以看出燃气轮机在空载负荷突增 0.4 负荷时,控制系统计算出的燃料量的变化速率大于燃

料增速率的限制,所以燃料的最大增速率限制为 165 kg/s。

图 5.11 为燃气轮机负荷由 0.4~0 时动力涡轮转速和燃料量的变化曲线,分析曲线可以看出燃气轮机在 0.4 工况负荷下突甩时,动力涡轮转速骤升,控制系统计算出的燃料量低于当前情况的最小燃料限制线限制,此时燃料量输出为当前高压压气机转速对应的最小燃料量限制值。随着动力涡轮转速的下降,控制系统燃料量的计算值高于最小燃料量限制后,控制系统的计算值作为燃气轮机燃料量的输出值。

增甩负荷仿真结果验证了燃料量增速率限制和最大最小燃料量限制的有效性。

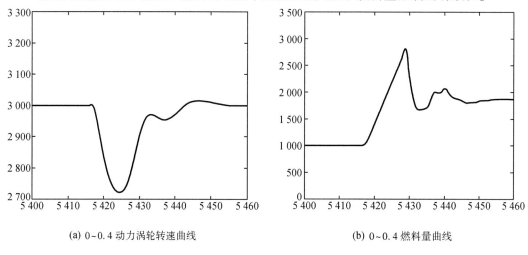

(a) 0~0.4 动力涡轮转速曲线　　　　　　(b) 0~0.4 燃料量曲线

图 5.10　燃气轮机负荷由 0~0.4 时动力涡轮转速和燃料量的变化曲线

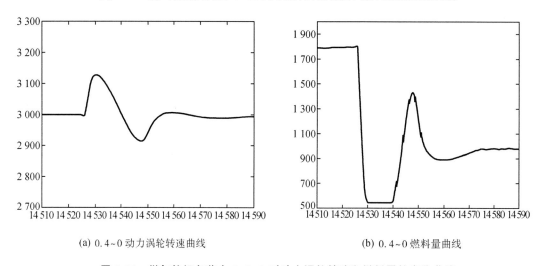

(a) 0.4~0 动力涡轮转速曲线　　　　　　(b) 0.4~0 燃料量曲线

图 5.11　燃气轮机负荷由 0.4~0 时动力涡轮转速和燃料量的变化曲线

5.4.2　双机组功率控制仿真结果

两台机组并车运行时采用功率控制,将负载负荷分配给两台机组共同承担,本书仿真研究中分析的情况是一台机组单独承担负荷,另一台机组由动力涡轮转速控制在空载工况投入使用到两台机组共同承担负载,其仿真结果如图 5.12 和图 5.13 所示。

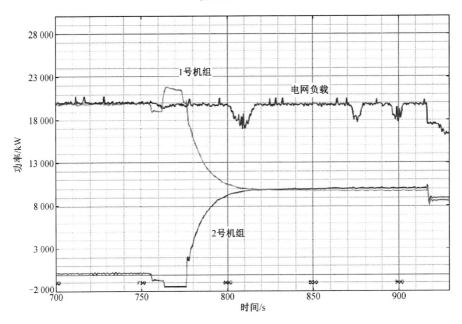

图 5.12　发电模块两台机组功率变化曲线

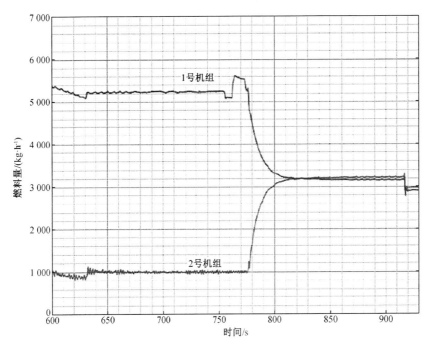

图 5.13　两台机组燃料量变化曲线

　　可以看出,当空载机组投入使用时,初始情况下在电磁的作用下其发电机会短暂地消耗功率,这时原有工作的发电模块会额外输出这部分功耗以满足负荷的要求。两台机组的燃气轮机都处于功率控制阶段,原有机组在功率上升过程中动力涡轮转速升高。双机组功率一升一降最终共同承担负荷。在此过程中发电机输出的电能满足控制指标的要求。

5.5　加减速控制策略

经实践发现,只用速度控制系统对燃气轮机的转速进行调节是不可行的。当转子开始转动时,由于实际转速和给定转速的偏差值很大,所以燃气轮机的加速度很大,燃油量的输出值瞬间将会变得极大,而高压空气流量由于有一定的滞后性,所以来不及反应,可能导致燃烧室中"富油燃烧",降低燃烧效率,甚至过多的燃料将扑灭火焰,导致燃气轮机紧急停机。由于转子的加速度很大,会产生一种大扭力,这种不均衡的应力会造成转子寿命降低,甚至轴承断裂。为了防止这种应力的增加,此阶段应该减缓转子的加速度,即要在燃气轮机的控制系统中加入加速度控制回路。

船用燃气轮机采用分轴或三轴燃气轮机,其加减速是根据压气机的进口温度、出口压力和压气机转速来安排程序的。根据压气机进口空气温度和转速,确定某一温度下燃油(W_f)量与压气机出口压力(CDP)的比值 W_f/CDP 随转速的程序。选用 W_f/CDP 参数是基于以下两点:

(1) W_f/CDP 代表油气比,换句话说它标志着涡轮进口温度;

(2) 压气机的喘振边界作为 W_f/CDP 和压气机转速的函数可精确确定。

图 5.14 为划分出高、低进口温度时的加减速程序线。要得到加减速时的燃油量,还需要乘上压气机的出口压力。从图 5.14 中的 A 点(慢车)加速到 B 点(最大工况)时的加速过程如下:功率手柄迅速推至最大位置时,转速控制器感知到转速不足,开始以变速率限制器控制燃油量。速率限制器的主要作用是保证加减速开始时,即保证稳态运行线到加减速程序线这个瞬变过程的燃油流量变化不致过急,以防止涡轮进口温度变化速率过大,这就可以减少热应力的幅值,提高受热部件寿命。瞬变速率限制程度特性线如图 5.15 所示。特性线的阶跃部分是为了保证转速调节器进行转速调节时,其调节速率不受速率限制器的影响。

在瞬变速率限制器的控制下,燃油流量迅速增大到与当时的压气机进口空气温度(CIT)相应的加速程序线。这时,燃油量向型线升高的方向运动,从而调节加速时的燃油变化速率。当达到所需转速时,转速调节器把燃油流量迅速减小到稳态运行所需的值。LM2500 从慢车至全功率的加速时间不足 30 s。减速时,按相反的方向发生同样的过程。加速计算所需的压气机进口空气温度、出口压力和转速等信号分别由压气机进口温度传感器、压气机出口压力传感器和转速传感器等供给。

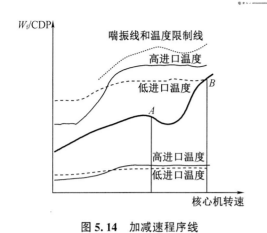

图 5.14　加减速程序线

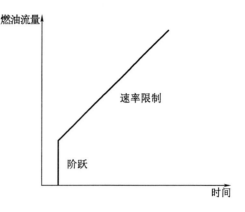

图 5.15　瞬时速率限制程序特性线

5.6　温度控制策略

　　温度控制系统用于控制燃气轮机带不同负荷时的排气温度。排气温度是燃气轮机的一个重要性能参数,良好的排温控制效果对机组的安全、高效运行意义重大。这是因为燃气轮机的透平叶轮和叶片均在高温、高速下工作,承受着高温及巨大的离心力,而且透平叶轮和叶片的材料强度随着温度的升高而明显降低,同时叶轮和叶片这些热部件的寿命大为降低,甚至引起透平烧毁、断裂等严重事故,所以必须限制透平进口温度。但是,从燃气轮机的工作效率方面看,提高透平进口的燃气温度,可以提高其工作效率。综合上述两种相互矛盾的因素可知,必须对燃气轮机的燃气温度加以合理的控制。

　　温度控制环节通过控制燃料量和空气量的变化,来保证排气温度不超过限幅温度。对燃料的控制可以采用 PI 控制算法,其中参数可以用实验法进行整定。正常运行时,这一控制不起作用,一般在燃气轮机达到满负荷时进入温度控制阶段。但在一些特定情况下,比如透平内部叶片断裂或是周围环境温度急剧上升时也可能使燃气轮机进入温度控制状态。燃气轮机温度控制环节传递函数框图如图 5.16 所示。

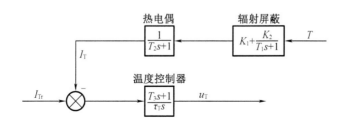

图 5.16　温度控制环节传递函数框图

　　图 5.16 中,I_T 为实际温度对应的电流信号,I_{Tr} 为温度控制的电流给定值,K_1 和 K_2 均为辐射屏蔽的系数,T_1 和 T_2 分别为辐射屏蔽时间常数和热电偶时间常数,T_3 为温度控制器的

时间常数,τ_T 为温度控制器积分时间常数,u_T 为温度控制指令。

在确定燃气轮机排气口温度的基础上,将其利用辐射屏障等方式,采用热电偶温度计,这是测量精准温度的有效保障。但对于燃气涡轮输出来说,这是系统频率逐渐降低后导致的现象。I_T 与 I_{Tr} 比较所得的偏差值将作为温度控制环节的输入信号,最后输出温度控制指令 u_T。

5.7 停 车 控 制

5.7.1 正常停车控制

燃气轮机发电机组在运行时常需要正常停车,其主要原因之一是燃气轮机发电机需要进行技术检查、定期维护和计划维修。这样的停车通常是由调度或运行人员安排进行的。停车是根据控制系统的命令信号进行的,或者是操纵燃气轮机操纵面板上的专用正常停车按钮进行的。

燃气轮机所有的停车都会产生降低寿命的不可逆过程。属于不可逆过程的有:

(1)由"热冲击"引起的非定常温度应力使材料积累了疲劳裂纹;

(2)因各零件的冷却速度不均匀而造成封严元件表面接触,进而使表面磨损甚至断裂;

(3)因流道元件在非设计状态的流动而引起的附加动负荷,使材料积累了疲劳裂纹;

(4)轴瓦的磨损;

(5)转子的冷却不均使转子产生残余变形。

正常停车时尽量创造条件,使这些损伤最小。为了减少损伤,燃气轮机发电机组规定的正常停车顺序如下:

(1)把功率平稳地降低到空载;

(2)发电机机组脱网;

(3)在慢车转速下保持冷却状态 5~30 min;

(4)随低压压气机换算转速调整低压压气机进口可调叶片角度 α;

(5)随高压压气机换算转速调整高压压气机进口可调叶片角度 αn;

(6)关闭停车开关,并打开地面滑油辅助泵和放气阀;

(7)当转子完成行程工艺性过程并完全停止转动后,再进行冷运转数分钟;

(8)当转子完全停转后,使发电机组进一步冷却 10~30 min,在上述过程临结束时切断电动滑油泵,燃气轮机机组停车结束。

正常停车命令进入燃气轮机控制系统之后发生的过程:把功率平稳地降低到空载状态有利于减小"热冲击"值。此外,也缓和了因补偿发电机停车而在电网上产生的波动。

下面以中挡功率燃气轮机发电机组为例,取这个过程中功率的下降速度为

$$\mathrm{d}N/\mathrm{d}\tau = 0.1 \ \mathrm{MW/s} \tag{5.10}$$

这时从额定状态过渡到空载状态的时间大约为 3 min。控制系统一个周期调节步长内功率的下降值用下式计算

$$\Delta N_S = dN/d\tau \times T_0 \tag{5.11}$$

式中，T_0 是采样周期，把 ΔN_S 代入调节方程，求出调节机构在一个调节步长内的位移为

$$\Delta z = K_{ZN} \Delta N_S \tag{5.12}$$

应该注意到，功率是降低的，也就是说，$dN/d\tau$ 和 Δz 的值是负数。K_{ZN} 是转速与调节步数之间的系数。从生成正常停车命令的瞬间开始，自动控制系统在每一个控制周期都发出一个关闭调节器的命令 Δz。

这一过程到发电机输出功率接近空载状态结束，此时功率约等于 0.6 MW。条件是

$$N \leqslant 0.6 \text{ MW} \tag{5.13}$$

当满足了式(5.13)之后，控制系统就发出从电网上切断发电机的命令。控制器根据自动控制系统的命令保持转子的额定转速

$$\Delta z = K_{ZN}(n_{额定} - n) \tag{5.14}$$

紧跟其后是在额定转速下保持冷却状态 5~30 min，以保证燃气轮机零件均匀地冷却到空载的温度水平，这有助于以后降低"热冲击"值。此外，在关闭停车开关和燃烧室熄火后，有助于减小因流道间隙减小而引起的转子剐上机匣的概率。

燃气轮机在熄火后不能保持额定转速，所以停止计量燃料，并且燃气轮机自动控制系统生成命令将调节器完全关闭。从这一时刻开始转子因气动力阻力和机械阻力而使转速自然下降。在转速下降过程中应适当进行以下操作:测量行程工艺性时间,关闭放气阀,这两个功能由燃气轮机自动控制系统实现。随着转速的下降,行程工艺性从设定转速如 2 300 r/min 开始测时间,到某设定值如 300 r/min 时结束测量。行程工艺性一般为 2 ~ 5 min。行程工艺性的测量具有诊断性质,用它可以判断转子的机械质量。

测量行程工艺性的转速范围和规定的行程工艺性时间都要根据试车结果最后确定。行程工艺性下降的原因可能是转子碰剐了机匣,或者是轴承工作能力的损失。如果行程工艺性时间过低,则应检查燃气轮机发电机组的技术状态。在正常停车过程中,燃气轮机的自动控制系统继续监控燃气轮机的参数和信号。如果在某一瞬间满足了紧急停车条件,则正常停车转为紧急停车。

5.7.2　紧急停车

燃气轮机发电机组是很复杂的设备,长期运行时会出现意外情况,甚至可能会给运行人员造成危险或有损坏设备本身和周围设备的可能。燃气轮机自动控制系统不断地把当前的运行参数和设置的紧急情况参数进行比较,从而对意外情况进行分析,并生成紧急停车信号自动完成紧急停车程序。自动控制系统尽可能预先把控制参数接近危险区的情况向运行人员报告。此外,紧急停车可以由运行人员在操纵台上按压紧急停车专用按钮来完成。

虽然紧急停车过程短暂,所执行这一操作的想法和正常停车一样,但是,哪怕燃气轮机运行参数超过Ⅲ级报警参数会损害燃气轮机的寿命,也要优先考虑用最快的速度完成紧急

停车操作"AO"。因此,在换算正常停车和紧急停车的当量时发动机工作小时数要取不同的系数值。

下面给出的是某型燃气轮机发电机规定的紧急停车执行顺序:把发电机从电网上切断;打开放气阀;关闭停车开关;打开漏油阀;停止向环形燃烧区、扩散燃烧区和均匀燃烧区供给气体燃料;把进口导向器紧急置于"负"角度位置;测量惰转时间;当转子转速为900 r/min时关闭所有放气阀;当燃气轮机转子完全停转后,切断综合空气过滤器的风扇;当燃气轮机转子完全停转后,进一步冷却燃气轮机30 min;在上述过程临结束时切断电动滑油泵和电动压气机;燃气轮机冷却。

生成紧急停车信号的通用条件是

$$P(i) \geqslant Y(i) \text{ 或 } P(i) \leqslant Y(i) \tag{5.15}$$

式中,$P(i)$ 为当前参数值或被控制的信号;$Y(i)$ 为设定的极限值。

当前 $P(i)$ 可以是实测值,也可以是按实测参数计算的计算值。极限设定值 $Y(i)$ 可以是和参数无关的常数,也可以根据实测参数计算。控制系统在生成紧急停车信号"AO"之后,同时生成执行前6个操作的命令。燃气轮机转速下降得很快,应该在不大于1 s的时间内把进口导向器重新置放到"负"角度位置。

5.8 保护控制策略

5.8.1 保护系统功能

在燃气轮机控制系统中,控制系统和保护系统是不可分割的一个整体。在燃气轮机正常运行时,由控制系统实施控制,使燃气轮机在所要求的参数下运行。当燃气轮机由于种种不可预测的原因出现故障时,它们就会偏离正常的运行参数。此时保护系统应给出警告并指示故障的由来,以便引起运行人员的警觉并及时分析故障的原因,以及尽可能在不停机的情况下排除故障,使燃气轮机恢复到正常、安全的运行状态。当燃气轮机出现比较大的故障时,保护系统在报警的同时会使燃气轮机执行自动停机甚至遮断机组而跳机。本节主要关注可能引起燃气轮机出现重大故障的保护功能。

燃气轮机保护系统由许多子系统组成,有些是在正常启动和停机过程中起作用,有些是在应急或非正常运行状态时起作用。燃气轮机控制系统绝大多数的故障是传感器及其导线连接而引起的故障。保护系统对这些故障进行监测和报警。当状态严重到不能完善和恢复时,燃气轮机将被遮断。

保护系统既响应简单的逻辑遮断信号,如润滑油压力过低、润滑油母管温度过高、燃油压力低等,也响应更复杂的参数,如超速、超温、燃烧监测和熄火等。为此,一些保护系统和部件通过控制系统内的主控及保护回路起作用;而另一些机械系统直接作用于燃气轮机部件。它们有两种独立的切断燃料的方法,即利用燃料控制阀(FCV)和截止阀(FSV)。各个保护系统独立于控制系统,以避免控制系统故障而阻碍保护装置正常动作的可能性。

5.8.2 超速保护

燃气轮机是在很高角速度下运转的,其转动部件在运转时的应力和转速有密切的关系。因为离心力正比于转速的二次方,因此当转速增高时,由于离心力所造成的应力将会迅速增加,例如一旦转速升高 20%,应力就接近于额定转速时的 1.5 倍(增加了 50%)。设计叶片、叶轮等紧密配合的转动部件的允许转速通常也是按高于额定转速 20% 以内考虑的。如果转速升高到了一个不可接受的范围,就可能导致燃气轮机旋转设备被严重损坏,因此每台燃气轮机都必须设置并安装电子超速保护装置。在有些机组上还安装了称为危急遮断器或危急保安器的机械超速保护装置,当燃气轮机主轴转速超过一定限度时(一般规定为额定工作转速的 1.10 ~ 1.12 倍)它就动作,迅速切断燃气轮机的燃料,使其停止运转。为充分发挥先进的冗余电子设备、简化机械结构、保证可靠,取消机械超速机构的机组安装了更多冗余的独立用于电子测速的保护装置。

将轮机转速信号(TNH)与超速给定值(TNKHOS)进行比较,当 TNH 达到给定值时,超速遮断信号(L12H)传送到主保护电路,切断燃料而停机。因在比较器后设置了寄存器,一旦轮机转速信号超过给定值,此信息将寄存在寄存器里予以闭锁。也就是当 TNH 恢复到小于 TNKHOS 时,寄存器仍保留原超速的信息而不能自动复位,以保证轮机遮断状态后无法重新启动机组。

船用燃气轮机动力涡轮转速超过 100% 额定转速时,电液作动器就去主燃油控制装置的压气机出口压力信号进行放气,由于压气机出口压力信号的减小,燃油控制装置相应减小燃油供油量,这样势必减少发动机转速;动力涡轮转速超过 104% 额定转速时,转速极值调节器起作用,降工况运行;动力涡轮转速超过 110% 额定转速时,启动切换开关,切断燃油供给。

5.8.3 超温保护

当机组在某大气温度下运转时,燃气轮机温控器投入运行后,可使透平初温维持在额定参数以内,排气温度和压气机出口压力相应处于温控基准线上的某一点。当大气温度升高时,此点在温控器的控制下沿温控基准线 TTRX 向左上方移动;当大气温度降低时,此点在温控器的控制下沿温控基准线向右下方移动。当温控器发生故障时,透平前温 T_3 失控。有可能因燃料流量过大而使透平前温 T_3 超过额定设计参数,这是绝对不能允许的。其故障轻者会使透平叶片的寿命下降,重者会使透平叶片被烧毁。为了防止此类故障造成的恶果,保护系统设置了三道超温保护。

1. TTKOT3 报警线

TTKOT3 报警线是在温控基准线 TTRX 的基础上向上平移一个由 TTKOT3 常数(各种机组一般都取 25 以内)所确定的温度差值。即当温控器出现故障,导致透平前温上升时,在同样压气机出口压力的情况下,排气温度 T_4 就可能比由温控基准所确定的值高;当它比温控基准高出 TTKOT3 常数所给定的温度值时,保护系统将发出超温报警信号。

2. TTKOT2 遮断线

当温控器故障,导致透平前温超过额定值时,若在同样的压气机出口压力下,排气温度 T_4 高于温控基准所确定的值达到 TTKOT2 常数所给定的值(各种不同机组一般都是 TTKOT2 = 40 ℉),燃气轮机遮断停机。

3. TTKOT1 遮断线

当温控器出现故障,导致透平前温 T_3 超过额定值时,排气温度 T_4 必然会相应增高。当 T_4 达到 TTKOT1 常数值时,机组遮断停机。大多数机组的控制常数 TTKOT1 所选择的值往往等于或接近于 TTKOT2 和 TTRX 等温段(水平线)之和。但是 TTKOT1 不是用温度差来表示,而且不会受到 CPR(或者 FSR、DWATT)偏置温控线数值大小的影响。

超温报警和超温遮断保护可在燃气轮机运行中温度控制出现故障时,保证透平前温不会超过太多,以保证机组安全。

5.8.4 振动保护

燃气轮机是高速旋转的设备,通常总是存在着一定的振动。振动对燃气轮机本身有着严重的影响。燃气轮机在高速运转时,若振动较大,有可能使压气机或透平的叶片产生断裂或使转子和外壳、动叶和静叶发生碰擦,这都会给机组带来重大的事故。因此,严格限制燃气轮机的振动量是十分必要的。

另外,振动过大会影响轴承和轴承油膜的稳定。对于机组的轴系,特别是单轴机组如此长的轴系,如果振动过大可能影响到基础定位,甚至影响轴系的对中。这些因素往往会形成恶性循环,促使振动进一步加剧。

1. 传感器失效报警

燃气轮机作为高速运转的机组,在正常工作时适量存在振动是在所难免的。用振动传感器测量机组的实际振动数值时,若所测数值为零或远远低于机组正常工作的振动数值,则可以断定传感器出了故障,应给出一个传感器故障报警,引起运行人员的警觉,必要时尽快更换新的传感器。

振动传感器的测量信号经输入/输出模拟量转换进行功率放大后再输入 A/D 转换器,将振动值用数字量来表征。燃气轮机机组正常运转时的振动应不小于某个给定值 SHORT。正常情况下,传感器测量到的振动值也应不小于这一给定值。而当传感器发生开路或短路等各种故障时,其测量信号值很小。此时指示传感器失效,由保护电路发出传感器失效的报警信号。

2. 燃气轮机机组振动大报警

燃气轮机机组正常运转时,存在适度的振动是在所难免的,一般应大于由 SHORT 所给定的常数值。但是也不允许太大,其上限应根据运行的情况和对机组振动大小的要求而有所限制,此限制的常数值以报警符号 ALARM 给出。当机组的实际振动值大于所给定的振动限制值 ALARM 时,发出振动大报警,但是机组仍然可以维持运转。当振动值小于限制值

ALARM 时,报警自动解除。

3. 燃气轮机机组振动大遮断

燃气轮机机组在运转时不允许振动太大,以保证机组的安全。此振动限制值用 TRIP 符号表示。当机组运转时的振动值大于给定的最大振动允许值 TRIP 时,发出机组振动过大遮断逻辑信号。

4. 燃气轮机振动大自动停机

当振动达到 TRIP 自动停机设定值时,采取一种比遮断跳机较为温和的方式,即自动停机。这样设计有利于对机组进行保护,特别是在高负荷(达到或者接近于基本负荷)下的跳机,会给机组带来很大的冲击,其高温部件要承受更大的热应力,这样会严重降低它们的使用寿命;并且对其他辅助设备也会产生不利影响。高负荷下紧急停机有时还有可能导致下一次开机出现振动或者其他异常情况。

5. 振动检测算法

燃气轮机机组有多个传感器,满足以下任一条件则发生自动跳机:

①一个达到遮断值,另外有两个以上都不可用;

②一个达到遮断值,另外任意有一个达到报警值。

从上述自动跳机条件看出,虽然一个传感器的测量值达到了跳机值,但还需要顾及另外两个(或者三个)传感器的状态才确定是否实施跳机。这是与位移型传感器的判别条件完全不同的。

第6章 推进燃气轮机并车控制方法

联合动力装置相较于传统单机动力装置具有"各取所长""扬长避短"的优点,充分发挥组成联合动系统的单机的技术长处,成了"高性能"热力原动机装置的折中方案。联合动力装置根据运行方式可以分为联合工作和交替工作两类;根据组成原动机的不同可以分为柴油机-柴油机联合/交替动力装置、燃气轮机-燃气轮机联合/交替动力装置、柴油机-燃气轮机联合/交替动力等类别。组成联合动力装置的原动机可以是相同型号的也可以是不同型号的,组合方案多种,具有各自的优缺点和适应性。不论是哪种联合动力形式,双机并车运行及负荷分配控制是联合动力装置系统的共性关键问题,直接影响联合动力装置运行的稳定性、可靠性和经济性。因此,对其进行系统研究,尤其是研究该系统并车过程中的动态特性并设计可靠、有效的控制策略是十分必要的。双机单桨配置形式的联合动力装置在低速时采用单轴、单机推进,而在较高航速时采用单轴、双机并车推进。因此,双机并车功率合理分配的控制及单双机工况切换成为船用燃气轮机推进装置控制的关键问题。

本章以两台燃气轮机组成的联合动力装置为研究对象,探究其运行控制规律。首先,结合船舶动力装置的控制特点及燃气轮机自身的控制形式,展开燃气轮机联合动力运行控制方案的研究;其次,探究双燃气轮机联合动力装置的最佳运行方案,设计推进燃气轮机装置的控制策略;最后,通过仿真实验,探究燃气轮机联合动力装置共同工作运行特性,为联合动力装置系统设计提供参考。

6.1 燃气轮机联合推进装置组成

根据燃气轮机机组之间的工作配合关系,可以将全燃联合动力分为全燃共同使用联合推进装置(COGAG)和全燃交替使用联合推进装置(COGOG)两种运行方式。依据现有研究成果可知,排水量在3 000 t以上、经济航速功率占全船功率40%以上的船舶,其推进形式必须共同使用,可选用COGAG形式。通常全燃联合推进装置的燃气轮机机组由两台或四台组成,其燃气轮机既可以是相同型号的也可以是不同型号的。一般COGOG推进装置采用不同型号的燃气轮机,COGAG推进装置采用相同型号的燃气轮机。本书中的全燃联合推进系统采用相同型号的燃气轮机,如图6.1所示。其基本组成和配置是两台燃气轮机、两台S.S.S.离合器、齿轮箱、传动轴系和调距桨。

图6.1 全燃联合推进系统布置方案示意图

S.S.S.离合器是动力切换传动部件,是联合动力装置中的关键部件。根据全燃联合推进系统的运行特性和设计要求,为使每台燃气轮机都能够按设计要求自动并入或者脱开,燃气轮机与齿轮箱需要设置离合器。S.S.S.离合器的功能和特点主要是启动和脱开过程能够实现自动同步、便捷迅速;单向超越性,扭矩单向传递;阻尼油腔具有双向阻尼作用,减少了轴系的扭振影响;刚性传动,具有转速高、扭矩大、传动效率高,没有附属设备等特性。

齿轮箱的主要作用是通过减速齿轮系将主机的功率传给推进器,另外其作用还包括减速、并车、分车折角、垂直传动、多速比传动等。

螺旋桨分为定距桨和调距桨。在全燃联合推进系统中采用定距桨时,当船舶脱离设计工况时主机不能充分和发挥全部的功率,通过调节燃气轮机的功率输出来使机桨重新匹配耗时较长,难以有效避免螺旋桨的轻载和重载,另外由于燃气轮机不能倒转,在不加倒车装置的前提下使用定距桨不能够实现船舶的倒车。由于调距桨的螺距可调,因此可以通过调节螺距比来适应船舶工况变化的要求,满足全燃联合推进系统对轻重载的调节和换向的要求。所以,本书研究的全燃联合推进系统中采用调距桨。

在船舶的行驶过程中,螺旋桨的负荷是随外界环境的变化而不断变化的。如何让船舶燃气轮机的输出功率随船舶负荷的变化做出相应的变化,匹配输出功率和螺旋桨的负荷,需要通过燃气轮机的燃油控制器来完成。燃油控制器通过调节供给燃油量,使燃气轮机工作在不同的工况下,通过驱动螺旋桨,在船机桨的匹配下,最终会稳定地工作在某一个转速。对于只有一台燃气轮机的船舶而言,单纯通过燃油控制器就完全能够使得动力系统的输出功率与船舶的负荷相匹配,就可以使燃气轮机和船舶稳定地运行。但当动力系统不仅仅只有一台燃气轮机而是由两台或者两台以上的燃气轮机组成的联合动力系统时,依靠各自单一的燃油控制器来控制联合动力的运行就难以实现联合动力系统的稳定和可靠运行,因此需要通过控制策略协调控制每台燃气轮机的工作状态。控制策略能根据每台燃气轮机的反馈转速、S.S.S离合器的啮合状态、船舶的推进设定或者功率需求、螺旋桨的螺距等参数决策出每台燃气轮机的工作状态,从而实现多台燃气轮机的协调控制,达到联合动力的并车、解列、负荷分配转移的目的。

并车控制策略功能需求总结如下。

(1)能够对船舶运行工况进行决策判断。在自动控制状态下能够根据船舶运行状态自行判断决策出各台燃气轮机的运行工况,燃气轮机各自的燃油控制器执行相应的控制动作。在手动控制模式下,能够将联合动力的控制权限转移给集控室,并正确地接收集控的控制指令,传递给燃油控制器,满足手动控制的需求。

(2)船舶在进行加速和减速时能够根据船机桨的匹配关系自动调整主机的参数变化和螺旋桨的螺距,保障加速过程和减速过程平稳运行。

（3）多台燃气轮机的联合控制,在并车、解列、切换时能实现负荷的平稳转移,保证以上过程不会引起主机运行恶化,不会导致参数的剧烈波动乃至危及整个系统的运行寿命。

（4）为了解决实际运行过程中可能出现的各种问题,控制器应具有燃气轮机运行数据的实时检测功能,能够实时显示动力系统的运行状态。在出现紧急情况时应该具有紧急停车功能;当其中一台燃气轮机出现故障时能够控制另外一台燃气轮机运行,保证船舶动力系统具有一定的容错能力。

6.2　推进控制方案选择

船舶燃气轮机推进系统控制方案是指在船舶运行过程中,如何协调控制动力主机、变矩桨等可控部件,使动力装置能够发出满足需求的功率。两台燃气轮机联合动力装置作为联合动力装置的典型形式,在运行过程中,主要是通过协调控制燃气轮机动力涡轮转速及调距桨的桨距,通过两者的不同组合,满足主机和螺旋桨的特性匹配,同时满足船舶的功率需求。在实际应用中,最为常用的控制方案有如下两种。

6.2.1　两段式推进系统控制方案

两段式推进系统控制方案是带调距桨的船舶推进系统控制方案中最为经典的。两段式推进系统控制方案中,保持动力涡轮转速恒定,调整调距桨桨距的阶段称为转速控制段;调整动力涡轮转速,保持调整调距桨桨距恒定的阶段称为功率控制段。具体过程如图6.2所示,A点为两段式推进系统控制的分界点,在控制手柄的20%～50%的位置,具体的位置由具体的动力系统特性和船舶动力需求而定。在A点以下的航速,控制手柄的控制指令主要是利用调距桨的桨距来调节航速的大小,不同的桨距对应不同的推进航速,此阶段燃气轮机动力涡轮的转速基本保持不变,为转速控制段。在A点以上的航速,控制手柄的控制指令主要是调节燃气轮机动力涡轮的转速,不同的转速对应不同的航速,此阶段螺旋桨的桨距达到了最大,为功率控制段。

6.2.2　三段式推进系统控制方案

三段式推进系统控制方案是指推进手柄在整个控制过程中,对机舱燃气轮机转速和螺旋桨桨距的调节分为三个阶段。和两段式推进系统控制一样,其控制方式也分为转速控制和功率控制两种,如图6.3所示。

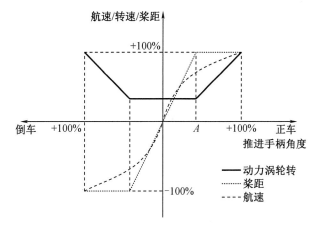

图 6.2 两段式推进系统控制方案

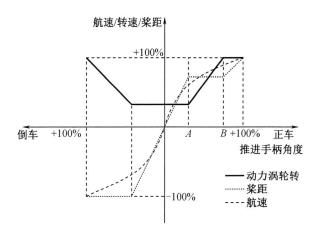

图 6.3 三段式推进系统控制方案

 船舶推进手柄正车推进部分被 A、B 两个分界点分为三个阶段，A 点以下的航速为转速控制阶段，此阶段一般燃气轮机处于比较低的转速，此时的转速一般由两个因素决定：一是燃气轮机最低自持转速，即维持燃气轮机正常工作的最低转速；二是船舶轴系部分的密封需要，轴系需要保持最低转速以上，否则轴承等部位可能发生漏油等问题。此阶段船舶航速的调节主要依靠螺旋桨的桨距来调整，此阶段螺距调节范围有限，最大螺距也只能达到设计螺距范围的一部分。A 点与 B 点之间属于功率控制段，此阶段螺旋桨的桨距不做调整，船舶航速的调整主要依靠对动力涡轮转速的调整。B 点以后的推进范围属于转速控制阶段，船舶航速的调整主要依靠改变调距桨的桨距。

 通过上述分析可知，不论哪种控制方案，船用燃气轮机联合动力推进装置在船舶航行中的控制都是分段的，即调速和调载。如果船舶具有调距桨装置，船舶提高航速或者降低航速是通过调小螺距或者降低主机转速来完成的，两种方式都可以达到目的，实际控制中只采用其中一种。

6.3　并车控制方式

　　船舶燃气轮机联合推进系统,能够成功地通过并车后实现共同运行,其中两台燃气轮机以何种方式控制实现转速同步完成并车是最关键的环节。并车控制的主要任务是对燃气轮机进行调速控制、调载控制、负荷转移控制、调距桨螺距的控制等。目前,燃气轮机联合推进系统的双机并车常采用的控制技术按控制原理可以归纳为四种:单调速器并车控制方式、主从调速器并车控制方式、并列调速器并车控制方式和平行式功率反馈调速器并车控制方式。其中单调速器并车控制方式在联合运行过程中两台燃气轮机由一个调速器来实现对双机的控制,不存在主从、并列关系,但是由于各燃气轮机的自身特性和参数很难做到完全一致,因此单调速器法在联合运行过程中很难保持稳定的功率分配比例,而且在并车与解列过程中,控制权限传递的过程也相对复杂。主从调速器并车控制方式在联合运行过程中,必须时刻跟随重载机的设定参数,动态性能相对要差。平行式功率反馈调速器并车控制方式普遍偏向于电控,在控制特性上能够基本保持一致,而且在并车过程中参数的稳定性及功率不平衡性比并列调速器并车控制方式均有所改善。

　　平行式功率反馈调速器控制方式的原理图如图 6.4 所示,每台燃气轮机本身有一个调节转速的燃油控制器,另外,每台燃气轮机都需增配一套油门位置测量机构,并将信号反馈给两台燃油控制器。

$$n_{1S} = n_0 + \frac{S_2 - S_1}{S_1 + S_2} \Delta n \qquad (6.1)$$

$$n_{2S} = n_0 + \frac{S_1 - S_2}{S_1 + S_2} \Delta n \qquad (6.2)$$

式中,n_{1S} 为 1#燃油控制器的设定值;n_{2S} 为 2#燃油控制器的设定值;n_0 为要求控制的燃气轮机转速;S_1 为 1#燃气轮机油门位置;S_2 为 2#燃气轮机油门位置;Δn 为油门位置差转速修正系数。

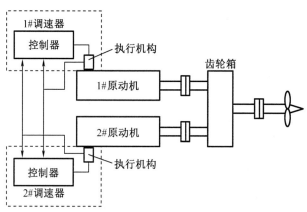

图 6.4　平行式功率反馈调速器控制方式的原理图

6.3.1　负荷转移过程控制方式

燃气轮机并车后负荷的转移是通过改变燃气轮机燃油控制器的设定转速实现的,即通过调速实现并车和调载。目前,燃气轮机调速均实现了电控化,因此在相同燃气轮机的前提下,可以认为两台燃气轮机的调速特性完全相同。为了使燃气轮机联合动力装置在并车、负荷分配过程中,保持船舶航速、螺旋桨轴转速等参数的稳定,需要采取合理的并车控制算法,以保证各个参数的稳定。

要实现燃气轮机并车,两台燃气轮机的转速同步是实现两台燃气轮机并车的前提。使燃气轮机转速同步的方法有很多,其中最常见的是加速并车的方式,即保持工作燃气轮机的转速不变,使待并燃气轮机从慢车工况逐渐加速到待并燃气轮机的工作转速,从而实现并车。负荷分配问题是全燃联合动力装置的关键问题,也是联合动力装置运行过程中的共性问题。双机并车时,负荷分配的质量主要取决于燃气轮机的燃油控制器的性能与功率分配算法的合理性。

并车过程中负荷分配控制算法为:事先拟定好两台燃气轮机的负荷分配方案,确定每台燃气轮机的负荷分配比例,在当前船舶的功率需求中依据此分配比例计算出每台燃气轮机所需要达到的功率值:

$$N_{s1} = (N_{r1} + N_{r2}) \times G_k \tag{6.3}$$

式中,N_{s1}、N_{s2} 为 1#和 2#燃气轮机目标功率,kW;N_{r1}、N_{r2} 为 1#和 2#燃气轮机当前的计算功率值,kW;G_k 为燃气轮机功率分配系数。

功率转速换算通过转速控制实现上述燃气轮机功率控制:

$$\Delta n_s = \sum \left[K(\Delta n'_s - \Delta n) + T(N_{s1} - N_{r1}) \right] \tag{6.4}$$

式中,Δn_s 为设定转速总变化量,r/min;$\Delta n'_s$ 为连续两次迭代过程设定的转速变化量,r/min;Δn 为连续两次迭代过程的反馈转速变化量,r/min;N_{r1}、N_{s1} 为 1#燃气轮机的当前功率值和功率目标值,kW;K 为转速比例系数;T 为功率积分系数。

当实现两台燃气轮机转速同步后,这时并车过程进入关键的负荷分配阶段。此时并入机当前功率为零,工作机当前功率为正值。由控制算法可知有 $T(N_{s2} - N_{r2})$,其中的 N_{r2} 为 0,而目标功率 N_{s2} 则为正值,因此整体为正值,所以 Δn_{2s} 也为正值。此时并入机开始增加设定转速,同时工作机的设定转速也因为目标功率为当前所有负载的 50%,因此导致 $T(N_{s1} - N_{r1})$ 为负,开始下降,所以负载逐渐从工作机转移到并入机上,重载机在调载过程中因为当前功率 N_{r1} 不断减小,逼近目标功率,同时并入机的当前功率 N_{r2} 也不断增加,逐渐逼近目标功率。由两机的功率与设定转速公式得知,两机的转速设定值也逐渐稳定,直到功率差为零,即处于动态平衡状态,此时完成调载过程。

6.3.2　并车/解列工况点的选择

燃气轮机联合动力装置系统并车过程中主机发出的功率主要是通过 S. S. S. 离合器、齿轮箱和轴系等船舶系统来完成。在理论上,燃气轮机联合动力装置在任何一个稳定的工作点,都可以是并车/解列的工况点,都可以完成并车、解列、切换等控制。但是不同的并车/解列工况点的选择将对燃气轮机联合动力系统的经济性、总功率覆盖范围等性能产生不同的影响。因此在对燃气轮机联合动力装置运行控制策略的设计过程中,需要对联合动力装置的并车/解列临界工况点进行合理选择。

1. 燃气轮机有效功率

燃气轮机的额定功率是出厂前所标定的功率,但是在实际船舶使用过程中,应当结合船用燃气轮机的实际使用环境及动力系统轴系的工作状态等,对燃气轮机的有效功率进行修正,以得到船用燃气轮机在实际使用过程中的实际使用最大有效功率。该功率的确定主要考虑以下几种因素。

(1)大气条件的变化、进气真空度及排气背压。

燃气轮机的额定功率是在出厂时铭牌标定的功率,即在标准大气参数下的功率,但是由于燃气轮机在船舶机舱工作时,大气条件较标准大气有所变化,如进气道滤清装置造成进气压力低,排气道消声降噪装置造成排气背压高等因素都会造成燃气轮机的有效输出功率减小,因此应该充分考虑燃气轮机在实际工作过程中的最大实际输出功率,防止负载超过单机最大输出功率造成燃气轮机超载、熄火等后果。

(2)轴系零件的磨损。

齿轮箱、轴系等部件的磨损造成的机械损失使燃气轮机主机所发出的功率转化为螺旋桨推进有效功率的部分有所减少,通常在大修前因为零部件的磨损造成的功率下降为 3%~5%。

(3)燃气轮机本身调速器的不稳定因素。

燃气轮机自身调速器的不稳定因素使燃气轮机在并车过程中,并入机转速过大的超调使轴系的转速陡增,造成主机的负载突然升高,而并入机因为处于慢车惰转状态,而不具备承担负载运行的能力,因此负载的陡增可能导致重载机超载,因此在选择并车工况点时,应当考虑调速器的不稳定因素。通常调速器的不稳定因素所造成的功率波动大约为 3%

(4)船舶设计过程中所计划的功率储备及因船体积垢而增加阻力等因素。

船舶在航行过程中,因为海况的不稳定,造成螺旋桨工作处于动态的变化过程中。螺旋桨流场的变化可能导致螺旋桨的负荷增大,同时,船体在使用过程中壳体因为附着物、积垢等影响,导致船体阻力增加。因此在船舶设计过程中,应当充分考虑功率储备及船体的阻力增加,通常在船舶动力系统规划中,预留 10%~12% 的主机功率作为功率储备。

综上,船舶燃气轮机在工作过程中因为以上各因素的影响,导致主机的正常使用有效功率要小于额定功率。根据以上各因素的综合,主机功率以额定功率的 80%~85% 为宜,进一步确定具体的数值则需要结合船舶的控制方案而定。

2. 船舶运行控制方案的影响

船舶的航行控制主要是通过车钟来完成的。随着船舶遥控技术及网络化的进步,船舶机舱的控制基本实现了无人化,因此车钟指令成为控制船舶航行的主要手段。通常船舶车钟一般有微速进、前进一、前进二、前进三、停车、微速退、后退一、后退二、后退三等 9 个挡位。当推进到推进挡时,控制系统解读车钟指令,通过设定的推进方案,改变主机转速或者改变螺旋桨的螺距而达到控制航速的目的。因此可知,船舶动力系统的工作不是连续的"无级变速",而是具有"挡位"的离散工作,仅仅工作在船机桨配合特性图上的有限个工作点。

图6.5为船舶在三段式控制方式下的配合特性图,曲线1、2为不同螺距下的船桨配合特性曲线,曲线3、4、5、6为主机在不同燃油量下的外特性曲线。其中A、B、C、D四点分别为推进手柄在不同推进指令下的船机桨稳定工作点。图中A到B过程为等转速调螺距过程,为功率控制段,船舶航速由V_{S_1}提高到V_{S_2};B到C过程为等调螺距调转速过程,转速控制段,船舶航速由Vs_2提高到Vs_3;C到D过程为等螺距调速过程,为转速控制段,船舶航速由Vs_3提高到Vs_4。若在实际过程中单机的最大有效发出功率$85\%N_e$位于两个推进挡位之间,如图6.5所示,介于B工况和C工况之间,则选取B点为并车临界点。若船舶在加速过程中由B点加速到C点,燃气轮机联合动力装置的额定运行过程为在B点进行并车并且功率均衡以后同时加载到C点。同理,如果在减速过程中,由C工况降为B工况,此时C点工况为燃气轮机联合工作状态,在此过程中,联合动力的工作过程为由C点联合运行到B点,此过程一直联合运行,若在B点再有减速需求的话,在B点进行解列控制,解列完成后,单机运行至所需的低工况点。

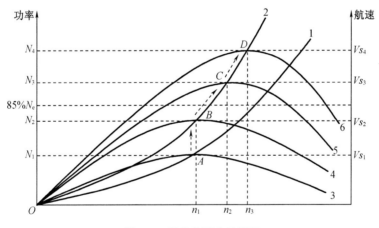

图6.5 船机桨配合特性图

船机桨匹配性能较好时,船舶具有较佳的运行性能,推进装置可以高效率地利用主机发出的功率。但是当船机桨匹配不佳时,船舶运行性能较差,严重时燃气轮机的功率将会不足,甚至燃气轮机超负荷运转,影响燃气轮机寿命。当船机桨不完全匹配时,一般分为以下两种情况。

①轻载工况。如图6.6所示,曲线1为螺旋桨推进特性线,曲线2为燃气轮机外特性线。当主机转速达到额定转速n_e时,此时主机发出的功率为B点对应的主机功率N_B,螺旋桨吸收的扭矩小于主机额定扭矩;该匹配关系下若使螺旋桨达到额定扭矩,此时主机转速将会超转。也就是说在这种匹配条件下,螺旋桨无法最大限度地吸收主机发出的额定功率,致使主机功率不能充分利用,达不到设计航速,螺旋桨处于轻载状态。

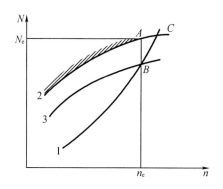

图 6.6　轻载配合特性图

②重载工况。如图 6.7 所示,当螺旋桨吸收的扭矩达到主机的额定扭矩时,此时螺旋桨转速小于额定转速;如果使螺旋桨运转在额定转速下,此时必须增大主机输出转速,进而使螺旋桨扭矩超出额定值,主机超负荷运转,破坏了主机工作。在该状态下,螺旋桨同样不能完全吸收主机的全部功率,船舶也达不到设计航速,螺旋桨此时处于重载状态。

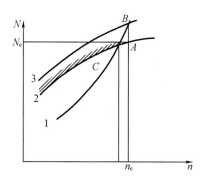

图 6.7　重载配合特性图

第 3 章所研究的分轴燃气轮机的额定转速为 3 600 r/min,在额定转速的条件下主机功率为 24 272 kW。主机功率储备和海况功率储备是必须考虑的因素(船舶设计中一般选取 10%~12% 的功率储备)。设定主机功率储备为 12%,轴系功率损失为 3%。根据已知主机参数,可推知燃气轮机在 85% 额定工况下主机功率为 20 212 kW。根据第 3 章建立的分轴燃气轮机非线性仿真模型,主机 85% 的额定工况的等耗油量外特性曲线如图 6.8 所示。

该工况下螺旋桨在设计螺距比时的推进特性曲线,如图 6.9 所示。

将主机的外特性曲线的横坐标即动力涡轮输出轴转速除以齿轮箱减速比,折合成螺旋桨的转速,使之与螺旋桨推进特性曲线的横坐标一致,在一张图上表示出来,形成机桨匹配特性图,如图 6.10 所示。两条曲线的交点就是全燃联合推进系统在单机单桨运行时的最佳机桨配合工作点,此时螺旋桨在设计螺距下的转速为 135 r/min,主机动力涡轮转速为 2 980 r/min。此时螺旋桨消耗的功率等于单燃气轮机此时能发出的最大功率,船舶在此点运行经济性能最好。要想进一步大幅度提高航速,就需要并入另一台燃气轮机,以满足功率输出的需要。所以,选择的并车工况点,要在满足功率储备的前提下,既满足功率的需求,又避免燃气轮机的过度损耗,从而节约能源。因此,将该点作为并车工况点,此时仍有10%的功率储备。

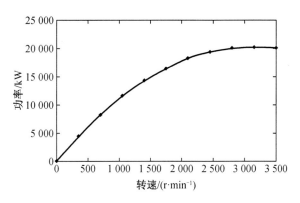

图**6.8 分轴燃气轮机外特性曲线**

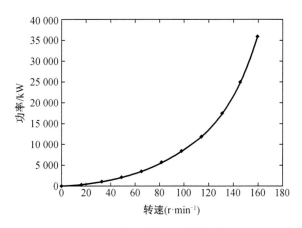

图**6.9 螺旋桨推进特性曲线**

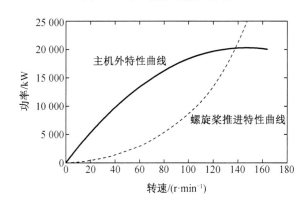

图**6.10 单机单桨工况机桨匹配特性图**

6.3.3 控制策略设计

控制器总体的主体控制流程如图6.11所示,其中并车、解列、切换程序均以子程序的方式封装。主体控制流程中,控制系统的输入变量为船舶的动力需求,也可以是船舶驾控室的车钟指令,每一个船舶推进指令都对应着螺旋桨的桨距和船舶燃气轮机的动力涡轮转速,通过两者的计算可以得到船舶主机的总功率需求。通过判断主机功率需求是否超过燃气轮机单机运行的最大输出功率值,进而得到最初的动力系统是联合还是单机运行状态,在此基础上进一步判断燃气轮机联合动力系统的当前工作模式是处于单机状态还是联合运行状态。如果处于单机状态,控制程序将针对船舶主机总功率需求进行并车或者单机加载控制;如果处于联合运行状态,控制程序将针对船舶动力主机总功率需求对联合运行状态的动力装置进行联合加载或者解列控制。如果单机运行模式下,系统还会对燃气轮机的运行时间进行判断,确定是否达到单机运行的最长时间,如果达到将进行切换控制,以保证两机的运行时间均匀增长,使整个联合动力系统的寿命达到最长。如果未达到最长的运行时间,控制系统将继续判断是否要进行人工切换,人工切换过程完全是驾控室的控制指令,比如在工作机出现工作异常等情况下,将对机组进行切换,以保证燃气轮机联合动力系统的运行安全。

控制策略在对燃气轮机联合动力装置的控制上遵循稳定最重要的原则,因此在设计上采取的主要控制思想是先并车再加载和先解列再减载。换言之,在控制过程中,如果控制策略判断燃气轮机联合动力在单机模式下已经无法满足船舶对动力装置总功率的需求,此时,控制策略的控制动作为:先对两台燃气轮机进行并车控制,并车后完成功率均衡,当完成并车和功率均衡后,再对两机进行协调控制,达到所需的主机总功率。同理,如果在联合运行过程中,船舶动力需求有所下降,控制策略判断燃气轮机联合动力装置是否需要进行解列操作,此时,控制策略的控制动作为:先对两台燃气轮机进行负荷转移,将指定的解列主机负载完全转移到工作机之上后退出联合运行状态,工作机再加载至所需的主机总功率。在控制流中,这样处理的优点是在并车、解列等动态过程中,可以增加运行的稳定性,同时也能相应地减少切换过程时间,增加机动性。

在主体的控制流程中,对燃气轮机联合动力装置并车、解列、切换动态过程的控制以子程序的形式被调用,各个子程序的详细控制流程如下。

1. 并车控制子程序

在本控制策略中,将转速同步和负荷分配两个阶段结合统称为并车过程。在并车过程中,转速同步是完成并车的前提,而负荷转移则是并车过程中的关键环节。并车子程序控制流程如图 6.12 所示。

如果主控制策略判断需要对燃气轮机联合动力装置进行并车控制时,调用该并车子程序。在并车控制流程中,首先进行的是待并燃气轮机的工作状态判断,判断待并燃气轮机是否启动并进入慢车状态,燃气轮机进入慢车后,控制策略对两机进行转速控制,完成两机的转速同步,同时对并入机侧的 S.S.S 离合器啮合和脱开进行判断,如果 S.S.S 离合器已经稳定啮合,控制策略认为已经完成了转速同步,可以进行下一步的负荷转移。在调载过程中,控制策略主要的控制动作为:通过功率与设定转速之间的换算公式,将并入机的设定转速不断提高,而重载机的转速则不断降低,并在整个过程中维持轴系转速和负载的稳定,从而达到负载由重载机向轻载机转移的目的。

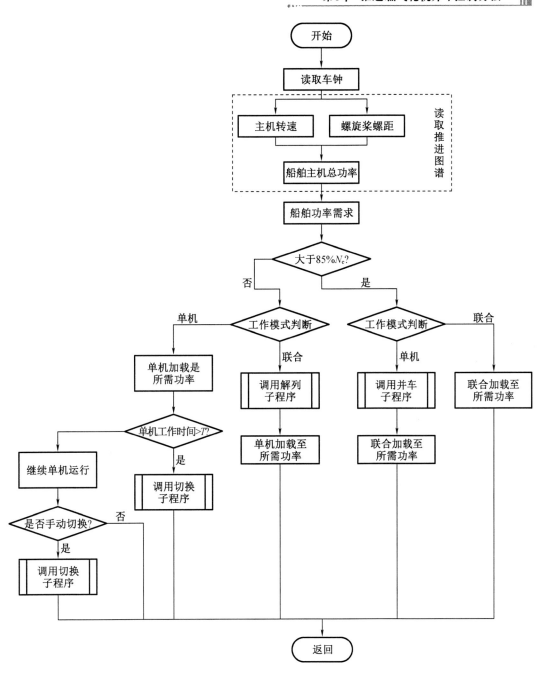

图 6.11 控制器总体的主体控制流程

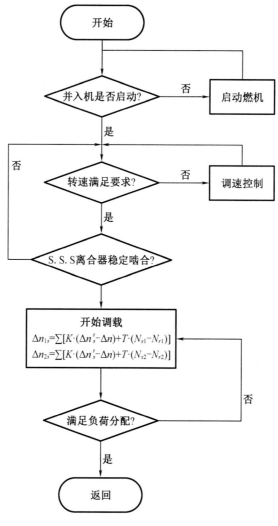

图 6.12　并车控制流程

2. 解列控制子程序

解列过程和并车过程的控制流程具有很高的相似性,解列过程可以视为并车过程的逆过程,由于不需要稳定的转速同步,因此控制上处理也简单一些,具体的控制流程如图 6.13所示。

与并车过程相反,当主控制程序判断需要进行解列控制时,调用解列子程序。在解列控制流程中,首先进行退出燃气轮机的判断,然后才进行解列过程的调载控制。在调载控制中,退出燃气轮机的目标负载为 0,工作燃气轮机的目标负载为 N_{load},并通过调整两机的设定转速,完成负荷的转移,在此过程中轴系的转速和负荷均保持不变。当控制策略检测到负荷转移完毕后,此时螺旋桨的负载完全由工作机承担,退出机此时只是以相同的转速慢车惰转,此后的控制只需要将退出的转速调低或者直接关闭停机即可,退出机同侧的S.S.S离合器自然脱开,完成解列。

3. 切换控制子程序

燃气轮机联合动力装置切换过程主要是完成在单机运行模式下,两机的轮换工作。切换过程可以视为在短时间内连续的并车和解列操作,具体的控制流程如图 6.14 所示。

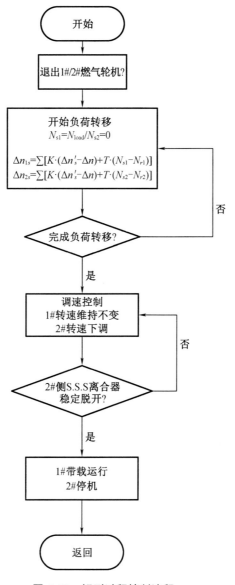

图 6.13 解列过程控制流程

在单机运行模式下,无论是驾控室触发切换指令还是单机运行时间超过设定的单机最长工作时间,切换控制过程中首先进行的都是对工作燃气轮机的判断、辨识,这样处理的目的是,在切换过程后期的解列过程中将要对之前的工作机解列出联合运行。此后,解列控制程序将调用并车程序将闲置机和工作机进行并车,完成并车后两机处于联合运行状态,然后紧接着调用解列子程序,对联合运行的两台燃气轮机进行解列控制,解列过程中退出机根据解列程序第一步中的当前运行主机判断的结果而选定。

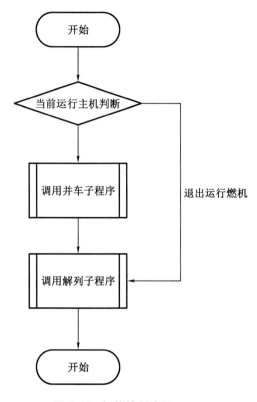

图 6.14　切换控制流程

　　船舶燃气轮机联合动力装置在运行过程中解列相对于并车和解列,使用频率相对要少。在控制策略的设计过程中,解列分为外接人工触发的解列和控制策略自动判断的解列两类。如此设计的目的主要有:一是当单机运行时若工作机运行出现异常,为了防止恶化运行,将闲置燃气轮机替换工作机,以提高燃气轮机联合动力装置的运行可靠性;二是当单机带载运行时间过长时,容易造成工作机的部件磨损过大,导致联合动力的各个主机损耗程度不一,使整个燃气轮机联合动力装置产生"木桶短板"效应,缩短整体寿命。因此按照约定的时间将两机进行轮换工作,可提高联合动力装置的寿命。

6.4　并车控制策略仿真测试

6.4.1　并车仿真试验

　　当采用燃气轮机联合动力装置的船舶需要提高航速时,比如由一个主机驱动一个螺旋桨工作已经不能满足船舶提速的功率需求,此时就需要将闲置的主机并入到工作机,以联合工作增大功率输出能力,从而满足船舶动力需求,达到提高船速的目的。并车操作是联合动力装置在运行过程中的重要部分,因此研究并车控制规律及并车过程中的动态特性具有重要的意义。将两机的转速协调控制到相同状态是实现并车过程的关键。本书所设计的控制策略采用的是加速并车的方式,即保持重载机的转速不变,并入机以一定的加速率靠近重载机的转速时 S.S.S 离合器啮合实现并车。并车过程是本书设计的控制器所要承担控制任务的阶段,下面通过并车半物理仿真实验,更好地了解控制系统的控制品质。在并车前 1#燃气轮机稳定工作,此时动力涡轮转速为 3 150 r/min,输出功率为 18 830 kW,螺旋桨螺距为 0.8,此时船舶的动力需求完全由 1#燃气轮机承担。在仿真时间 400 s 时,船舶发出提速指令,通过驾控室的控制系统将指令分解到燃气轮机的转速和调距桨的设定扭矩。假设下一个推进指令所需的功率已经超过单机 85%额定功率,此时半物理仿真机给出一个超单机 85%额定功率的信号,触发控制器进行并车控制,其结果如图 6.15 至图 6.18 所示。

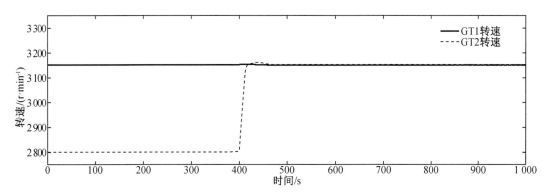

图 6.15 并车过程双机转速变化曲线

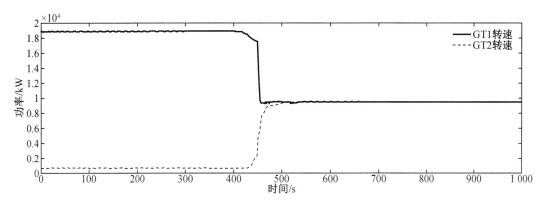

图 6.16 并车过程双机功率变化曲线

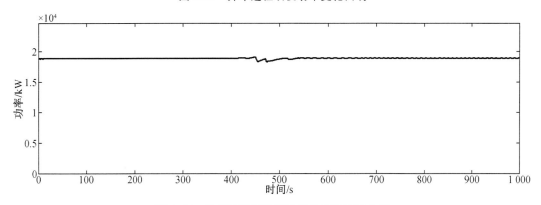

图 6.17 并车过程齿轮箱输出总功率变化曲线

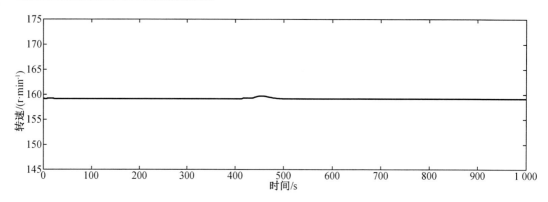

图 6.18 并车过程齿轮箱输出转速变化曲线

通过仿真实验可以看出,整个并车和功率分配过程一共大约 100 s。在仿真的 400 s 时,并入机逐渐加速靠近重载机的工作转速,当并入机转速略超过重载机转速时,S.S.S 离合器完成啮合,并车控制器收到并车成功的信号,认为两机转速同步,可以进行调载控制,此时控制器的功率调整算法开始工作。在转速同步的过程中总功率在 410 s 左右存在一定的波动,这是因为轻载机以一定的加速率并入重载机,轻微冲击造成功率波动。在功率转移控制部分,两机的功率分配按照既定的 1∶1 比例进行功率分配,此时两机的功率转速换算控制算法起作用,使重载机的负载逐渐转移到轻载机。其间控制算法理论上维持总功率不变,由于螺旋桨的螺距保持不变,因此阻力矩也维持不变。在调载过程中,由于理论上不存在剩余或者不足的功率,轴系的转速维持不变。从仿真实验的过程可以看到,在并车调载过程中,齿轮箱输出转速波动很小,整个调载过程大约 80 s,转移过程中,两机的功率变化缓慢、稳定,说明控制器和控制算法较为合理。

在图 6.15 中,轻载机在并入过程中,转速提升很快,在 10 s 左右转速就很接近重载机工作转速,这是由于燃气轮机动力涡轮部分在惰转状态下转动惯量很小,在加载过程中加速很快。从图 6.15 中可以看到在调速过程中,并车控制器对燃气轮机的转速控制效果比较满意,GT2 在调速过程超调量为 0.42%,满足系统控制的要求。

在图 6.16 中,并车调载过程一共耗时约 80 s。在过程中 GT1 的负载下调过程速度和 GT2 的加载过程都比较均匀,无明显突变。在总功率方面,齿轮箱输出功率有 3% 左右的波动,这是由于一方面在并入过程中燃气轮机的惯性作用使 S.S.S 离合器轻微冲击造成总功率的波动;另一方面也可能是由于燃气轮机功率参数变化范围较大(0~10 000),导致过程中两机的目标功率存在一定的波动,使总功率存在一定的变化。调载过程稳定后,两机的功率偏差小于联合动力运行过程中两机功率承担负荷偏差 3% 的控制要求。

图 6.17 中螺旋桨的转速波动变化比较细微,这是由于减速齿轮箱在减速过程中削弱了主机转速波动对螺旋桨的影响范围,但是由于螺旋桨处于螺距较大的工作点,此时转速的轻微波动也使负载产生了较大的波动。

6.4.2　解列过程仿真实验

当船舶由高航速航行状态降低至低航速运行状态时,需要一台燃气轮机脱开,停止输出动力,此时双机联合运行状态就要切换到单机单桨的工作状态,这个过程就是解列。解列过程一共分为以下几个步骤。

在解列之前要对船舶的动力需求进行判断,如果双燃气轮机组成的联合动力装置发出的总功率在单机的85%额定功率附近,并且船舶的动力需求将要进一步减小,此时控制器才能执行解列控制。解列过程中,工作机和解出机协调控制,此时并车控制器开始承担控制任务。其具体的工作过程:控制策略中的功率转速换算控制算法通过计算,协调设定两机的设定转速,工作机不断提高,解出机不断下降,在此过程中,维持总功率不变,解出机的负载也逐渐转移到工作机上;随着过程的不断继续,解出机的转速和工作机的转速相差到一定程度时,S.S.S 离合器自动脱开,此时工作机完全承担所有的负载,解列过程完成。

对双燃气轮机联合推进状态切换到单机单桨推进状态过程进行仿真实验,考察并车控制器对两台燃气轮机的控制质量,仿真过程为 1 000 s。在仿真时间 370 s 时,模拟驾控室发出减速指令,船舶功率需求进一步低于单机85%额定功率,仿真机向控制器发出一个小功率需求信号,触发并车控制器对联合运行的燃气轮机进行解列控制,实验结果如图 6.19 至图 6.22 所示。

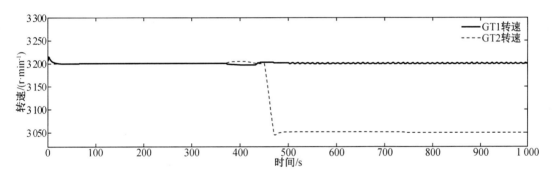

图 6.19　解列过程双机转速变化曲线

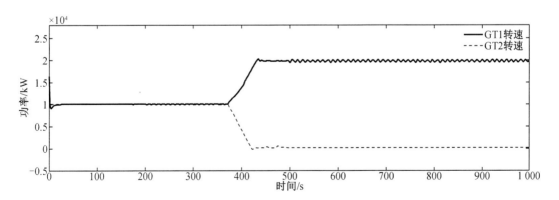

图 6.20　解列过程双机功率变化曲线

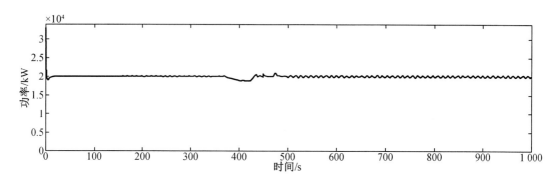

图 6.21　解列过程齿轮箱输出功率变化曲线

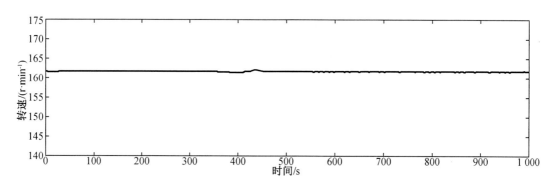

图 6.22　解列过程齿轮箱输出转速变化曲线

在解列操作之前,两机联合工作,此时联合动力系统的工作状态为,GT1 和 GT2 各自输出功率为 9 980 kW,转速为 3 200 r/min,此时螺旋桨的螺距为 0.6,负载为 19 980 kW。实验模拟当船舶需要减小航速,动力需求将要低于当前的功率,假设控制室从 370 s 开始给出操控指令,并车控制器在 375 s 时开始协调控制两机的功率输出,进行解列过程中的功率转移控制,此过程耗时 60 s 左右,理论上动力系统的输出功率保持不变。实验中,功率曲线在此阶段波动很小,由于螺旋桨螺距保持不变,转速波动也很小。在完成负荷转移以后,两机仍然为联合运行,此时 GT1 承担所有的负荷,GT2 慢车,控制器持续减小 GT2 的设定转速。由于 GT1 处于慢车状态,减速过程较并车调速阶段要快,直到 S.S.S 离合器脱开,耗时 20 s 左右,此过程中,齿轮箱的输出转速和功率都保持稳定状态,各燃气轮机动态工作过程也很平稳。

图 6.19 为解列过程双机转速变化曲线图。从图 6.19 中可以看出,在调载过程中有一定的波动,这是由于轻载机在卸载过程中,GT2 负载的减少使 GT2 功率较负荷稍有剩余,使转速略有上升;而 GT1 则处于加载过程中,功率较负荷略有不足,所以转速略有下降。但是整体上两机的转速偏差都较小,在系统的容许范围之内,并且逐渐恢复,这是由于燃气轮机调速器中的 PID 控制器在起作用,逐渐消除了转速偏差。

图 6.20 为解列过程双机功率变化曲线图。功率转移过程比较平稳,两机的功率波动也控制得比较好,过程耗时 60 s 左右。

图 6.21、图 6.22 分别是解列过程齿轮箱输出的功率和转速变化曲线图。在调载过程中,功率存在一定的波动,范围大约为 7%,这是由于在调载过程中因为时滞等原因,导致燃

气轮机响应存在一定的滞后,转速也存在一定的波动,导致总负载变化。整个解列过程控制器都比较好地稳定控制了整个过程,虽存在一定的偏差波动,但是均在系统容许的范围内。

6.4.3 切换过程仿真实验

船舶在经济航速条件下一般采用单机推进的模式运行。在该模式下,一台燃气轮机工作,另一台燃气轮机闲置。如果持续使用一台燃气轮机工作,则会造成工作燃气轮机较其他燃气轮机部件磨损严重,降低了动力系统的整体寿命。这就要求工作燃气轮机在持续工作一段时间后,需要将工作燃气轮机与限制燃气轮机进行替换,相配套的离合器、齿轮箱等部件能够进行轮换工作,力求动力系统的各个部件均匀使用,使动力系统的寿命和大修期达到最长。此外,如果动作燃气轮机运行状况较差或者出现异常情况,为避免恶化运行,也需要将工作机和闲置燃气轮机进行切换。

理论上燃气轮机的切换过程可以发生在任何工况下,但是在实际应用过程中,应该选择在动力系统和船舶总体状态稳定的情况下进行,尽量保证切换过程的平稳过渡。燃气轮机切换过程可以看作短时间内的并车和解列过程,在切换过程中,首先将替换燃气轮机并入单机工作的推进系统,完成并车后,直接进行双机解列控制。此时控制程序将被重载燃气轮机的负载全部转移到替换燃气轮机上,在完成负载转移以后,此时轻载机(即被替换机)设定转速不断调低,直到两机的转速差达到一定的程度,S.S.S离合器顺利脱开,切换过程完成。在该过程中,控制策略理论上维持整个过程齿轮箱输出功率的转速稳定,螺旋桨和轴系的工作状态不发生变化。

本仿真时间一共为1 000 s,在370 s左右半物理仿真机模拟驾控室按下切换指令,指令通过板卡传输到并车控制器,并车控制器收到信号后触发切换运行子程序,其实验结果如图6.23至图6.26所示。

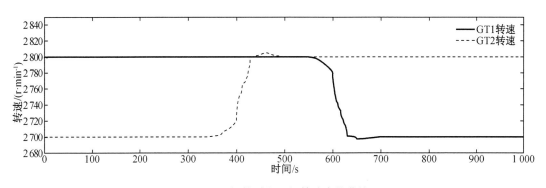

图6.23 切换过程双机转速变化曲线

在切换仿真实验过程中,动力系统的最初工作状态为GT1切换前输出功率为11 900 kW,转速为2 800 r/min,此时螺旋桨的工作螺距为0.6,GT2处于慢车状态,动力涡轮转速为2 500 r/min。仿真结果如图6.24所示,可以看到,两机在420 s时实现了转速同步,此后 GT2 转速稍微高于 GT1 转速,S.S.S 离合器有足够的转速差使滑移件能够突破阻尼,顺利完成啮合,在完成啮合同时,S.S.S 啮合/脱开传感器发出啮合成功指令,控制器开始对两机进行负荷转移,负荷转移过程耗时 70 s 左右,此时 GT2 承担所有的负载,GT1 处于慢车状态,控制器持续减少 GT1 的转速设定值,GT1 慢车并迅速减速,同侧的 S.S.S 离合器完成脱开。整个切换过程中,齿轮箱输出的功率和转速都仅仅存在细微的波动,说明控制器在切换过程中取得了较好的控制效果。

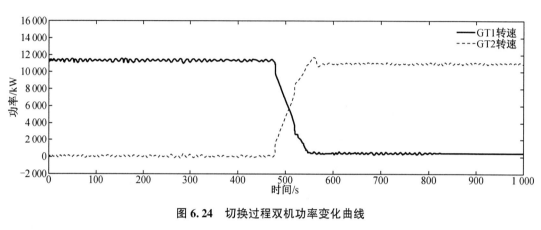

图 6.24 切换过程双机功率变化曲线

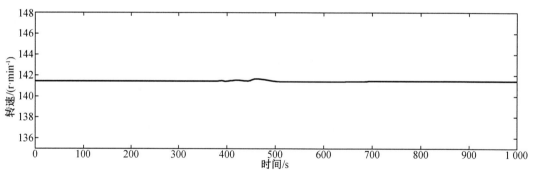

图 6.25 切换过程齿轮箱输出功率变化曲线

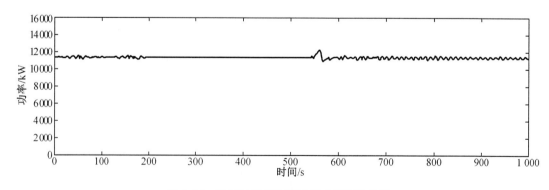

图 6.26 切换过程齿轮箱输出功率变化曲线

图 6.23 为切换过程双机转速变化曲线,GT2 在加速并车过程中耗时 50 s 左右,加速过程存在一定的超调,超调量大约 0.3%。在并车过程中出现轻微的超调对系统有一定的好

处,能够使并入侧的 S.S.S 离合器滑移件顺利突破驻退阻尼完成并车,在一定程度上能够提高并车质量,但是如果出现过大的超调则对 S.S.S 离合器产生一定的冲击,甚至造成损坏。整个双燃气轮机联合动力切换控制过程,相当于短时间内在单机任意工况点的并车和解列过程。

图 6.24 为切换过程双机功率变化曲线,整个过程耗时 70 s 左右,转移过程中负荷转移稳定,无突增、突甩负荷的现象出现,功率控制过程平稳,控制器取得了比较好的控制效果。在实际应用过程中应当在满足燃气轮机加载性的前提下尽可能地缩短切换过程调载时间,一方面能够减少因为两燃气轮机负载不均造成的并车齿轮箱的磨损,另一方面也能提高机组的机动性,在紧急情况下完成机组的迅速切换。

第7章　燃气轮机健康管理技术综述

随着机械、电子、计算机等学科的深入交叉,船舶燃气轮机自动化水平和复杂度越来越高,其研制、生产、维护和保障的成本也越来越高。同时,其运行条件的苛刻和强烈的时变性,都提高了设备发生故障的概率,同时也对船舶和船上人员的生命财产安全构成了严重威胁。传统的事后维修和定期维修存在着诊断力差、无法对未来的状态进行预测、经济可承受性差等不足。如果能够对船用燃气轮机的运行状态实现在线评估,发现潜在的失效,并预测失效的时间,就可以针对性地调整运行策略,提前准备备品备件,制订维护计划,从而提高保障水平,降低运维费用。

基于复杂系统的可靠性、经济性和安全性的考虑,以及适应信息化战争的需求,早在20世纪70年代,美国首先在航天器上提出综合健康管理的概念。随着科技与工业的发展,以预测为核心技术的故障预测与健康管理(prognostics and health management,PHM)策略,逐渐得到了重视和应用。20世纪90年代,美国军方开始引入视情维修技术或基于状态的维修(condition-based maintenance,CBM)。PHM的引入不是为了消除故障,而是为了预报故障可能发生的时间。通过提前预知故障的发生,提前做准备,便能最大限度地减少维修的次数,从而延长维修的周期,实现自主式保障,降低使用与保障的费用。目前,PHM领域的研究受到了越来越多的关注,已经成为国内外研究的热点。健康管理技术也正在从概念阶段向应用验证阶段发展,其内涵和发展路线不断被丰富。

本章将对健康管理技术的内涵进行浅析,综述国内外有关健康管理的标准和发展计划,提出适合船舶动力系统的健康管理实施方案。

7.1　基　本　概　念

下面结合相关资料对PHM相关术语进行简单介绍。

7.1.1　故障

故障是指产品或产品的一部分不能或将不能完成预定功能的事件或状态,对某些产品(例如电子器件、弹药等)也称失效。故障是对其原始状态(或叫全新状态)的任何一种可识别的偏离,而这种偏离对特定用户来说是不合格的。状态不合格的确定取决于某种使用范围中的故障后果。故障与正常界限的确定可能随使用范畴、分析层次等有所不同。但是对同一用户和同种型号的产品来说,必须以准确的术语将每个要研究单元或部件故障与正常的界线定义清楚。

故障意味着系统丧失规定的功能。它是系统运动过程中的普遍现象,在特定条件下必然发生。故障对于系统来说,不仅会造成人力与物力的浪费,而且严重影响系统执行任务。所以,对于系统或设备的使用和维修管理人员来说,其面临的任务是如何有效地避免灾难性的故障发生,及早发现和预报危险性故障,进而把故障的危害限制在最小或允许的范围内。

另外,缺陷、失效是不能与故障等同的。缺陷通常是指材料或工艺本身不符合规定的标准,而失效指的是不可维修的自然损失。故障是指系统在使用过程中,出现不合格状态,是可以加以排除或修复的。故障可以由元件的失效引起,也可能由使用和维修不当引起,有更加广泛的含义

7.1.2 功能故障

功能故障是指被考察对象不能达到规定的性能指标。它有两方面的含义:其一是丧失了某种功能;其二是不能满足规定的使用性能和技术参数。要对故障下一个明确的定义,首先必须详细了解被考察对象的各种功能。例如燃气轮机压气机系统,它的主要功能是实现空气的压缩,衡量其性能的指标是在某个转速下的流量、压比、效率,这3个参数共同组成了压气机的性能参数,可以衡量压气机工作状态。因此,一种功能要具有明确的定义,有一个可以度量或可以观测的参数,则其对应的故障就可以被识别和度量,这是研究分析故障的基础。

7.1.3 故障先兆

故障先兆是一种预示功能故障即将发生、可以鉴别的实际状态或事件。通过鉴别和排除故障先兆,就可能预防功能故障引起的后果。通常等到功能故障发生后再加以排除和修复,所花的代价总是要比在出现故障先兆时就主动加以处理高得多。因此,正确地定义故障先兆并及时处理故障先兆,会使每个部件在不产生功能故障后果的情况下,得到最大限度的利用。对于某些部件,定义故障先兆是直接与定义功能故障的性能标准有关的,如燃气轮机的轴承磨损故障。为预防起见,必须把故障先兆定义为某个不会危及系统的磨损点。

由此可见,不但必须给故障下定义,而且必须同时规定能借以识别故障的一些特征。只要有可能,就应同时定义故障先兆及识别故障先兆的一些特征。这不只是诊断故障的基础,也是故障预测的基础。

7.1.4 故障模式与故障特征

故障模式是故障发生时的具体表现形式,如机械系统中的断裂、过度耗损,电路中的短路、断路等。一般来说,功能故障发生往往是由许多种故障模式中的一种或数种造成的。例如,涡轮排气温度高,可能对应燃料喷嘴雾化状态、燃油量分配的不均匀性,以及火焰筒、

过渡段、联焰管等燃烧室组件裂纹和烧坏其中的一种或几种。因此,确定了故障模式并不等于找到了故障部位,要证实故障的实际部位,还应进行故障的查找与分离。

故障模式是由测试来判别的,而测试所显示的是故障特征(亦称故障现象)。对于简单的故障,模式与特征之间可能具有一一对应的关系。但是在许多情况下,特征和模式之间往往具有一定的模糊性。即一种特征可能为不同模式所共有,而同一故障模式也可能具有多个故障特征。研究故障模式及其特征之间的对应关系,尤其是寻找一一对应的关系是实现故障自动检测的关键。

7.1.5　故障后果

故障后果是对故障损失的评价。根据分析问题的不同,故障后果有多种表述方法。

1. 安全性后果(亦称危险性后果)

某一故障或一串故障发生后,影响到人员、机器或环境的安全,可能造成最大损失的后果叫作安全性后果。

2. 使用性后果(亦称任务性后果)

某一故障发生后,使系统或设备的某一主要性能(或功能)丧失,从而不能完成任务,叫作使用性后果。

3. 非使用性后果(亦称经济性后果)

某一故障发生后,并不直接影响系统的主要性能,而是使系统处于能工作但不是良好的状态,或有冗余系统的冗余部分发生故障后,可能并不影响系统完成任务,但却增加了系统的维修次数。以上都可以认为是非使用性后果。

4. 隐患性后果(亦称隐蔽性后果)

隐患性后果是指某一故障发生后,对操作人员或故障观察者来说是不明显的,但该故障若不及时检查、发现并加以排除,可能会造成系统多重故障,甚至发生安全性后果。故障后果取决于系统的设计,是系统可靠性的固有属性。

7.1.6　故障机理

在应力和时间的条件下,导致发生故障的物理、化学、生物或机械等过程,称为故障机理。故障模式并不揭示故障的实质原因,通过故障机理研究才有可能找到从根本上提高元件、组件可靠性的有效方法。

7.1.7　故障分类

根据研究的角度,故障有很多名称,如永久性故障(硬故障)、间歇性故障(软故障);局部故障、致命故障;突发性故障、渐发性故障;原始故障、次生故障;单一故障、多重故障。这些都是从不同的研究角度对故障下的定义。

7.1.8 预测与健康管理

预测与健康管理是采用尽可能少的传感器,采集数据信息,通过各种智能的算法(如神经网络等)评估系统自身健康状况。在系统的故障发生之前,预测系统故障,同时结合资源信息,提供维修保障的措施,达到系统视情维修的目的。

7.2 健康管理内涵分析

健康管理主要包括诊断、预测、健康管理三部分内容。健康是指与期望的正常状态相对比,性能下降或者偏差的程度。诊断是决定其项目执行功能的状态/能力的过程。预测是预测性诊断,确定所述剩余寿命的正确操作的时间跨度。健康管理代表了一种方法的转变,它将技术上可行的维修思想真正转变为一种现实的装备管理模式,促进了维修的方式从计划性的刚性过程向具有高度适应变化的柔性过程转化。下面介绍故障与可靠性、维修的关系。

7.2.1 故障与可靠性的关系

可靠性表示系统、设备或元件等的功能在时间上的稳定性,它是产品质量按时间度量的抽象化。研究产品可靠性的目的之一在于延长系统的寿命,而故障对系统的影响正好相反,它缩短系统的寿命。在系统运行中,当故障运动上升为矛盾的主要方面时,研究故障发生的机理,探索故障规律,往往比可靠性工程实施要先行。在正常运转的系统中,故障预报和先兆诊断有时比可靠性计划更重要。因此,研究系统的故障机理和故障症状的早期检测技术等是可靠性设计和可靠性管理的基础。

对系统故障机理的研究,除了应力、环境、时间等因素外,其内因往往涉及材料的微观结构。通常总是先观测故障模式,记录故障判据特征值的变化及故障发生的时间等,进而观测记录故障的诱因(工作应力、环境应力和时间等),从中找出故障发生的真实过程,即故障机理。一旦查明故障机理,就可进行质量反馈,为元件、材料的改进,系统的可靠性设计、维修工作的优化等提供依据。通过对失效元件、部件的检测,找出导致其失效的物理、化学、生物原因(故障诊断),采取相应措施(选材、工艺),预防故障发生,从根本上提高产品的固有可靠性。

7.2.2 故障与维修

系统发生故障后应加以修复,使系统回到可用状态。这种事后维修(亦称排除故障维修或修复性维修)工作,虽然可能恢复系统的正常性能,但不能避免故障的后果。而且在故障发生后加以修复的费用可能比故障发生前就加以检测的费用高得多。为了避免系统或设备发生故障,或者减少其发生故障的次数,必须对系统进行预防性维修。预防性维修工作的基本目的在于:以尽可能少的维修费用,根据系统的故障特性,安排适用且有效的预防维修工作,通过连续或定期的监测,发现故障先兆以便及时加以排除,避免功能故障后果,从而使系统处在能够完成任务状态的时间尽可能长。显然对于随机故障,当故障先兆不可观测时,进行预防维修是无效的。只有当故障先兆可观测或故障发生期可预知时,进行预防性维修才可能是有效的。

PHM 包含诸多功能,如故障检测、故障隔离、高级诊断、预测/状态维修、剩余使用寿命的预测、组件寿命跟踪、性能下降趋势、选择性的故障报告、决策和资源管理帮助(操作及保养)、故障调节(重新配置,运营执行)、信息推理等。同时,PHM 拥有预测未来的健康状况、预见问题并要求重要的操作、高级启发式扫描/算法/处理等能力。PHM 的技术体系框图如图 7.1 所示。

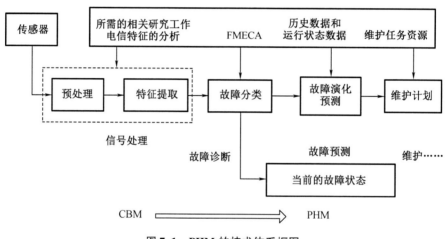

图 7.1　PHM 的技术体系框图

可以看出,传感器在系统的底层采集检测数据,通过相关的数据融合、数据分析等处理,形成了诊断和预测分析,最后通过上层管理,给出目标系统的性能退化程度、任务失败概率及剩余寿命的分布,从而为维护计划提供决策性的信息。

7.3　健康管理技术国内外研究现状

故障预测与健康管理的起源可以追溯到 20 世纪 50 年代和 60 年代,由于航天领域服役环境极端,产生了最初的可靠性理论、系统试验、环境试验和质量管理方法。这时的 PHM 技术处于萌芽阶段。随着武器装备系统的复杂化、综合化水平提高、人工智能技术、计算机技术等信息技术快速发展,因设计不充分、维修误差、制造误差和非计划事故等各种因素,导致了故障概率增加。因此在 20 世纪 70 年代,人们研究新的方法来监视系统状态,预防异常情况,出现了诸如故障诊断的一些方法,随后故障诊断与状态检测技术得到广泛应用。

20世纪90年代中后期,NASA(美国宇航局)引入了综合系统健康管理(intergrated system health management,ISHM)的概念。此外,美国的其他军种和机构也开展了类似的技术发展项目,如海军的综合状态评估系统(ICAS)(如图7.2所示)和预测增强诊断系统(PEDS)项目;陆军的诊断改进计划(PDIP)、嵌入式诊断和预测同步(EDAPS)计划等。随着军事战略的调整,美国开始后勤改革,提出"聚焦后勤""精确保障"的策略,同时要求,在未来要减少装备的维修成员、提高维修有效性、降低维修的费用。在这样的背景下,美国军方提出PHM,这一针对新一代武器系统的先进维修、测试和管理技术。

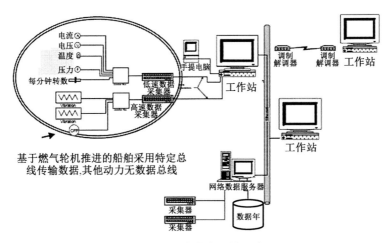

图7.2 综合状态评估系统

美军F35联合攻击机项目的启动,为PHM技术的进一步发展带来了契机。PHM是JSF项目实现保障性、经济承受性与生存性目标的关键因素之一。自21世纪以来,在技术与需求的牵引推动下,PHM相关技术已经在军事、民用领域有了广泛的应用。目前,美国、加拿大、英国、新加坡、荷兰、以色列和南非等国家,已经将PHM技术应用到直升机领域,并具体演变为状态使用监控系统(health and usage monitoring system,HUMS)。

近年来,关于PHM技术的应用研究和学术研究都非常活跃。国外研发PHM相关技术的单位广泛,经分析总结,其主要研究机构和所属行业如表7.1所示。

表7.1 国外 PHM 主要研究机构及所属行业表

行业	机构	行业	机构
航空航天	NASA,Boeing,AirBus,Honeywell	石油勘探	Schlumberger,Burr Brown,Halliburton
计算机	Toshiba,NEC,Bell,HP,Sun	电信	Ericsson,Nokia
铁路	GE	汽车	GM,Honda,Toyota,Nissan
医疗	Philips,GE Medical,EBA	核电	Shikoku,Rectuson
电子	CALCE Electronic Products and Sestems Center,University of Maryland		

在民用技术领域,PHM 被应用在民用飞机、桥梁、核电站、复杂建筑、汽车、大型水坝等。其中,应用最为突出的是在民用航空领域。比如,波音公司的飞机状态管理(aircraft health management,AHM)系统,此系统已经在日本航空公司、美利坚航空公司、法国航空公司、新加坡航空公司的 A340、A320、A330、B747-400、B777 等飞机上得到应用。据初步估计,通过使用 AHM 能使航空公司节约 25% 的因航班延误和取消而导致的费用,提高了飞行安全和航班运营效率。马里兰 CALCE 电子产品和系统中心是研发电子产品 PHM 技术的主要部门,其水平处于世界领先地位。

目前,我国故障预测、诊断和健康管理方面的研究已经非常广泛。然而,国内在健康管理方面的研究,主要是通过借鉴或者引进其他发达国家的理论、技术和方法,随后进行一些初步的研究和探讨。研究需求和研究对象主要集中在航空、航天、兵器和船舶等复杂、高科技装备研究和应用领域。自 20 世纪 80 年代开始,我国政府开始大力发展与 PHM 相关的技术的研究,同时列入国家"863"发展计划。自 2005 年以来,与健康管理相关的文献资料逐年增加,由此看来,健康管理的研究和应用范围已经呈现了扩大的趋势。由于我国的健康管理技术研究起步较晚,所以国内关于 PHM 的学术论文主要集中在翻译外文文献,研究健康管理的概念、原则、功能,以及讨论 PHM 的发展历史、研究现状、技术框架、相关标准等方面,研究主体是高校和研究院。

在航空航天领域,北京航空航天大学提出了适应于健康评估要求且基于系统结构、故障、运作、功能和行为这 5 个主要因素的建模理论等;哈尔滨工业大学主要研究了航天器集成的健康管理系统的基本概念,同时阐述了我国航天器的整个集成的健康系统、地面健康管理系统、在轨健康系统和采用的主要技术;西北工业大学深入研究了可重复使用跨大气层飞行器 RLV 的健康管理系统,也使用了信息融合技术对发动机进行故障诊断。如图 7.3 为机上自主式健康监控系统的典型组成框图。

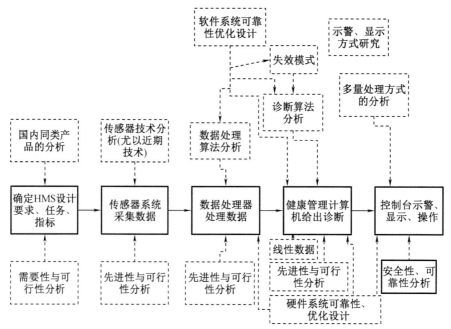

图 7.3　机上自主式健康监控系统的典型组成框图

华北电力大学和华中科技大学等学校在大型电力设备领域对 PHM 进行了深入研究。华北电力大学利用简化的算法,研究引起变压器故障的属性特征,再用蒙特卡洛方法的分布函数及算法得出了故障发生的规则,利用随机的变量对变压器的故障进行了模拟,得到设备故障的概率。北京造船工程学会在船舶领域对 PHM 的研究比较深入;北京航空航天大学、空军工程大学及电子科技大学在电子产品领域对 PHM 进行了深入研究。国内在军方的各个领域,对 PHM 的技术也进行了理论研究与探索。其中,北京航空航天大学的可靠性工程研究所,在较早的时候便开展了 PHM 系统方法的研究和技术应用方面的研究。空军工程大学、海军航空工程学院、空军雷达学院、解放军炮兵学院等也分别在作战飞机、返航导弹、雷达、无人机等方面对 PHM 进行了研究与探索。

我国健康管理方面的应用比较少,早期的应用主要是在民航系统。近年来,一些科研院所也慢慢意识到设备管理领域的突出矛盾。我国现在对预测与健康管理技术的需求是明确而强烈的,因此加大研究投入后,取得的效果也是显著的。虽然我国近年来也有一些基础的研究成果,但是依然存在巨大的缺陷。总的来说,国内现阶段关于 PHM 的深入研究比较少,依然处于起步和探索阶段,尚未升级到设备视情维护所要求的剩余寿命的预测阶段。

7.4 典型船用燃气轮机 PHM 架构

船舶领域与航空航天领域存在极大的不同。船舶航行于海洋,远离陆地,常常在恶劣气候中航行,在这样的运行条件下,船舶上的机械、设备的损坏都有着极其严重的后果。而传统的维修方式,主要依据法定检验规则、船舶维护保养体系、维修人员的经验和设备制造厂商的建议来分析数据。由此可见,船舶设备的维修严重缺乏针对性和精确性,同时,维修所需的人力、物力得不到合理的配合,缺乏有效性、经济性、设备的安全性和可靠性等。总结这一系列问题,在船舶领域,存在着船舶设备使用和维修困难、费用高及船舶智能化能力有待提高等问题。为解决这些问题,同时满足现代船舶使用和维修工作的需要,在船舶PHM 设计上应具备以下核心内容:一是对船舶设备运行状态的现状和未来的发展趋势有清晰的了解和评估能力;二是实现基于设备任务和状态以效能为核心的设备使用与维修支持的管理能力。

本节以美国海军的综合状况评估系统(ICAS)为例,分析船舶燃气轮机 PHM 架构。ICAS 是维护故障排除和规划舰船机械系统的工具。它为操作人员和维修人员提供了数据采集、数据显示、仪器分析、诊断建议和决策支持信息。此外,ICAS 链接到其他维修相关的软件程序可提供一个完全集成的维护系统。通过使用永久安装的传感器,ICAS 可在连续的基础上监视重要的机械参数。ICAS 可以通过使用用户提供的链接诊断一个特定机械模块的运行状况。ICAS 工作站用于数据采集、训练、性能分析、趋势和获取记录表及专家评审,还负责提供所有用户接口功能和长期存储数据。

美国海军正在规划和执行集成 CBM 技术,已经形成了一个开放的论坛工作组来建立燃气轮机 CBM。在接下来的几年内通过生命周期管理在所有 CG&DDG 级舰艇燃气轮机上安装 FADC(全权限数字发动机控制装置)控制器,将为设备健康评估和监测提供所需的硬件和计算能力。此外,ICAS 还提供必要的连接,使燃气轮机健康监测系统可以给船员提供评估和建议。

Poseidon 是美国海军研发的状态检测软件,它为 LM2500 燃气轮机提供了先进的状态检测、诊断、预测和维护功能,同时为 LM2500 燃气轮机加装全数字发动机控制(FADEC)。DDG 级水面战舰 Poseidon 集成架构如图 7.4。

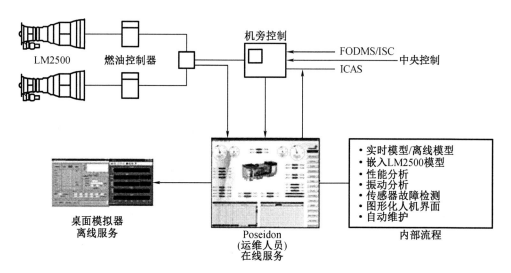

图 7.4 DDG 级水面战舰 Poseidon 集成架构

接下来将概述 Poseidon 软件,然后对发动机实时模型、性能诊断、传感器验证方法、存储和趋势、振动诊断进行分析,最后,对 Poseidon 图形用户界面和离线功能进行分析和介绍。

Poseidon 软件套件分为四个主要功能元件:实时模块、趋势/诊断/故障预测算法、桌面模拟器、人/机界面。

7.4.1 实时模块

Poseidon 软件的实时模块主要分为三个部分,即运用模型、传感器故障检测和振动监测。

1. 运用模型

在运用模型中,第一个目标是制定一个详细、高保真的 LM2500 MGT 的动态模型,它结合了伍德沃德工业提供的数字发动机燃料控制模型,模型的开发和集成是在 Simulink 软件里进行的。模型的引擎主要分为四个部分:压气机、燃烧室、高压(或低压)涡轮机和动力涡轮机。

在燃烧室部分,燃烧算法使用的燃烧器的效率与从压气机的输出和从控制器的燃料流命令计算的空气组合物,以及燃烧室的温度下游的输出。同样,在高压涡轮机中,燃烧室的

118

输出被用来在时间内传播的温度、压力和所产生的功率的功率涡轮机的出口。同样,涡轮机使用高压涡轮机的输出来计算出口温度和所产生的功率。

2. 传感器故障监测

在分析诊断或偏差的重要数据之前,要确保感测参数的完整性。忽视传感器故障会带来不准确的性能诊断及误导趋势和保养不当等后果。Poseidon 采用融合基于模型和基于传感器的验证算法的通用信号准确地检测和处理传感器故障。

3. 振动监测

现有的管理配置只监测振动幅值阈超标和安装加速度计(NGG 和 NPT)。相比之下,Poseidon 能够与来自引擎的同步转速信号一起获得和处理 2 kHz 气体发生器的振动特性。这些数据是由 Poseidon 的 PCMCIA 卡缓冲第二分组管理。如图 7.5 所示,使用计算出的振动特征的模糊逻辑专家规则库进行诊断。

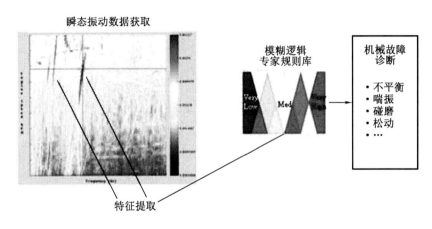

图 7.5　振动诊断法

7.4.2　偏向/数据捕捉

在 Poseidon 软件中储存了许多特定的参数和特征。其中有少数的有偏差,包括失速裕度、压气机效率、燃料消耗率等。数字信号进出 FADEC,以及来自每个发动机所有的模拟信号,被存储在压缩的二进制文件,在"正常"操作条件下为 1 Hz。当任何异常事件发生(即检测到传感器故障)或预先定义的事件,如启动发生在数据 10 Hz 前 5 min 被捕获。这些数据可以在 Poseidon 软件回放或移植了船与该软件的桌面模拟器中详细分析。一个特定的工具用于管理这些数据(如图 7.6),它可以压缩和转换数据、过滤器及绘制任何参数。

7.4.3　性能诊断

上述空闲操作的所有阶段中,Poseidon 具有从稳定状态数据捕获某些性能故障的自动诊断的能力。诊断方法包括压缩机的热力学效率,通过压缩机的质量流量,高压涡轮的热力学效率,通过高压涡轮的流量,低压涡轮的热力学效率,通过低压涡轮流量等。性能下降的这些来源不同入口温度和不同严重程度进行了模拟。归一化的误差模式,定义为从它们的标称值观察到的参数的百分比偏差,然后获得数据。

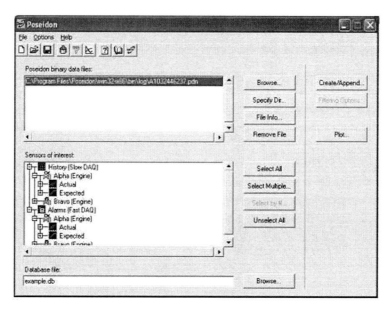

图 7.6　数据管理实用程序

7.4.4　人机界面

Poseidon 有两个用户接口,一个用于维护/操作,另一个用于 NTSC 或代码 93 工程师。主界面为运维人员提供交互界面。屏幕显示所有实际参数与理论参数,并包含指向熄灯排序、警报、性能、传感器、趋势、故障排除和振动筛等。在界面左下角,为针对任一因素的特定警报或警告消息显示引擎。在界面右下角,任何趋势或表现的子集绘图可以显示为用户的配置首选项。

7.4.5　桌面模拟器

桌面模拟器是为海军工程师能够记录船舶业务数据、进行了深入的数据分析定制的基于 MATLAB 分析的工具箱。

综上,船舶动力装置是保证船舶航行的动力源,对于主动力装置中发动机、齿轮箱等辅助动力设备的正常运行非常重要。本书针对船舶动力装置的可靠性、安全性、经济性等要求,对 PHM 系统进行了分析,设计了适用于船舶动力装置的 PHM 系统架构,同时开发了船舶动力装置 PHM 系统软件。得到如下结论:

(1)目前,故障预测与健康管理领域的研究已经受到了许多关注,成为国内外科学研究的热点。然而,健康管理技术尚处于概念阶段,对其内涵和发展路线尚不明晰。

（2）PHM 是尽可能少地利用传感器，采集系统的数据信息，通过各种算法来对自身的健康状况作评估。通过对标准的分析，了解到各个标准化组织的标准化工作都各有侧重，PHM 技术处于发展阶段，其标准体系和具体标准都没有成熟。我国在借鉴国外 PHM 标准化经验时，要立足于自主创新，发展具有中国特色的 PHM 标准。

（3）通过对世界上典型的 PHM 的框架进行分析，以船舶领域作为重点分析对象，从而总结 PHM 系统的设计主要经过概念细化与技术开发阶段、演示验证阶段、生产、部署及运行/保障阶段，这几个阶段为设计船舶动力装置 PHM 系统进行了铺垫。

第8章 燃气轮机气路故障建模方法

燃气轮机在运行过程中,由于其工作环境比较恶劣,因此在运行过程中,燃气轮机会发生一定的性能退化。因此未来的燃气轮机控制系统一方面应具备性能退化的适应性,还要能够实现性能退化的监测、评估和预测,从而保证燃气轮机高效运行。

本章分析了造成船用燃气轮机性能退化的因素,主要研究了气路故障建模方法,建立了非线性气路故障模型、线性气路故障模型与状态空间气路故障模型,为燃气轮机气路故障与性能退化规律、故障诊断与预测等研究提供模型基础。

8.1 性能退化因素分析

船用燃气轮机工作在高盐雾、高温、高压和高转速等恶劣环境下,其性能参数在运行过程中会随着运行时间的增加而逐渐退化,同时面临叶片断裂这样的恶性突发气路故障。本章对燃气轮机的性能退化进行研究,从而能够比较准确地掌握燃气轮机在某一退化形式下一些性能参数的变化趋势,为后续开展燃气轮机监测、评估、诊断提供基础。

8.1.1 叶片积垢

对于船用燃气轮机,压气机吸入的空气中含有一些微粒、粉尘,这些物质进入压气机之后,在润滑油或水等液态物质的黏性效应作用下,就会在叶片表面、通道壁等部件表面形成黏附和堆积,从而形成积垢,如图8.1所示。积垢是一种十分常见的气路故障,经学者研究分析,有超过70%的整机性能衰退都与压气机积垢有关。

积垢形成后就会给燃气轮机带来许多影响。由于有物质黏附在叶片表面会使叶片的表面粗糙度变大,使气路通流面积减小,同时会使叶片的形状发生一定的变化,这些因素会对燃气轮机的热力性能参数,如压比、流量、效率等产生一定的影响。在压气机叶片积垢时会使压气机的流量压比特性线中的等转速线向右下方向移动,与此同时会使压气机的喘振边界也向下方发生移动,故在压气机叶片积垢比较严重的情况下甚至会造成压气机喘振。当燃气轮机发生积垢时,还可能进一步诱发叶片表面的腐蚀、侵蚀及转子不平衡和外物损伤等。

当然积垢的形成也需要一定的条件。船用燃气轮机能够形成积垢退化的主要外部条件是海水和盐雾,当然形成积垢的内部条件比如叶片锈蚀或者轴承润滑油泄漏污染了叶片表面同样起到了推波助澜的作用。由于空气中含有许多种类的污染物,压气机在运行时吸入这样的空气后,虽然现代的燃气轮机本身在进口处安有一些高性能的过滤装置,能够有效地阻止空气中微粒直径比较大的颗粒物进入,但是一些直径比较小的微粒仍然可以进入。

(a)进口导叶吸力面积垢

(b)第一级转子叶片吸力面积垢

(c)进口导叶压力面积垢

(d)第一级转子叶片压力面积垢

图8.1　压气机积垢

造成积垢的污染物按来源一般分为外来污染物和内部污染物。其中外来污染物与燃气轮机发电机组所在的地理位置有很大的关系。当燃气轮机工作在沿海环境时,造成压气机积垢的主要污染物来源是盐分;当燃气轮机工作在工业环境中时,造成压气机积垢的主要污染物来源是其工作环境中存在的大量的灰尘及一些未燃烧的颗粒。

需要指出的是,由于一些周围环境条件比如环境温度、压力、湿度等参数会随着季节的变化而变化,故造成燃气轮机积垢的外来污染物的类型还有可能随着季节的变化而变化,在进行燃气轮机积垢的相关研究时必须要考虑这个因素。造成积垢的内部污染物的主要原因是不能及时对燃气轮机进行维护以及一些辅助设备的不正确操作,比如在压气机中能够发现由于燃气轮机密封不好而造成的润滑油残渣。同时由于压气机内存在一定的油蒸气和水,会加速一些污染颗粒物的黏附。

幸运的是,燃气轮机叶片积垢为可恢复性故障,可通过压气机水洗装置对燃气轮机的压气机进行水洗,以保证压气机的压缩比能够维持在一个合理的区间,确保燃气轮机的工作效率。水洗装置作为一个独立模块,能够对燃气轮机的压气机进行离线和在线水洗。在线水洗主要在燃气轮机全速或者全负荷(部分负荷)的运行状态下进行,即通过进气喇叭口的喷射环,在适当的温度下,以一定的压力和流量将预先配好的水洗液均匀地喷入压气机进行水洗。水洗过程一般为 5~10 min。在整个水洗过程中,首先用清洗剂与除盐水掺混的溶液对压气机进行冲洗,然后用除盐水按照同样的水洗方式进行漂洗。此过程的水洗效果往往取决于进口处喷入液体雾化颗粒大小,水洗模块在控制水温的同时,可以把喷入压气机的雾化颗粒大小准确地控制在特定范围之内,并且可以使喷入的溶液沿圆周均匀分布,以提高水洗效果。在线水洗可有效地延长离线水洗的间隔,以减少停机次数,如图 8.2 所示。

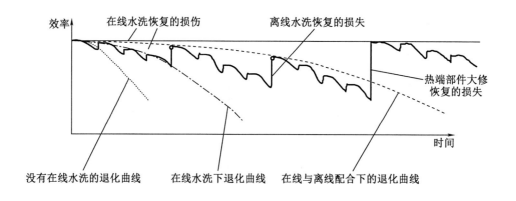

图 8.2　压气机水洗性能恢复示意图

8.1.2　叶顶间隙增大

叶顶间隙包括轮毂与静子叶片叶顶之间的间隙和机匣与转子叶片叶顶之间的间隙,如图 8.3 所示。在叶轮机械中为了避免叶片与机匣或者轮毂之间发生摩擦碰撞,故需要引入叶顶间隙。压气机和涡轮都会发生叶顶磨损从而使叶顶间隙变大的现象。为了减小由于叶片间隙比较大带来的旋转叶片的效率损失,故在燃气轮机的设计过程中会把燃气轮机旋转部件和非旋转部件之间的间隙设置在一个很小的范围内。全新的燃气轮机或者刚经过大修的燃气轮机会在其试车过程中建立比较合适的叶顶间隙,并且叶顶间隙的数值在理论上是一直会保持不变的,但是由于燃气轮机运行过程中摩擦、腐蚀及热疲劳的存在,使叶顶间隙会在这三个因素的综合作用下逐渐变大。这三个因素中腐蚀是造成燃气轮机叶顶间隙变大的主要原因,与此同时由于摩擦因素的存在会使另外两个因素对叶顶间隙的作用加速。在燃气轮机使用的初期,叶片和机匣的摩擦带不存在腐蚀现象,但是此时由于燃气轮机机匣的内壁面上存在预定的摩擦从而会形成槽沟。在燃气轮机使用的中期,此时叶片表面及机匣壁面上发生了一定的腐蚀现象,会使叶顶间隙有了一定的增加。在燃气轮机使用的后期,由于腐蚀现象变得越来越严重,会使叶顶间隙的增大速度变得更快。值得一提的是,若存在转子不平衡及轴承损坏同样会增大叶顶间隙。

叶顶间隙变大会使燃气轮机在运行过程中的逃逸气流增多,在一定的条件下,叶片在其旋转过程中会对压气机的流量、效率、通流能力等参数带来比较大的影响,从而会对燃气轮机的整机性能参数带来很大的影响。经过以上分析可知叶顶间隙对燃气轮机整机的总体性能有很大的影响,其原理对充分了解燃气轮机的性能衰退有着重要意义。

图8.3 叶顶间隙

8.1.3 叶片腐蚀

对于船用燃气轮机而言,一般在其运行过程中需要很大流量的空气作为其运行工质。在沿海环境中,空气的湿度比较大、平均气温比较高。在能够对燃气轮机造成腐蚀的因素中空气湿度、温度、温差、降雨量这几个因素显得异常突出。当空气中的湿度比较大时,会增大叶片表面的湿度,从而使叶片表面能够溶解比较多的盐分等腐蚀性的物质,从而加速叶片表面的腐蚀;当燃气轮机工作环境的温度比较高时,会加速叶片表面的腐蚀性物质与叶片表面材料的化学反应速度,从而加速叶片表面的腐蚀;当燃气轮机工作环境的温差比较大时,会使水汽凝结的速度大大加快,从而加速叶片表面的腐蚀。

对于一些使用石油及液体燃料的舰船燃气轮机,在燃料中含有一定的硫元素,燃气轮机在运行中很多部件都工作在温度比较高的环境中,从而会使这些部件很容易发生硫化腐蚀的现象。并且在舰船燃气轮机的运行过程中在其叶片表面上沉积了比较多的盐分,会加速燃气轮机叶片的腐蚀,从而影响舰船燃气轮机的整机的一些性能参数。

当燃气轮机使用不是很长的时间时,静子叶片表面的腐蚀现象几乎不存在,但是此时燃气轮机的转子叶片表面的腐蚀现象却是始终存在的。对于压气机来说盐雾腐蚀对静子叶片和转子叶片的影响程度是不一样的,其对后者的腐蚀影响更大,并且转子叶形腐蚀主要发生在靠近轮毂50%叶高的表面。腐蚀会使叶片的叶形发生变化,同时会使叶片表面的粗糙度变大,对整台燃气轮机的性能参数有比较大的影响

如图8.4所示为经过盐雾实验后的压气机叶片。从图8.4中可以看出此时叶片前缘处盐分沉积较多,故会加速这个部位的叶片表面的腐蚀,因而此处的叶片腐蚀损伤比较严重。图8.5是在实际使用过程中受盐雾腐蚀的压气机,从图8.5中可以看出压气机叶片压力面靠近轮毂的一半为主要受腐蚀区域,证明了理论的准确性。

图 8.4　经盐雾实验后的压气机叶片

图 8.5　受盐雾腐蚀的压气机

8.1.4　叶片磨损

对于舰船燃气轮机,由于其工作在海洋环境中,故吸入燃气轮机的空气中含有很大成分的盐分,其会在燃气轮机运行过程中,对燃气轮机的叶片表面形成一定的划痕(如图 8.6 所示),从而会对燃气轮机的通流面积产生一定的影响。划痕的存在会使其对燃气轮机运行过程中的气流流动有一定的扰动作用,从而会对燃气轮机的性能参数有一定的影响。值得一提的是,当燃气轮机发生叶片磨损时会使叶片表面的粗糙度有一定的提高。

图 8.6　叶片磨损

8.1.5　机械损伤

在燃气轮机的运行过程中,有一定的概率发生某个较大的物体撞击到燃气轮机的一些气路部件上,所形成的损伤叫作外来物损伤。对于航空燃气轮机而言,在运行过程中有一定的概率受到外来物如小鸟、冰雹的撞击,与此同时燃气轮机工作范围附近的一些小物体也有一定的概率被吸入燃气轮机,这些损伤对燃气轮机造成的伤害和后果是不可想象的。

燃气轮机在运行过程中有一定的概率从自身脱离一些微小的物质或者是在燃气轮机

总装过程中某个微小的硬碎片被遗忘在燃气轮机的内部,所造成的损伤叫作内来物损伤。

　　燃气轮机发生外来物损伤或者内来物损伤会导致燃气轮机的某个气路部件发生一定的应力集中、裂痕、微结构损伤等现象,这些损伤对燃气轮机性能参数都有很大的影响,这些变化都会引起燃气轮机气路部件的效率降低(图8.7)。

图 8.7　机械损伤

8.1.6　燃烧室故障

　　对于燃烧室来说,其比较容易发生故障的部件是火焰筒。燃烧室比较常见的故障形式有变形、翘曲及裂纹损坏。发生燃烧室故障时会表现为燃烧室中燃料燃烧不充分,排气温度场不均匀,并且会使整个机组的功率下降(图8.8)。

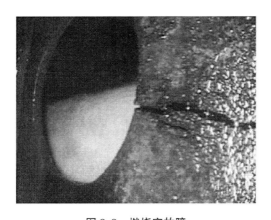

图 8.8　燃烧室故障

8.2 气路故障建模方法

8.2.1 气路故障的基本假设

（1）无气路故障时，在同一状态、同一运行条件下某一测量参数是不变的，也就是说某一工况下无故障的基准是不变的，因而该参数的变化就代表了燃气轮机某种故障状态。

（2）燃气轮机气路故障诊断是建立在故障方程的基础上，因此故障诊断的精度取决于故障方程的正确性。

（3）基于燃气轮机故障方程的故障诊断，假设故障属于小偏差范围内，因而采用小偏差线性化故障方程，可以使问题的处理变得简单。

（4）燃气轮机测量参数的测量误差及数据处理误差应在合理的范围内，不应和故障引起的测量误差变化同一水平，本书不考虑测量误差。

（5）本书所讨论的燃气轮机故障诊断方法是针对燃气轮机稳态工况而言的。

8.2.2 气路故障因子

通常情况下，各种气路故障具有不同的特征，但是外在表现形式都是引起燃气轮机性能参数的变化。许多科研工作者在这方面做了大量研究，综合国内外的研究成果，燃气轮机典型气路故障的判据如表 8.1 所示。随着研究工作的深入，这些故障判据有待于通过具体机组的运行情况不断进行修改和补充，其并不影响本书所研究方法的正确性。

表 8.1 燃气轮机典型气路故障的判据

序号	故障类型	判据
1	压气机叶片积垢	压气机折合流量降低 7%，压气机效率降低 2%
2	压气机叶片顶端间隙	压气机折合流量降低 4%
3	压气机叶片磨损腐蚀	压气机效率降低 2%
4	压气机叶片机械损伤	压气机效率降低 5%
5	涡轮喷嘴腐蚀	涡轮流量增加 6%
6	涡轮叶片积垢	涡轮流量降低 6%，涡轮效率降低 2%
7	涡轮叶片磨损	涡轮流量增加 6%，涡轮效率降低 2%
8	涡轮叶片机械损伤	涡轮效率降低 5%
9	燃烧室故障	燃烧效率降低 3%

当燃气轮机发生性能退化时,其叶轮部件的流量和效率也会发生变化。一般假设燃气轮机发生退化时影响了燃气轮机部件的特性线,使燃气轮机的特性线在原来的基础上发生了一定的移动,从而使部件的流量、效率发生了变化。一般有两种移动方式:第一种是对原部件特性线进行等比例缩放;第二种方式是在原部件特性线的基础上进行平移。本书采用目前国际上常用的方法,即让部件效率、流量乘以相应的退化因子来对燃气轮机退化过程进行仿真,这种方法相当于对原部件特性线进行了移动。

本书只研究压气机和高压涡轮的退化,每个部件分别有流量退化和效率退化,并且在本书中引入四个退化因子,当退化因子都为1时表示此时燃气轮机还未发生性能退化,当退化因子逐渐减小时,表示燃气轮机发生了一定的退化。在模拟燃气轮机退化时,只需要改变相应的退化因子即可。

8.3　燃气轮机气路故障小偏差模型

故障诊断的最终目的是找到测量参数变化和故障之间的映射。一方面,部件性能的退化与发生何种故障之间的判据可通过实验获得;另一方面,部件性能退化肯定会引起测量参数的变化,所以"部件性能退化"在这一过程中起纽带作用。基于以上分析,需要建立性能参数的偏差和测量参数的偏差之间的关系。将燃气轮机工作过程的数学方程小偏差线性化是常用的方法。为了对燃气轮机气路部件进行故障诊断,需要能够准确地判断燃气轮机的无故障运行状态,因此,首先需要建立燃气轮机正常状态模型(无故障模型),获得燃气轮机在正常状态下的热力参数。

本节研究对象为 solar 金牛 70 燃气轮机。如图 8.9 和图 8.10 所示,Solar 金牛 70 是单轴轴流燃气轮机,用于发电时功率由前端输出。其主要气路部件有进气道、压气机、燃烧室、涡轮、排气道。Solar 金牛 70 具有体积小、质量轻、大修期长、效率高等优点,广泛应用于发电领域。其整套燃气轮机发电设备总长 11.9 m,总宽 2.9 m,总高度 3.7 m,总质量62 935 kg。燃气轮机设计参数见表 8.2。

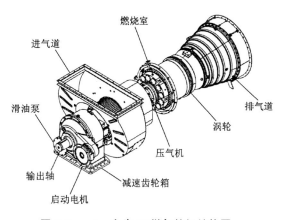

图 8.9　solar 金牛 70 燃气轮机结构图

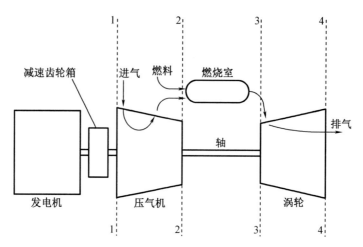

图 8.10　solar 金牛 70 燃气轮机示意图及截面划分

表 8.2　燃气轮机设计参数

参数	数值	单位
转速	15 200	r/min
进气量	26.2	kg/s
功率	7 520	kW
排气温度	490	℃
效率	35.7	
压比	16	

8.3.1　燃气轮机模型小偏差线性化

燃气轮机的故障模型通常是非线性的,可以直接利用非线性模型进行诊断,但更常见的做法是将其线性化。这种处理方法有以下优点:首先,线性方程组的求解比非线性方程组求解简单,可以减小工作量;其次,线性化之后的故障方程可以更直接地反映性能参数偏差和故障之间的关系。当然线性化之后会影响故障诊断的精度,所以这种方法只适用于小偏差情况。以下将详细推导单轴燃气轮机特性方程小偏差线性化过程。

1. 压气机压缩过程

压气机耗功

$$Lc = \frac{k}{k-1}RT_1(\pi_c^{\frac{k-1}{k}} - 1)/\eta_c \qquad (8.1)$$

令

$$m_1 = \frac{k-1}{k}$$

$$\frac{\partial Lc}{\partial T_1} = \frac{1}{m_1}R(\pi_c^m - 1)/\eta_c$$

130

$$\frac{\partial Lc}{\partial \pi_c} = RT_1 \pi_c^{m_1} - 1/\eta_c$$

$$\frac{\partial Lc}{\partial \eta_c} = -\frac{1}{m_1} RT_1 (\pi_c^{m_1} - 1)/\eta_c^2 \qquad (8.2)$$

$$\partial Lc = \frac{\partial Lc}{\partial T_1} \partial T_1 + \frac{\partial Lc}{\partial \pi_c} \partial \pi_c + \frac{\partial Lc}{\partial \eta_c} \partial \eta_c \qquad (8.3)$$

同时有

$$\delta Lc = \frac{\partial Lc}{Lc}, \delta T_1 = \frac{\partial T_1}{T_1}, \delta \pi_c = \frac{\partial \pi_c}{\pi_c}, \delta \eta_c = \frac{\partial \eta_c}{\eta_c}$$

代入式(8.3),得到压气机耗功的小偏差方程:

$$\delta Lc = \delta T_1 + k_1 \delta \pi_c - \delta \eta_c, \text{ 其中 } k_1 = \frac{m_1 \pi_c^{m_1}}{\pi_c^{m_1} - 1} \qquad (8.4)$$

压气机效率为

$$\eta_c = \frac{T_1(\pi_c^{m_1} - 1)}{T_2 - T_1}$$

由上式得

$$T_2 = T_1(\pi_c^{m_1} - 1)/\eta_c + T_1 \qquad (8.5)$$

$$\frac{\partial T_2}{\partial T_1} = (\pi_c^{m} - 1)/\eta_c + 1$$

$$\frac{\partial T_2}{\partial \pi_c} = m_1 T_1 \pi_c^{m_1} - 1/\eta_c$$

$$\frac{\partial T_2}{\partial \eta_c} = -T_1(\pi_c^{m_1} - 1)/\eta_c^2$$

$$\partial T_2 = \frac{\partial T_2}{\partial T_1} \partial T_1 + \frac{\partial T_2}{\partial \pi_c} \partial \pi_c + \frac{\partial T_2}{\partial \eta_c} \partial \eta_c \qquad (8.6)$$

同时有

$$\delta T_2 = \frac{\partial T_2}{T_2}, \delta T_1 = \frac{\partial T_1}{T_1}, \delta \pi_c = \frac{\partial \pi_c}{\pi_c}, \delta \eta_c = \frac{\partial \eta_c}{\eta_c}$$

代入式(8.6),得到压气机出口温度的小偏差方程:

$$\delta T_2 = \delta T_1 + k_1 k_2 \delta \pi_c - k_2 \delta \eta_c \text{ 其中 } k_2 = \frac{\pi_c^{m_1} - 1}{\eta_c + \pi_c^{m_1} - 1} \qquad (8.7)$$

2. 涡轮膨胀过程

涡轮发出功率

$$L_T = \frac{k_g}{k_g - 1} RT_3 (1 - \pi_T^{-\frac{k_g - 1}{k_g}}) \eta_T \qquad (8.8)$$

令

$$m_2 = \frac{k_g - 1}{k_g}$$

同样将(8.8)小偏差化,可得

$$\delta L_T = \delta T_3 + k_3 \delta \pi_T + \delta \eta_T, \text{其中 } k_3 = \frac{m_2}{\pi_T^{m_2} - 1} \tag{8.9}$$

涡轮效率为

$$\eta_T = \frac{T_3 - T_4}{T_3(1 - \pi_T^{-m_2})}$$

由上式可得涡轮排气温度

$$T_4 = T_3 \left[1 - (1 - \pi_T^{-m_2}) \eta_T \right] \tag{8.10}$$

涡轮排气温度小偏差为

$$\delta T_4 = \delta T_3 - k_3 k_4 \delta \pi_T - k_4 \delta \eta_T, \ k_4 = \frac{(\pi_T^{m_2} - 1)\eta_T}{\pi_T^{m_2} - (\pi_T^{m_2} - 1)\eta_T} \tag{8.11}$$

3. 燃烧室过程

燃烧室能量守恒方程

$$wf \cdot \mathrm{LHV} \cdot \eta_B = G_c \cdot C_p(T_3 - T_2) + wf \cdot C_{p,f}(T_3 - T_f) \tag{8.12}$$

变换得到

$$wf = \frac{G_c \cdot C_p(T_3 - T_2)}{\mathrm{LHV} \cdot \eta_B - C_{p,f}(T_3 - T_f)}$$

将上式小偏差化得到

$$\delta wf = \delta G_c - \delta \eta_B + k_5 \delta T_3 - (k_5 - 1) \delta T_2, \text{其中 } k_5 = \frac{(1+f)T_3}{(1+f)T_3 - T_2} \tag{8.13}$$

4. 功率平衡方程

$$N = G_c \left[(1+f) \eta_m L_T - L_c \right] \tag{8.14}$$

小偏差化得到

$$\delta N = \delta G_c + k_7 \delta L_T - (k_6 - 1) \delta L_c, \ k_6 = \frac{(1+f)\eta_m L_T}{(1+f)\eta_m L_T - L_c} \tag{8.15}$$

5. 压力平衡方程

$$\pi_T = \pi_c \cdot \sigma_i \cdot \sigma_o \cdot \sigma_B$$

小偏差表达式为

$$\delta \pi_T = \delta \pi_c + \delta \sigma_i + \delta \sigma_o + \delta \sigma_B \tag{8.16}$$

6. 折合参数表达式

压气机折合流量

$$\overline{G}_C = \frac{G_c \sqrt{T_1}}{P_1}$$

小偏差表达式为

$$\delta G_C = \delta \overline{G}_C + \delta \sigma_i - \frac{1}{2} \delta T_1 \tag{8.17}$$

涡轮折合流量

$$\overline{G}_{\mathrm{T}} = \frac{G_{\mathrm{T}}\sqrt{T_3}}{P_3}$$

小偏差表达式为

$$\delta G_{\mathrm{T}} = \delta\overline{G}_{\mathrm{T}} + \delta\pi_c + \delta\sigma_{\mathrm{i}} + \delta\sigma_{\mathrm{B}} - \frac{1}{2}\delta T_3 \tag{8.18}$$

将以上各式整理为

$$\begin{cases}
\delta Lc = \delta T_1 + k_1\delta\pi_c - \delta\eta_c \\
\delta T_2 = \delta T_1 + k_1 k_2\delta\pi_c - k_2\delta\eta_c \\
\delta L_{\mathrm{T}} = \delta T_3 + k_3\delta\pi_{\mathrm{T}} + \delta\eta_{\mathrm{T}} \\
\delta T_4 = \delta T_3 - k_3 k_4\delta\pi_{\mathrm{T}} - k_4\delta\eta_{\mathrm{T}} \\
\delta wf = \delta G_c - \delta\eta_{\mathrm{B}} + k_5\delta T_3 - (k_5-1)\delta T_2 \\
\delta N = \delta G_c + k_7\delta L_{\mathrm{T}} - (k_6-1)\delta L_c \\
\delta\pi_{\mathrm{T}} = \delta\pi_c + \delta\sigma_{\mathrm{i}} + \delta\sigma_{\mathrm{o}} + \delta\sigma_{\mathrm{B}} \\
\delta G_C = \delta\overline{G}_C + \delta\sigma_{\mathrm{i}} - \frac{1}{2}\delta T_1 \\
\delta G_{\mathrm{T}} = \delta\overline{G}_{\mathrm{T}} + \delta\pi_C + \delta\sigma_{\mathrm{i}} + \delta\sigma_{\mathrm{B}} - \frac{1}{2}\delta T_3
\end{cases} \tag{8.19}$$

8.3.2　部件性能参数偏差的分析

由图8.11可以看出,设备发生故障后会引起性能参数的变化,而各部件之间的工作存在互相制约,所以性能参数的变化情况复杂,本节将详细分析。

图8.11中部件特性(图8.11中曲线1)表示为

$$x(z) = x^0(z) \tag{8.20}$$

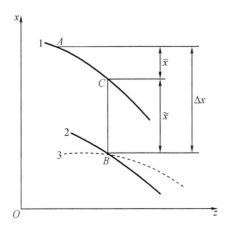

图8.11　性能参数的变化情况

只要部件不发生故障,不管工况如何变化,比如工况由 A—C,部件特性关系式都不会发生变化。当部件发生故障时,部件特性关系式(8.20)将不再成立,也就是函数关系式发生变化。

当燃气轮机部件发生故障时,一方面由于物理故障使各部件的特性发生变化(见图 8.11 中曲线 3),另一方面由于各部件的工作存在相互制约的关系,各部件重新匹配,形成新的平衡工作点,性能参数值会发生变化,这时新的工作点落在曲线 3 的 B 点。

真实的故障特性(图 8.11 中曲线 3)为

$$x(z) = x^*(z) \tag{8.21}$$

可以看出,状态量 x 的变化为

$$\Delta x = x^*(z_B) - x^0(z_A) = x^*(z_B) - x^0(z_B) + x^0(z_B) - x^0(z_A) = \tilde{x} + \bar{x} \tag{8.22}$$

前一项称为特性平移,代表了在工作参数不变的情况下,由于自身特性变化所引起的变化,$\tilde{x}$ 称为故障因子,如果部件无故障,故障因子为零,反之亦然。故障因子的大小表征故障的严重程度。后一项称为工作点偏移,代表了工作点沿自身的正常特性变化,即在特性不变的条件下,由于工作参数 z 的变化而引起的 x 值的改变。

因此可见,性能参数相对偏差量包括以上两方面的变化,即

状态量的偏差＝工作点的偏差+特性偏移

下面以单轴发电燃气轮机为例,假设压气机发生了某种气路故障,使压气机特性线、喘振边界发生变化(由实线变为虚线),如图 8.12 所示。

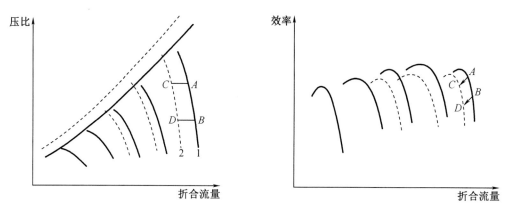

图 8.12　发生气路故障后压气机特性曲线变化图

图中 A 点为无故障情况下燃气轮机在某一工况下的平衡工作点,其折合转速线为曲线 1,发生故障后该折合转速线变为曲线 2,平衡工作点移到 D 点。这一变化过程可以看成由两部分组成:第一部分为 A 点等压比变化到 C 点,折合流量变化 $\Delta \bar{G}_{AC}$ 表示压气机特性线移动造成的折合流量的变化;第二部分由于燃气轮机各部件工况点重新匹配,匹配点沿着等转速线 2 移动到 D 点,折合流量变化 $\Delta \bar{G}_{CD}$ 表示因部件特性线的偏移而重新匹配造成压气机折合流量的变化。

因此,压气机流量总偏差由两部分组成,即特性线移动引起的变化量和重新匹配造成

的偏差量,前者是独立变化参数,用 $\widetilde{G}_C$ 表示,后者属于不可测的非独立参数,所以为了识别故障,就需要将前者从总偏差量中分离出来。

$$\delta\overline{G}_C = \delta\overline{G}_{AC} + \delta\overline{G}_{CD} = \widetilde{G}_C + \delta\overline{G}_{CD} \tag{8.23}$$

若 B 点和 D 点压比相同,则

$$\delta\overline{G}_{CD} \approx \delta\overline{G}_{AB}$$

等转速线 1 可以表示为

$$\overline{G} = f(\pi)$$

及

$$\eta = \varphi(\pi)$$

则

$$\delta\overline{G}_{AB} = \left(\frac{\partial f}{\partial \pi}\right)_A \delta\pi_{AB}, \delta\eta_{AB} = \left(\frac{\partial \varphi}{\partial \pi}\right)_A \delta\pi_{AB}$$

上式中 $\left(\frac{\partial f}{\partial \pi}\right)_A$,$\left(\frac{\partial \varphi}{\partial \pi}\right)_A$ 分别表示在等转速线 1 上的 A 点流量对压比的相对偏差量的斜率,以及效率对压比的相对偏差量的斜率,其可以通过压气机特性线的拟合方程求导而得。

由以上分析可知,压气机发生气路故障时,折合流量的总偏差为

$$\delta\overline{G}_C = \widetilde{G}_C + \left(\frac{\partial f}{\partial \pi}\right)_A \delta\pi_{AB} = \widetilde{G}_C + k_7\delta\pi_{AB} \tag{8.24}$$

同理,压气机效率的总相对偏差量和涡轮的折合流量总偏差及涡轮效率总相对偏差量可写为

$$\delta\eta_C = \widetilde{\eta}_C + \left(\frac{\partial \varphi}{\partial \pi}\right)\delta\pi_{AB} = \widetilde{\eta}_C + k_8\delta\pi_{AB}$$

$$\delta\overline{G}_T = \widetilde{G}_T + k_9\delta\pi_T$$

$$\delta\eta_T = \widetilde{\eta}_T + k_{10}\delta\pi_T \tag{8.25}$$

式中,k_8,k_9 分别为等转速线上涡轮折合流量对膨胀比和效率对膨胀比的相对偏差量的斜率。

若已知压气机、涡轮特性线表达式便可求出各项系数。

8.3.3　故障模型的建立

在上一节中我们对部件性能参数的总偏差进行了分析,从性能参数的总偏差中分离出了性能参数中的独立变化量。本节我们将找出性能参数的独立变化量和测量参数之间的关系,这样就可以获得各种故障下相关测量参数的变化情况。

将式(8.24)、式(8.25)代入式(8.19)得

$$\begin{cases} \delta L_C = \delta T_1 + (k_1 - k_8) \delta \pi_C - \widetilde{\eta}_C \\ \delta T_2 = \delta T_1 + k_2 (k_1 - k_8) \delta \pi_C - k_2 \widetilde{\eta}_C \\ \delta L_T = \delta T_3 + (k_3 + k_{10}) \delta \pi_T + \widetilde{\eta}_T \\ \delta T_4 = \delta T_3 - k_4 (k_3 + k_{10}) \delta \pi_T - k_4 \widetilde{\eta}_T \\ \delta wf = \widetilde{G}_C + k_7 \delta \pi_C + \delta \sigma_i - \delta \eta_B + k_5 \delta T_3 - (k_5 - 1) \delta T_2 \\ \delta N = \widetilde{G}_C + k_7 \delta \pi_C + \delta \sigma_i + k_6 \delta L_T - (k_6 - 1) \delta L_c \\ \delta \pi_T = \delta \pi_C + \delta \sigma_i + \delta \sigma_o + \delta \sigma_B \\ \delta G_C = \widetilde{G}_C + k_7 \delta \pi_C + \delta \sigma_i - \frac{1}{2} \delta T_1 \\ \delta G_T = \widetilde{G}_T + k_9 \delta \pi_T + \delta \pi_C + \delta \sigma_i + \delta \sigma_B - \frac{1}{2} \delta T_3 \end{cases} \quad (8.26)$$

式中，δG_C、δG_T 是压气机流量和涡轮流量实际值的偏差，如果不考虑抽气，二者相等。将 $\delta \pi_T$ 的表达式代入得到

$$\widetilde{G}_C + k_7 \delta \pi_C + \delta \sigma_i - \frac{1}{2} \delta T_1 = \widetilde{G}_T + k_9 (\delta \pi_C + \delta \sigma_i + \delta \sigma_o + \delta \sigma_B) + \delta \pi_C + \delta \sigma_i + \delta \sigma_B - \frac{1}{2} \delta T_3 \quad (8.27)$$

可得出

$$\delta \pi_C = -k_s \widetilde{G}_T + k_s \widetilde{G}_C - k_s k_9 \delta \sigma_i - k_s k_9 \delta \sigma_o - k_s k_g \delta \sigma_B + \frac{1}{2} k_s \delta T_3 + \frac{1}{2} k_s \delta T_1 \quad (3.28)$$

其中，$k_s = \dfrac{1}{1 - k_7 + k_9}$，$k_g = (1 + k_9)$。

将式(8.28)代入式(8.26)中求出

$$\delta \pi_T = -k_s \widetilde{G}_T + k_s \widetilde{G}_C + (1 - k_s k_9) \delta \sigma_i + (1 - k_s k_9) \delta \sigma_o + (1 - k_s k_g) \delta \sigma_B + \frac{1}{2} k_s \delta T_3 + \frac{1}{2} k_s \delta T_1$$

$$(8.29)$$

将式(8.28)、式(8.29)代入式(8.26)得到

$$
\begin{cases}
\delta\pi_C = -k_S\widetilde{G}_T + k_S\widetilde{G}_C - k_S k_9\delta\sigma_i - k_S k_9\delta\sigma_o - k_S k_g\delta\sigma_B + \dfrac{1}{2}k_S\delta T_3 + \dfrac{1}{2}k_S\delta T_1 \\[2mm]
\delta T_2 = \left(1+\dfrac{1}{2}k_a\right)\delta T_1 - k_2\widetilde{\eta}_C + \dfrac{1}{2}k_a\delta T_3 + k_a\widetilde{G}_C - k_a\widetilde{G}_T - k_a k_9\delta\sigma_i - k_a k_9\delta\sigma_o - k_a k_g\delta\sigma_B \\[2mm]
\delta T_4 = \left(1-\dfrac{1}{2}k_c\right)\delta T_3 - k_4\widetilde{\eta}_T - \dfrac{1}{2}k_c\delta T_1 - k_c\widetilde{G}_C + k_c\widetilde{G}_T - k_b(1-k_S k_9)\delta\sigma_i - k_b(1-k_S k_9)\cdot \\[2mm]
\qquad \delta\sigma_o - k_b(1-k_S k_g)\delta\sigma_B \\[2mm]
\delta wf = \left[\dfrac{1}{2}k_d - (k_5-1)\right]\delta T_1 + k_2(k_5-1)\widetilde{\eta}_C + \left(k_5+\dfrac{1}{2}k_d\right)\delta T_3 + (1+k_d)\widetilde{G}_C - k_d\widetilde{G}_T - \\[2mm]
\qquad (1-k_d k_9)\delta\sigma_i - k_d k_9\delta\sigma_o - k_d k_g\delta\sigma_B - \delta\eta_B \\[2mm]
\delta N = \left[\dfrac{1}{2}k_f - (k_6-1)\right]\delta T_1 + (k_6-1)\widetilde{\eta}_C + k_6\widetilde{\eta}_T + \left(k_6+\dfrac{1}{2}k_f\right)\delta T_3 + (1+k_f)\widetilde{G}_C - k_f\widetilde{G}_T + \\[2mm]
\qquad (1+k_e-k_f k_9)\delta\sigma_i + (k_e-k_f k_9)\delta\sigma_o + (k_e-k_f k_g)\delta\sigma_B
\end{cases} \tag{8.30}
$$

其中

$$
\begin{aligned}
k_a &= k_2 k_S(k_1-k_8) \\
k_b &= k_4(k_3+k_{10}) \\
k_c &= k_b k_S \\
k_d &= \left[k_7-(k_5-1)k_2(k_1-k_8)\right]k_S \\
k_e &= k_6(k_3+k_{10}) \\
k_f &= k_S\left(k_7+k_e-(k_6-1)(k_1-k_8)\right)
\end{aligned} \tag{8.31}
$$

在模拟故障时,要求无故障和发生故障在同一大气环境下进行比较,故大气温度不变,即 $\delta T_1 = 0$。

$$
\begin{cases}
\delta\pi_C = -k_S\widetilde{G}_T + k_S\widetilde{G}_C - k_S k_9\delta\sigma_i - k_S k_9\delta\sigma_o - k_S k_g\delta\sigma_B + \dfrac{1}{2}k_S\delta T_3 \\[2mm]
\delta T_2 = -k_2\widetilde{\eta}_C + \dfrac{1}{2}k_a\delta T_3 + k_a\widetilde{G}_C - k_a\widetilde{G}_T - k_a k_9\delta\sigma_i - k_a k_9\delta\sigma_o - k_a k_g\delta\sigma_B \\[2mm]
\delta T_4 = -k_4\widetilde{\eta}_T + \left(1-\dfrac{1}{2}k_c\right)\delta T_3 - k_c\widetilde{G}_C + k_c\widetilde{G}_T - k_b(1-k_S k_9)\delta\sigma_i - k_b(1-k_S k_9)\delta\sigma_o - k_b(1-k_S k_g)\delta\sigma_B \\[2mm]
\delta wf = k_2(k_5-1)\widetilde{\eta}_C + \left(k_5+\dfrac{1}{2}k_d\right)\delta T_3 + (1+k_d)\widetilde{G}_C - k_d\widetilde{G}_T + (1-k_d k_9)\delta\sigma_i - k_d k_9\delta\sigma_o - k_d k_g\delta\sigma_B - \delta\eta_B \\[2mm]
\delta N = (k_6-1)\widetilde{\eta}_C + k_6\widetilde{\eta}_T + \left(k_6+\dfrac{1}{2}k_f\right)\delta T_3 + (1+k_f)\widetilde{G}_C - k_f\widetilde{G}_T + (1+k_e-k_f k_9)\delta\sigma_i + (k_e-k_e k_9)\delta\sigma_o + \\[2mm]
\qquad (k_e-k_f k_g)\delta\sigma_B
\end{cases}
$$

$$
\tag{8.32}
$$

通过上面的推导,我们得到了 5 个方程(即式(8.32)),方程左边为燃气轮机测量参数的变化量,方程的右边为燃气轮机部件性能参数的独立变化量,通过这一系列方程将测量参数的变化和性能参数的变化联系在一起。

将式(8.32)改写成矩阵形式:

$$
\begin{bmatrix} \delta\pi_C \\ \delta T_2 \\ \delta T_4 \\ \delta wf \\ \delta N \end{bmatrix} = \boldsymbol{F} \begin{bmatrix} \widetilde{\eta}_C \\ \widetilde{\eta}_{\mathrm{T}} \\ \delta T_3 \\ \widetilde{G}_C \\ \widetilde{G}_{\mathrm{T}} \\ \delta\sigma_{\mathrm{i}} \\ \delta\sigma_{\mathrm{o}} \\ \delta\sigma_B \\ \delta\eta_B \end{bmatrix}
\tag{8.33}
$$

式中

$$
\boldsymbol{F} = \begin{bmatrix}
0 & 0 & \dfrac{1}{2}k_S & k_S & -k_S & -k_S k_9 & -k_S k_9 & -k_S k_g & 0 \\
-k_2 & 0 & \dfrac{1}{2}k_a & k_a & -k_a & -k_a k_9 & -k_a k_9 & -k_a k_g & 0 \\
0 & -k_4 & 1-\dfrac{1}{2}k_c & -k_c & k_c & -k_b(1-k_S k_9) & -k_b(1-k_S k_9) & -k_b(1-k_S k_g) & 0 \\
k_2(k_5-1) & 0 & k_5+\dfrac{1}{2}k_d & 1+k_d & -k_d & 1-k_d k_9 & -k_d k_9 & -k_d k_g & -1 \\
k_6-1 & k_6 & k_6+\dfrac{1}{2}k_f & 1+k_f & -k_f & 1+k_e-k_f k_9 & k_e-k_f k_9 & k_e-k_f k_g & 0
\end{bmatrix}
$$

矩阵中各项系数的表达式在小偏差方程推导时已经给出,通过上面的矩阵可以看出,在求出矩阵的各项系数的情况下,就可以根据性能参数的独立偏差量求出测量参数的偏差,如果实际测量参数的偏差和求出的测量参数的偏差吻合,就认为发生了该种故障,达到故障诊断的目的。

8.3.4 燃气轮机设计工况典型故障模拟

1. 设计工况故障系数矩阵的确定

根据燃气轮机仿真模型,计算出了燃气轮机设计点的各个参数值,如表 8.3 所示。根据设计点参数值,计算出故障系数矩阵中各个系数值。其中设置空气绝热指数 $k=1.4$,燃气绝热指数 $k_g=1.33$。K_7、K_8、K_9、K_{10} 分别由压气机特线性和涡轮特性线表达式对压比求导并在设计点取值获得。

表 8.3 故障系数矩阵各项系数

k	1.4	m_1	0.285 7
K_g	1.33	m_2	0.248 1
k_1	0.523 1	K_2	0.578 3
K_3	0.252 9	K_4	0.784 2
K_5	1.854 0	K_6	2.189 0
K_7	−0.809 8	K_8	−1.634 2
K_9	1.439 2	k_{10}	−0.706 8
K_s	0.307 8	K_g	2.439 2
K_a	0.384 0	K_b	−0.355 9
K_c	−0.109 5	K_d	−0.577 2
K_e	−0.993 6	K_f	−1.344 6

在求出故障系数矩阵中各项系数后,将各项系数代入故障模型中,将式(8.33)改写成如下形式。

$$
\begin{bmatrix} \delta\pi_C \\ \delta T_2 \\ \delta T_4 \\ \delta uf \\ \delta N \end{bmatrix} = \begin{bmatrix} 0 & 0 & 0.248\,9 & 0.497\,8 & -0.497\,8 & -0.218\,6 & -0.218\,6 & -0.716\,4 & 0 \\ -0.581\,5 & 0 & 0.080\,5 & 0.161\,1 & -0.161\,1 & -0.070\,7 & -0.070\,7 & -0.231\,8 & 0 \\ 0 & -0.693\,0 & 0.967\,6 & -0.064\,8 & 0.064\,8 & -0.101\,7 & -0.101\,7 & -0.036\,9 & 0 \\ 0.637\,2 & 0 & 1.865\,7 & 0.539\,9 & 0.460\,1 & 1.202\,1 & 0.202\,1 & 0.662\,2 & -1 \\ 1.359\,3 & 2.359\,3 & 2.139\,6 & 0.560\,5 & 0.439\,5 & 1.636\,2 & 0.248\,5 & 1.075\,7 & 0 \end{bmatrix} \begin{bmatrix} \tilde{\eta}_C \\ \tilde{\eta}_T \\ \delta T_3 \\ \tilde{G}_C \\ \tilde{G}_T \\ \delta\sigma_i \\ \delta\sigma_o \\ \delta\sigma_B \\ \delta\eta_B \end{bmatrix}
$$

2. 设计工况几种典型故障的模拟

在表 8.1 中,确立了几种典型气路故障的判据,可以看出,判据都是以性能参数的变化量作为依据。而在实际应用中,我们只能采集到有限的测量参数,因此只能通过测量参数的变化来了解故障情况。所以有必要研究在每一种故障情况下测量参数是如何变化的。建立的故障模型将测量参数同性能参数的独立变化量联系在一起,我们可以计算性能参数的独立变化量,从而得到测量参数的变化情况。

由于多故障情况比较复杂,本节只研究单故障情况。

(1)压气机叶片积垢

由表 8.1 可得,压气机叶片积垢的判据是压气机折合流量下降 7%,压气机效率下降

2%。只研究单故障情况,则其他性能参数的独立变化量为0。当然 δT_3 不等于0,因为它是一个非独立的变化量。另外需要对有故障和无故障的参数进行比较,因此一定要有一个比较标准,此比较参数的选择是任意的,例如可选择压气机压比、涡轮排气温度、输出功率等,但它的选择不应影响结果的正确性。本书选择功率 N 作为比较参数标准,即 $\delta N=0$,因此故障模型简化为

$$\begin{bmatrix} \delta\pi_C \\ \delta T_2 \\ \delta T_4 \\ \delta wf \\ \delta N \end{bmatrix} = \begin{bmatrix} 0 & 0.248\ 9 & 0.497\ 8 \\ -0.581\ 5 & 0.080\ 5 & 0.161\ 1 \\ 0 & 0.967\ 6 & -0.064\ 8 \\ 0.637\ 2 & 1.865\ 7 & 0.539\ 9 \\ 1.359\ 3 & 2.139\ 6 & 0.560\ 5 \end{bmatrix} \begin{bmatrix} \widetilde{\eta}_C \\ \delta T_3 \\ \widetilde{G}_C \end{bmatrix}$$

$$= \begin{bmatrix} 0 & 0.248\ 9 & 0.497\ 8 \\ -0.581\ 5 & 0.080\ 5 & 0.161\ 1 \\ 0 & 0.967\ 6 & -0.064\ 8 \\ 0.637\ 2 & 1.865\ 7 & 0.539\ 9 \\ 1.359\ 3 & 2.139\ 6 & 0.560\ 5 \end{bmatrix} \begin{bmatrix} -0.02 \\ \delta T_3 \\ -0.07 \end{bmatrix}$$

由于 $\delta N=0$,求解出 $\delta T_3=0.031\ 0$ 。

$$\begin{bmatrix} \delta\pi_C \\ \delta T_2 \\ \delta T_4 \\ \delta wf \end{bmatrix} = \begin{bmatrix} -0.027\ 1 \\ 0.002\ 9 \\ 0.034\ 6 \\ 0.007\ 4 \end{bmatrix} \tag{8.34}$$

(2)压气机叶片顶端间隙

由表8.1可得,压气机叶长顶端间隙的判据是压气机折合流量下降4%。

$$\begin{bmatrix} \delta\pi_C \\ \delta T_2 \\ \delta T_4 \\ \delta wf \\ \delta N \end{bmatrix} = \begin{bmatrix} 0.248\ 9 & 0.497\ 8 \\ 0.080\ 5 & 0.161\ 1 \\ 0.967\ 6 & -0.064\ 8 \\ 1.865\ 7 & 0.539\ 9 \\ 2.139\ 6 & 0.560\ 5 \end{bmatrix} \begin{bmatrix} \delta T_3 \\ -0.04 \end{bmatrix} \tag{8.35}$$

由于 $\delta N=0$,求解出 $\delta T_3=0.010\ 5$,代入式(8.35)可得

$$\begin{bmatrix} \delta\pi_C \\ \delta T_2 \\ \delta T_4 \\ \delta wf \end{bmatrix} = \begin{bmatrix} -0.017\ 3 \\ -0.005\ 6 \\ 0.012\ 7 \\ 0.002\ 0 \end{bmatrix} \tag{8.36}$$

(3)压气机叶片磨损腐蚀

由表8.1可得,压气机叶片磨损腐蚀的判据是压气机效率下降2%。

$$\begin{bmatrix} \delta\pi_C \\ \delta T_2 \\ \delta T_4 \\ \delta wf \\ \delta N \end{bmatrix} = \begin{bmatrix} 0 & 0.2489 \\ -0.5815 & 0.0805 \\ 0 & 0.9676 \\ 0.6372 & 1.8657 \\ 1.3593 & 2.1396 \end{bmatrix} \begin{bmatrix} -0.02 \\ \delta T_3 \end{bmatrix} \tag{8.37}$$

由于 $\delta N = 0$，求解出 $\delta T_3 = 0.0127$，代入式(8.37)。

$$\begin{bmatrix} \delta\pi_C \\ \delta T_2 \\ \delta T_4 \\ \delta wf \end{bmatrix} = \begin{bmatrix} 0.0032 \\ 0.0127 \\ 0.0123 \\ 0.0110 \end{bmatrix} \tag{8.38}$$

(4)压气机叶片机械损伤

由表 8.1 可得，压气机叶片机械损伤的判据是压气机效率下降 5%。

$$\begin{bmatrix} \delta\pi_C \\ \delta T_2 \\ \delta T_4 \\ \delta wf \\ \delta N \end{bmatrix} = \begin{bmatrix} 0 & 0.2489 \\ -0.5815 & 0.0805 \\ 0 & 0.9676 \\ 0.6372 & 1.8657 \\ 1.3593 & 2.1396 \end{bmatrix} \begin{bmatrix} -0.05 \\ \delta T_3 \end{bmatrix} \tag{8.39}$$

由于 $\delta N = 0$，求解出 $\delta T_3 = 0.0318$，代入式(8.39)。

$$\begin{bmatrix} \delta\pi_C \\ \delta T_2 \\ \delta T_4 \\ \delta wf \end{bmatrix} = \begin{bmatrix} 0.0079 \\ 0.0316 \\ 0.0307 \\ 0.0274 \end{bmatrix} \tag{8.40}$$

(5)涡轮喷嘴腐蚀

由表 8.1 可得，涡轮喷嘴腐蚀的判据是涡轮流量增加 6%。

$$\begin{bmatrix} \delta\pi_C \\ \delta T_2 \\ \delta T_4 \\ \delta wf \\ \delta N \end{bmatrix} = \begin{bmatrix} 0.2489 & -0.4978 \\ 0.0805 & -0.1611 \\ 0.9676 & 0.0648 \\ 1.8657 & 0.4601 \\ 2.1396 & 0.4395 \end{bmatrix} \begin{bmatrix} \delta T_3 \\ 0.06 \end{bmatrix} \tag{8.41}$$

由于 $\delta N = 0$，求解出 $\delta T_3 = -0.0123$，代入式(8.41)。

$$\begin{bmatrix} \delta\pi_C \\ \delta T_2 \\ \delta T_4 \\ \delta wf \end{bmatrix} = \begin{bmatrix} -0.0329 \\ -0.0107 \\ -0.0080 \\ 0.0046 \end{bmatrix} \tag{8.42}$$

(6)涡轮叶片积垢

由表 8.1 可得，涡轮叶片积垢的判据是涡轮流量减少 6%，涡轮效率下降 2%。

$$
\begin{bmatrix} \delta\pi_c \\ \delta T_2 \\ \delta T_4 \\ \delta wf \\ \delta N \end{bmatrix} = \begin{bmatrix} 0 & 0.248\,9 & -0.497\,8 \\ 0 & 0.080\,5 & -0.161\,1 \\ -0.693\,0 & 0.967\,6 & 0.064\,8 \\ 0 & 1.865\,7 & 0.460\,1 \\ 2.359\,3 & 2.139\,6 & 0.439\,5 \end{bmatrix} \begin{bmatrix} -0.02 \\ \delta T_3 \\ -0.06 \end{bmatrix}
\tag{8.43}
$$

由于 $\delta N=0$，求解出 $\delta T_3 = 0.034\,4$，代入式（8.43）。

$$
\begin{bmatrix} \delta\pi_c \\ \delta T_2 \\ \delta T_4 \\ \delta wf \end{bmatrix} = \begin{bmatrix} 0.038\,4 \\ 0.012\,4 \\ 0.043\,2 \\ 0.036\,5 \end{bmatrix}
\tag{8.44}
$$

（7）涡轮叶片磨损

由表 8.1 可得，涡轮叶片磨损的判据是涡轮流量增加 6%，涡轮效率下降 2%。

$$
\begin{bmatrix} \delta\pi_c \\ \delta T_2 \\ \delta T_4 \\ \delta wf \\ \delta N \end{bmatrix} = \begin{bmatrix} 0 & 0.248\,9 & -0.497\,8 \\ 0 & 0.080\,5 & -0.161\,1 \\ -0.693\,0 & 0.967\,6 & 0.064\,8 \\ 0 & 1.865\,7 & 0.460\,1 \\ 2.359\,3 & 2.139\,6 & 0.439\,5 \end{bmatrix} \begin{bmatrix} -0.02 \\ \delta T_3 \\ 0.06 \end{bmatrix}
\tag{8.45}
$$

由于 $\delta N=0$，求解出 $\delta T_3 = 0.009\,7$，代入式（8.45）。

$$
\begin{bmatrix} \delta\pi_c \\ \delta T_2 \\ \delta T_4 \\ \delta wf \end{bmatrix} = \begin{bmatrix} -0.027\,4 \\ -0.008\,9 \\ 0.027\,2 \\ 0.045\,8 \end{bmatrix}
\tag{8.46}
$$

（8）涡轮叶片机械损伤

由表 8.1 可得，涡轮叶片机械损伤的判据是涡轮效率下降 5%。

$$
\begin{bmatrix} \delta\pi_c \\ \delta T_2 \\ \delta T_4 \\ \delta wf \\ \delta N \end{bmatrix} = \begin{bmatrix} 0 & 0.248\,9 \\ 0 & 0.080\,5 \\ -0.693\,0 & 0.967\,6 \\ 0 & 1.865\,7 \\ 2.359\,3 & 2.139\,6 \end{bmatrix} \begin{bmatrix} -0.05 \\ \delta T_3 \end{bmatrix}
\tag{8.47}
$$

由于 $\delta N=0$，求解出 $\delta T_3 = 0.055\,1$，代入式（8.47）。

$$
\begin{bmatrix} \delta\pi_c \\ \delta T_2 \\ \delta T_4 \\ \delta wf \end{bmatrix} = \begin{bmatrix} 0.013\,7 \\ 0.004\,4 \\ 0.088\,0 \\ 0.102\,9 \end{bmatrix}
\tag{8.48}
$$

（9）燃烧室故障

由表 8.1 可得，燃烧室故障的判据是燃烧室效率下降 3%。

$$
\begin{bmatrix} \delta\pi_C \\ \delta T_2 \\ \delta T_4 \\ \delta wf \\ \delta N \end{bmatrix} = \begin{bmatrix} 0.248\ 9 & 0 \\ 0.080\ 5 & 0 \\ 0.967\ 6 & 0 \\ 1.865\ 7 & -1 \\ 2.139\ 6 & 0 \end{bmatrix} \begin{bmatrix} \delta T_3 \\ -0.03 \end{bmatrix} \tag{8.49}
$$

由于 $\delta N = 0$，求解出 $\delta T_3 = 0$，代入式(8.49)。

$$
\begin{bmatrix} \delta\pi_C \\ \delta T_2 \\ \delta T_4 \\ \delta wf \end{bmatrix} = \begin{bmatrix} 0 \\ 0 \\ 0 \\ 0.030\ 0 \end{bmatrix} \tag{8.50}
$$

将上述 9 种单一故障情况下，相应的测量参数变化情况综合成表 8.4。

表 8.4　几种典型故障设计点测量参数变化情况　　　　单位:%

故障名称	故障特征值			
	$\delta\pi_C$	δT_2	δT_4	δwf
压气机叶片积垢	−2.711 7	0.285 7	3.457 4	0.738 2
压气机顶端间隙	−1.730 2	−0.559 8	1.273 1	0.204 6
压气机叶片磨损腐蚀	0.316 2	1.265 4	1.229 5	1.096 2
压气机叶片机械损伤	0.790 6	3.163 5	3.073 7	2.740 6
涡轮喷嘴腐蚀	−3.293 3	−1.065 6	−0.803 8	0.461 2
涡轮叶片积垢	3.842 0	1.243 2	4.323 7	3.653 4
涡轮叶片磨损	−2.744 4	−0.888 0	2.716 2	4.575 8
涡轮叶片机械损伤	1.372 2	0.444 0	8.799 8	10.286 5
燃烧室故障	0.000 0	0.000 0	0.000 0	3.000 0

表 8.4 中的偏差表示在设计点工况下，测量参数与无故障测量参数偏差的百分数，可以看出 9 种故障都导致燃油消耗量增加，这是因为这几种气路故障都会导致某一部件效率的降低，那么整机效率也会降低。如果要保持输出功率不变，势必会导致喷油量的增加。

多故障的判据目前还没有统一的值，但可以预见的是多故障也是以性能参数的独立变化做判据，所以多故障的分析方法和单故障类似，当获得了多故障判据时就可以对多故障进行分析。

3. 环境温度对气路故障诊断的影响

大气环境对燃气轮机的运行工况影响较大，且海上石油平台所用燃气轮机发电机组分布在不同海域，所以大气环境温度差别很大。因此采用小偏差影响系数矩阵进行海上燃气轮机发电机组故障诊断时，必须考虑环境温度的影响。

本书在 8.3 节推导了测量参数的偏差和性能参数的偏差之间的关系，在进行几种典型故障模拟时,需要在同一大气环境下比较,因此忽略了大气温度的偏差项。此处需考虑大气温度的影响,将式(8.30)改写成矩阵形式:

$$
\begin{bmatrix} \delta\pi_C \\ \delta T_2 \\ \delta T_4 \\ \delta wf \\ \delta N \end{bmatrix} =
\begin{bmatrix}
\frac{1}{2}k_S & 0 & 0 & \frac{1}{2}k_S & k_S & -k_S & -k_S k_9 & -k_S k_9 & -k_S k_g & 0 \\
1+\frac{1}{2}k_a & -k_2 & 0 & \frac{1}{2}k_a & k_a & -k_a & -k_a k_9 & -k_a k_9 & -k_a k_g & 0 \\
-\frac{1}{2}k_c & 0 & -k_4 & 1-\frac{1}{2}k_c & -k_c & k_c & -k_b(1-k_S k_9) & -k_b(1-k_S k_9) & -k_b(1-k_S k_g) & 0 \\
\frac{1}{2}k_d-(k_5-1) & k_2(k_5-1) & 0 & k_5+\frac{1}{2}k_d & 1+k_d & -k_d & 1-k_d k_9 & -k_d k_9 & -k_d k_g & -1 \\
\frac{1}{2}k_f-(k_6-1) & k_6-1 & k_6 & k_6+\frac{1}{2}k_f & 1+k_f & -k_f & 1+k_e-k_f k_9 & k_e-k_f k_9 & k_e-k_f k_g & 0
\end{bmatrix}
\begin{bmatrix} \delta T_1 \\ \tilde{\eta}_C \\ \tilde{\eta}_T \\ \delta T_3 \\ \tilde{G}_C \\ \tilde{G}_T \\ \delta\sigma_i \\ \delta\sigma_o \\ \delta\sigma_B \\ \delta\eta_B \end{bmatrix}
$$

在不同大气温度条件下进行气路故障诊断研究时,故障系数矩阵的各项系数会发生变化,故首先需要根据无故障模型求解出各项参数,进而求解出故障矩阵中系数。本书根据第2章的无故障性能模型求解出了不同大气环境温度下(0 ℃、10 ℃、20 ℃、30 ℃)其他参数的变化情况。如表8.5所示。

表8.5　不同大气温度下性能参数的变化情况

性能参数	大气温度/K			
	273.15	283.15	293.15	303.15
大气压力/Pa	101 325	101 325	101 325	101 325
转速/(r · min⁻¹)	15 200	15 200	15 200	15 200
排气温度/℃	752.4	756.35	763.02	772.54
功率/kW	8 258	7 772	7 216	6 566
耗气量/(kg · s⁻¹)	0.475 1	0.451 2	0.426 7	0.401 3
进气流量/(kg · s⁻¹)	27.606 7	26.872 6	25.923 1	24.581 5
排气流量/(kg · s⁻¹)	28.105	27.347	26.373	25.006
压气机效率	0.861 2	0.881	0.847 5	0.768 2
涡轮效率	0.842 4	0.832 9	0.835 1	0.849 2
压比	16.608	16.102	15.481	14.735
压气机出口温度/K	651.44	658.71	686.23	735.25
涡轮进口温度	1 260	1 205	1 270	1 306.6
整机效率	0.362 8	0.359 6	0.353 0	0.341 5

表 8.5(续)

性能参数	大气温度/K			
	273.15	283.15	293.15	303.15
压气机耗功	10 751	10 359	10 464	11 060
涡轮发出功率	19 464	18 521	18 052	18 019

求解出了不同大气温度下各性能参数后,按照前面的分析思路,求解出故障系数矩阵。在对典型的 9 种故障模拟时,需考虑大气温度的偏差。本节以大气温度 20 ℃为例,分析压气机叶片积垢情况,其他大气温度下气路故障的分析思路相同。

$$
\begin{bmatrix} \delta\pi_C \\ \delta T_2 \\ \delta T_4 \\ \delta wf \\ \delta N \end{bmatrix} = \begin{bmatrix} 0.2489 & 0 & 0 & 0.2489 & 0.4978 & -0.4978 & -0.2186 & -0.2186 & -0.7164 & 0 \\ 1.2489 & -0.5835 & 0 & 0.0814 & 0.1628 & -0.1628 & -0.0715 & -0.0715 & -0.2343 & 0 \\ -0.0329 & 0 & & -0.6882 & 0.9671 & -0.0658 & 0.0658 & -0.1033 & -0.1033 & -0.0375 \\ -1.3691 & 0.6622 & 0 & 1.9007 & 0.5316 & 0.4684 & 1.2057 & 0.2057 & 0.6741 & -1 \\ -1.5796 & 1.3608 & 2.3608 & 2.1421 & 0.5625 & 0.4375 & 1.6458 & 0.2544 & 1.0833 & 0 \end{bmatrix} \begin{bmatrix} \delta T_1 \\ \tilde{\eta}_C \\ \tilde{\eta}_T \\ \delta T_3 \\ \tilde{G}_C \\ \tilde{G}_T \\ \delta\sigma_i \\ \delta\sigma_o \\ \delta\sigma_B \\ \delta\eta_B \end{bmatrix}
$$

压气机叶片积垢的判据是压气机折合流量下降 7%,压气机效率下降 2%,只研究单故障情况,则其他性能参数的独立变化量为 0。

大气温度偏差为

$$
\delta T_1 = \frac{293.15 - 288.15}{288.15} = 0.0174
$$

$$
\begin{bmatrix} \delta\pi_C \\ \delta T_2 \\ \delta T_4 \\ \delta wf \\ \delta N \end{bmatrix} = \begin{bmatrix} 0.2489 & 0 & 0.2489 & 0.4978 \\ 1.2489 & -0.5835 & 0.0814 & 0.1628 \\ -0.0329 & 0 & 0.9671 & -0.0658 \\ -1.3691 & 0.6622 & 1.9007 & 0.5316 \\ -1.5796 & 1.3608 & 2.1421 & 0.5625 \end{bmatrix} \begin{bmatrix} \delta T_1 \\ \tilde{\eta}_C \\ \delta T_3 \\ \tilde{G}_C \end{bmatrix}
$$

$$
= \begin{bmatrix} 0.2489 \\ 1.2489 \\ -0.0329 \\ -1.3691 \\ -1.5796 \end{bmatrix} \begin{bmatrix} 0.0174 \\ -0.02 \\ \delta T_3 \\ -0.07 \end{bmatrix}
$$

由于 $\delta N = 0$，求解出 $\delta T_3 = 0.043\ 9$，代入上式得

$$\begin{bmatrix} \delta \pi_c \\ \delta T_2 \\ \delta T_4 \\ \delta wf \end{bmatrix} = \begin{bmatrix} -0.019\ 6 \\ 0.025\ 6 \\ 0.046\ 5 \\ 0.009\ 2 \end{bmatrix} \tag{8.51}$$

与式(8.33)相比，各个测量参数的偏差的正负情况相同，但数值有细微变化，由此可见大气温度对故障诊断会产生相应影响。

8.4 燃气轮机气路故障状态空间模型

燃气轮机正常状态下的离散时间线性化模型如式(8.52)所示：

$$\begin{cases} \Delta x_{k+1} = A\Delta x_k + B\Delta u_k + w_k \\ \Delta y_k = C\Delta x_k + D\Delta u_k + v_k \end{cases} \tag{8.52}$$

式中，矩阵 A、B、C 和 D 为正常状态下的系统矩阵。

气路故障发生时，受故障因子变化影响燃气轮机模型的系统矩阵会发生变化，故障后的离散时间线性化模型变化为

$$\begin{cases} \Delta x_{k+1} = A'\Delta x_k + B'\Delta u_k + w_k \\ \Delta y_k = C'\Delta x_k + D'\Delta u_k + v_k \end{cases} \tag{8.53}$$

式中，矩阵 A'、B'、C' 和 D' 为故障状态下的系统矩阵。

每一种气路故障发生后对应的线性模型的系统矩阵都有所区别，这将大大增加假设模型的建立难度。为了能够快速建立假设模型，将燃气轮机非线性模型看作是所有故障因子组合 $f_c = [f_{mc}, f_{\eta c}, f_{mct}, f_{\eta ct}, f_{mpt}, f_{\eta pt}]^{\mathrm{T}}$ 的函数，即

$$\begin{cases} \dot{x} = f(x, u, f_c) + w \\ y = h(x, u, f_c) + v \end{cases} \tag{8.54}$$

对式(8.54)进行线性化得

$$\begin{cases} \Delta x_{k+1} = A\Delta x_k + B\Delta u_k + E\Delta f_{c,k} + w_k \\ \Delta y_k = C\Delta x_k + D\Delta u_k + H\Delta f_{c,k} + v_k \end{cases} \tag{8.55}$$

由式(8.55)可知，当 $\Delta f_c = 0_{6\times 1}$ 时，即没有发生故障时，模型可简化为式(8.52)。因而，式(8.55)中的 A、B、C 和 D 矩阵为燃气轮机正常状态下的矩阵，而 E 和 H 矩阵是气路故障对正常模型的影响矩阵。考虑到式中故障因子对线性模型的作用与控制变量近似，因此把故障因子扩展为控制变量，得到一个新的线性化模型，如式(8.56)所示。

$$\begin{cases} \Delta x_{k+1} = A\Delta x_k + \begin{bmatrix} B & E \end{bmatrix} \begin{bmatrix} \Delta u_k \\ \Delta f_{c,k} \end{bmatrix} + w_k \\ \Delta y_k = C\Delta x_k + \begin{bmatrix} D & H \end{bmatrix} \begin{bmatrix} \Delta u_k \\ \Delta f_{c,k} \end{bmatrix} + v_k \end{cases} \tag{8.56}$$

由式(8.56)可知,当燃气轮机正常时,作为控制变量的故障因子变化量 $\Delta f_c = 0_{6 \times 1}$。而当气路发生故障时,作为控制变量的故障因子的变化量 $\Delta f_c \neq 0_{6 \times 1}$,将引起模型响应变化。反之,在正常模型的基础上改变故障因子的值就能够建立不同故障的模型。因此,将故障因子扩展为控制变量,能够实现通过改变故障因子的值来达到建立各种气路故障模型的目的,而不需要对不同故障状态分别建立各自的故障模型,这样能够大大降低气路故障模型集的建立难度。

为了验证基于参数扩展的气路故障模型建立方法的可行性,在设计点工况下,分别使用分步拟合法建立了对应于式(8.53)与式(8.56)的两种线性化故障模型,假设所建立的故障模型为压气机质量流量(F_{mc})下降1%故障,考虑7个测量参数,分别为 N_1、N_2、T_2、P_2、T_4、P_4 及 T_5,而状态变量为 N_1、N_2、T_3、P_3、P_4 及 P_5,以燃油流量为控制变量,离散时间步长取0.02 s。式(8.9)对应的故障线性状态空间模型如式(8.56)所示,该模型是在非线性模型中 F_{mc} 下降1%故障后,在新的稳态点进行线性化获得的。而对于如式(8.55)所示的基于参数扩展的线性故障模型,是正常状态下将故障因子作为控制变量建立的线性化模型,如式(8.57)所示。相对于式(8.53),式(8.57)的控制变量有7个,它能够根据给定不同的故障因子值仿真不同的故障。

图8.13给出了非线性模型、式(8.57)所示的传统线性故障模型,以及式(8.58)所示的基于参数扩展的线性故障模型各测量参数的动态响应比较。其中 F_{mc} 下降1%故障发生在 $t = 5$ s 并在 $t = 25$ s 恢复,燃油流量在 $t = 15$ s 从1.0向下阶跃至0.99,而在 $t = 35$ s 发生 F_{mct} 下降1%故障直到仿真结束。由图8.13可知,对于基于参数扩展的线性故障模型,各参数的动态响应与非线性模型的动态响应始终一致,而对于传统线性故障模型只在 F_{mc} 故障发生后与非线性模型响应一致。当燃气轮机处于正常状态及发生 F_{mct} 故障时与非线性模型动态响应不一致。因此,由式(8.58)所示的由扩展方法建立的故障模型能够通过改变对应的故障因子的值灵活快速地建立所需的故障模型,使其能够与非线性模型的动态响应始终保持一致,这对于模型集的建立具有重要作用。

$$
\begin{bmatrix} \Delta N_1 \\ \Delta N_2 \\ \Delta T_3 \\ \Delta P_3 \\ \Delta P_4 \\ \Delta P_5 \end{bmatrix}_{k+1} = \begin{bmatrix} 0.971\,0 & 0.030\,7 & 0.006\,2 & 0.080\,3 & -0.112\,1 & 0.354\,2 \\ -0.052\,4 & 0.520\,0 & 0.014\,9 & 0.125\,5 & 0.323\,2 & -2.522\,9 \\ -0.070\,6 & 1.792\,2 & 0.425\,8 & 1.204\,9 & -1.942\,5 & -5.016\,2 \\ -0.003\,4 & 1.867\,7 & -0.516\,4 & 2.089\,4 & -2.016\,5 & -5.238\,6 \\ -0.037\,0 & 0.100\,7 & -0.073\,4 & 0.428\,2 & 0.607\,1 & -2.815\,1 \\ -1.068\,8 & -0.004\,5 & -0.004\,3 & 0.005\,7 & 0.007\,3 & 0.781\,1 \end{bmatrix} \begin{bmatrix} \Delta N_1 \\ \Delta N_2 \\ \Delta T_3 \\ \Delta P_3 \\ \Delta P_4 \\ \Delta P_5 \end{bmatrix}_k +
$$

$$
\begin{bmatrix} 0.004\,0 \\ 0.003\,3 \\ 0.053\,4 \\ 0.051\,2 \\ 0.014\,9 \\ 1.17e\text{-}4 \end{bmatrix} \begin{bmatrix} \Delta w_f \end{bmatrix}_k
$$

$$
\begin{bmatrix} \Delta N_1 \\ \Delta N_2 \\ \Delta T_2 \\ \Delta P_2 \\ \Delta T_4 \\ \Delta P_4 \\ \Delta T_5 \end{bmatrix}_k =
\begin{bmatrix}
1 & 0 & 0 & 0 & 0 & 0 \\
0 & 1 & 0 & 0 & 0 & 0 \\
0.654\,7 & -0.868\,0 & 0.189\,3 & -0.376\,1 & 1.050\,5 & 1.979\,6 \\
0 & 0 & 0 & 1 & 0 & 0 \\
0.043\,0 & -2.713\,0 & 1.891\,0 & -2.330\,3 & 3.341\,9 & 8.539\,6 \\
0 & 0 & 0 & 0 & 1 & 0 \\
0.031\,1 & 2.123\,3 & 0.260\,3 & -0.157\,5 & -0.345\,1 & -17.399
\end{bmatrix}
\begin{bmatrix} \Delta N_1 \\ \Delta N_2 \\ \Delta T_3 \\ \Delta P_3 \\ \Delta P_4 \\ \Delta P_5 \end{bmatrix}_k +
$$

$$
\begin{bmatrix} 0 \\ 0 \\ -0.001\,9 \\ 0 \\ -0.004\,9 \\ 0 \\ -6.5e-4 \end{bmatrix}
\begin{bmatrix} \Delta w_f \end{bmatrix}_k
\qquad (8.57)
$$

$$
\begin{bmatrix} \Delta N_1 \\ \Delta N_2 \\ \Delta T_3 \\ \Delta P_3 \\ \Delta P_4 \\ \Delta P_5 \end{bmatrix}_{k+1} =
\begin{bmatrix}
0.970\,9 & 0.039\,2 & 0.005\,9 & 0.084\,4 & -0.117\,3 & 0.360\,20 \\
-0.051\,8 & 0.503\,2 & 0.017\,5 & 0.117\,7 & 0.342\,2 & -2.505\,8 \\
-0.076\,1 & 1.803\,2 & 0.423\,7 & 1.224 & -1.969 & -5.044\,7 \\
-0.004\,0 & 1.878\,9 & -0.518\,3 & 2.105\,9 & -2.042\,8 & -5.268\,6 \\
-0.036\,6 & 0.099\,1 & -0.074 & 0.429\,2 & 0.606\,4 & -2.807\,7 \\
0 & -0.004\,5 & -0.004\,3 & 0.005\,7 & 0.007\,2 & 0.780\,7
\end{bmatrix}
\begin{bmatrix} \Delta N_1 \\ \Delta N_2 \\ \Delta T_3 \\ \Delta P_3 \\ \Delta P_4 \\ \Delta P_5 \end{bmatrix}_k +
$$

$$
\begin{bmatrix}
0.004\,2 & -0.025\,0 & 0.009\,9 & 0.078\,3 & -0.001\,5 & -0.098\,4 & -0.008\,9 \\
0.003\,3 & -0.071\,4 & -0.050\,2 & 0.127\,8 & -0.091\,0 & 0.235\,3 & 0.146\,6 \\
0.053\,5 & 0.023\,7 & -0.031\,1 & 1.168\,8 & -0.017\,8 & -1.564\,4 & -0.509\,4 \\
0.051\,2 & 0.170\,0 & 0.073\,2 & 1.069\,8 & 0.125\,7 & -1.581\,8 & -0.530\,8 \\
0.015\,0 & 0.035\,0 & 0.012\,6 & 0.449\,8 & -0.014\,2 & -0.340\,1 & -0.018\,4 \\
0.000\,1 & 0.000\,3 & 0.000\,2 & 0.004\,9 & 0.001\,0 & 0.007\,0 & 0.001\,2
\end{bmatrix}
\begin{bmatrix} \Delta w_f \\ \Delta f_{mc} \\ \Delta f_{\eta c} \\ \Delta f_{mct} \\ \Delta f_{\eta ct} \\ \Delta f_{mpt} \\ \Delta f_{\eta pt} \end{bmatrix}_k
$$

$$
\begin{bmatrix} \Delta N_1 \\ \Delta N_2 \\ \Delta T_2 \\ \Delta P_2 \\ \Delta T_4 \\ \Delta P_4 \\ \Delta T_5 \end{bmatrix}_k =
\begin{bmatrix}
1 & 0 & 0 & 0 & 0 & 0 \\
0 & 1 & 0 & 0 & 0 & 0 \\
0.638\,3 & -0.846\,3 & 0.183\,0 & -0.374\,2 & 1.035\,9 & 1.889\,1 \\
0 & 0 & 0 & 1 & 0 & 0 \\
0.043\,2 & -2.729\,6 & 1.891\,1 & -2.359\,4 & 3.385\,1 & 8.515\,5 \\
0 & 0 & 0 & 0 & 1 & 0 \\
0.029\,9 & 2.129\,4 & 0.263\,6 & -0.156\,3 & -0.355\,2 & -17.348\,5
\end{bmatrix}
\begin{bmatrix} \Delta N_1 \\ \Delta N_2 \\ \Delta T_3 \\ \Delta P_3 \\ \Delta P_4 \\ \Delta P_5 \end{bmatrix}_k +
$$

$$\begin{bmatrix} 0 & 0 & 0 & 0 & 0 & 0 & 0 \\ 0 & 0 & 0 & 0 & 0 & 0 & 0 \\ -0.001\,8 & 0.208\,7 & -0.741\,8 & -0.635\,0 & -0.228\,1 & 0.748\,1 & 0.235\,3 \\ -0.004\,8 & -0.018\,4 & 0.004\,0 & -1.980\,2 & -0.290\,3 & 2.561 & 0.764\,0 \\ 0 & 0 & 0 & 0 & 0 & 0 & 0 \\ -0.000\,6 & 0.112\,5 & 0.078\,5 & -0.079\,4 & 0.046\,0 & 0.032\,9 & -0.999\,0 \end{bmatrix} \begin{bmatrix} \Delta w_f \\ \Delta f_{mc} \\ \Delta f_{\eta c} \\ \Delta f_{mct} \\ \Delta f_{\eta ct} \\ \Delta f_{mpt} \\ \Delta f_{\eta pt} \end{bmatrix}_k$$

$$(8.58)$$

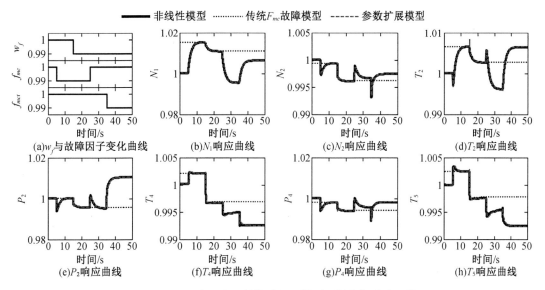

图8.13 不同方法建立的故障假设模型测量参数响应比较

8.5 燃气轮机气路性能退化非线性模型

当前相关研究者正针对船用燃气轮机气路性能退化仿真对压气机、涡轮单个部件受到可恢复性(积盐)或不可恢复(磨损、腐蚀、间隙增大等)退化因素进行深入研究。然而,燃气轮机气路部件在运行过程中受到可恢复退化、不可恢复退化和永久退化等因素的共同影响,并且各类退化随着运行时间的增加,影响程度也在变化。因此有必要从多个连续检修周期组成的大修周期角度,综合分析可恢复性退化、不可恢复性退化、永久退化及突发气路故障耦合影响,研究复杂运行工况下燃气轮机气路性能退化规律。

鉴于此,本书开展了燃气轮机大修周期气路性能退化仿真研究。首先,通过向燃气轮机数学模型中植入部件退化因子与部件退化轨道,建立了燃气轮机气路退化模型;其次,进一步针对大修周期退化规律下的检修周期边界条件设置问题,建立了大修周期内的检修周期计算模型与退化影响因子计算模型;最后,提出了大修周期船用燃气轮机气路退化仿真流程,对设计工况、变工况和随机故障条件下的多个连续检修周期气路性能退化进行了仿真,形成了设计工况气路性能退化数据集、变工况气路性能退化数据集、带有随机故障的气路性能退化数据集,为开展基于数据驱动的船用燃气轮机气路性能退化预测研究提供了理论和数据支持。

本书研究对象为船用三轴燃气轮机。气路部件主要包括低压压气机、高压压气机、燃烧室、高压涡轮、低压涡轮和动力涡轮,如图 8.14 所示。表 8.6 列出了船用三轴燃气轮机气路的主要监测参数。

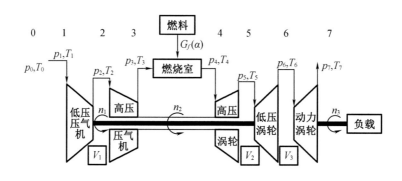

图 8.14　船用三轴燃气轮机结构简图

表 8.6　船用三轴燃气轮机气路的主要监测参数

符号	含义	单位	符号	含义	单位
T_0	环境温度	K	P_0	环境压力	MPa
T_1	低压压气机进口温度	K	p_1	低压压气机进口压力	MPa
T_2	低压压气机出口温度	K	p_2	低压压气机出口压力	MPa
T_3	高压压气机出口温度	K	p_3	高压压气机出口压力	MPa
T_6	低压涡轮出口温度	K	p_6	低压涡轮出口压力	MPa
T_7	动力涡轮出口温度	K	p_7	动力涡轮出口压力	MPa
n_1	低压涡轮轴转速	r/min	n_2	高压涡轮轴转速	r/min
G_f	燃油流量	kg/s	n_3	动力涡轮轴转速	r/min
α	油门开度($\alpha = (G_f + 0.147\,4)/0.033$)	°			

在燃气轮机的服役周期内,气路性能会受到可恢复退化、不可恢复退化、永久退化三种类型退化的影响,各部件受到的退化影响不同,不同类型退化沿各自的退化轨道模型逐渐累积,造成不同程度的退化影响。在本书中,燃气轮机气路性能退化模型包括燃气轮机气路数学模型、燃气轮机部件退化模型和燃气轮机部件退化轨道模型。

8.5.1 燃气轮机气路数学模型

图8.15为三轴燃气轮机低压压气机模块、高压压气机模块、燃烧室模块、高压涡轮模块、低压涡轮模块与动力涡轮模块的数学模型,主要实现部件特性计算。

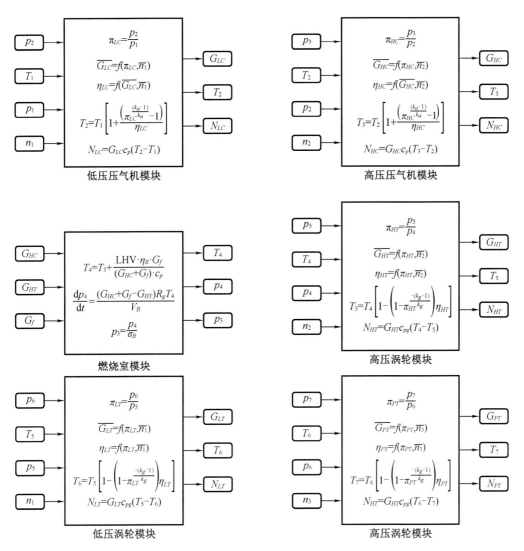

图8.15 燃气轮机气路部件数学模型

图8.16为燃气轮机的低压涡轮转子模块、高压涡轮转子模块和动力涡轮转子模块的数学模型,实现了燃气轮机各转子动力学平衡计算。

图8.17为燃气轮机的低压压气机–高压压气机容积惯性模块、高压涡轮–低压涡轮容积惯性模块和低压涡轮–动力涡轮容积惯性模块的数学模型,实现了燃气轮机的容积动态平衡计算。

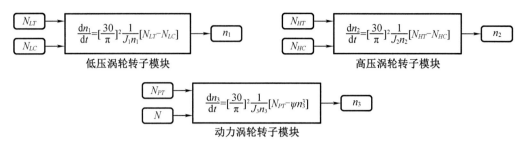

图 8.16　燃气轮机转子模块数学模型

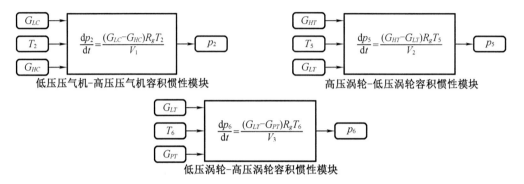

图 8.17　燃气轮机容积惯性模块数学模型

在 MATLAB/Simulink 环境下建立了燃气轮机部件特性模型、转子模块模型、容积模块模型,实现了燃气轮机模型的动态仿真,为开展气路性能退化仿真研究奠定了基础。

8.5.2　燃气轮机部件退化模型

依据 8.1 节燃气轮机退化机理可知,燃气轮机退化会导致一个或多个部件特性参数发生变化,这些参数描述了单个气路部件的性能。因此,为了建立燃气轮机的退化模型,实现气路退化仿真,可以通过对部件特性植入退化因子,建立气路故障到数学模型之间的联系。式(8.59)表示船用三轴燃气轮机气路退化注入模型。

$$
\begin{cases}
G_{LC} = D_{G_{LC}} G_{LC}^{*} \\
\eta_{LC} = D_{\eta_{LC}} \eta_{LC}^{*} \\
G_{HC} = D_{G_{HC}} G_{HC}^{*} \\
\eta_{HC} = D_{\eta_{HC}} \eta_{HC}^{*} \\
\sigma_{CC} = D_{\sigma_{CC}} \sigma_{CC}^{*} \\
G_{HT} = D_{G_{HT}} G_{HT}^{*} \\
\eta_{HT} = D_{\eta_{HT}} \eta_{HT}^{*} \\
G_{LT} = D_{G_{LT}} G_{LT}^{*} \\
\eta_{LT} = D_{\eta_{LT}} \eta_{LT}^{*} \\
G_{PT} = D_{G_{PT}} G_{PT}^{*} \\
\eta_{PT} = D_{\eta_{PT}} \eta_{PT}^{*}
\end{cases}
\tag{8.59}
$$

式中,G^*为健康状态下的质量流量,η^*为健康状态下的效率,D_G为流量退化因子,D_η为效率退化因子,下标表示受到影响的部件,σ_{CC}为燃烧室总压恢复系数,$D\sigma_{CC}$为对应的退化因子。当部件处于健康状态时,退化因子$D=1$。表8.7显示了燃气轮机部件退化模型的输入参数。

表8.7 燃气轮机部件退化模型的输入参数

符号	含义	符号	含义
$D_{G_{LC}}$	低压压气机流量退化因子	$D_{\eta_{LC}}$	低压压气机效率退化因子
$D_{G_{HC}}$	高压压气机流量退化因子	$D_{\eta_{HC}}$	高压压气机效率退化因子
$D_{\sigma_{CC}}$	燃烧室总压恢复系数退化因子	$D_{G_{HT}}$	高压涡轮流量退化因子
$D_{\eta_{HT}}$	高压涡轮效率退化因子	$D_{G_{LT}}$	低压涡轮流量退化因子
$D_{\eta_{LT}}$	低压涡轮效率退化因子	$D_{G_{PT}}$	动力涡轮流量退化因子
$D_{\eta_{PT}}$	动力涡轮效率退化因子		

考虑船用燃气轮机气路部件性能退化受到可恢复退化、不可恢复退化、永久退化三种退化类型共同影响,定义部件性能退化模型为

$$\begin{cases} D_G = 1 - \delta_G - \theta_G - \gamma_G \\ D_\eta = 1 - \delta_\eta - \theta_\eta - \gamma_\eta \\ D_{\sigma_{CC}} = 1 - \delta_{\sigma_{CC}} - \theta_{\sigma_{CC}} - \gamma_{\sigma_{CC}} \end{cases} \tag{8.60}$$

式中,δ、θ、γ分别表征可恢复退化、不可恢复退化与永久退化的退化因子。

8.5.3 燃气轮机部件退化轨道模型

燃气轮机气路退化实质上是渐变性故障缓慢累积的过程。渐变性故障会使燃气轮机的性能缓慢下降,逐渐到达无法完成功能的状态,这时的故障终点定义为燃气轮机剩余使用寿命(remaining useful life,RUL)的阈值。退化建模重点是确定气路故障渐变性发展过程,研究气路故障随时间对性能参数的影响。

本书用退化轨道模型描述退化量随时间t的演化。退化轨道模型如下:

$$\Delta = f(t, \beta, \varepsilon) + \tau + i_0 \tag{8.61}$$

式中,Δ为退化量,f为退化函数,β为退化函数的固定参数,ε表示退化函数的随机效应,τ代表突发故障退化量,i_0代表初始磨损的程度。

退化轨道模型是最常用的退化过程模型。最典型退化曲线的形状通常分为线性、凸形与凹形状,如图8.18所示。

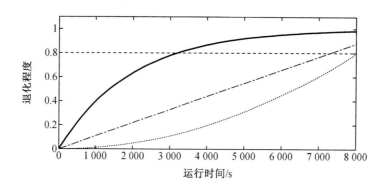

图8.18 典型退化轨道模型轨迹

假设任意给定的样本,作为时间 t 的函数的 Δ 的导数存在,定义退化速率 $V(t)$ 为

$$V(t) = \frac{\mathrm{d}f(t,\beta,\varepsilon)}{\mathrm{d}t} \tag{8.62}$$

1. 两种典型的退化轨道模型

结合渐变性故障的特征,本书选取了两种典型的退化轨道模型来描述船用燃气轮机气路性能退化。

（1）恒定退化率模型

恒定退化率模型所表示设备的退化速率与时间无关,即相同部件具有相同的退化速率,这就是上述的线性退化模型。

$$V(t) \equiv C \tag{8.63}$$

例如,将燃气轮机退化对性能的影响表示为线性形式,退化造成燃气轮机的效率降低服从恒定退化率模型,退化的速度为 $V(t) = 0.3\%/2\ 000\ \mathrm{h}$。

（2）指数退化率模型

恒定退化率模型的退化速率与时间呈指数关系,即

$$V(t) = A\mathrm{e}^{-Bt} \tag{8.64}$$

当 $\beta < 0$ 时,表示的是凸型退化的一种情形。压气机叶片积垢退化的相关文献表明,压气机退化可表示为部件参数随运行时间的指数变化关系,即

$$\delta_{D_{LC}}(t) = A(1 - \mathrm{e}^{-Bt}) \tag{8.65}$$

式中,$\delta_{D_{LC}}$ 表示压气机性能参数的变化量,A、B 为指数型退化轨道模型内的退化影响因子,与盐雾积垢的累积量及积垢的速度有关。

2. 轨道模型

本书在建立燃气轮机气路性能退化模型时,从燃气轮机大修周期的角度,综合考虑可恢复退化、不可恢复退化与永久退化的耦合影响;同时引入突发故障因子,以模拟检修周期内随机出现的突发故障。

（1）考虑突发故障的可恢复退化轨道模型

在本书中,船用燃气轮机的可恢复退化主要考虑盐雾积垢造成的压气机性能退化,退化轨迹为指数退化率模型:

$$\delta(t) = \begin{cases} A_\delta(1-e^{-B_\delta t}) + \varepsilon_\delta, & t_0 < t < t_\tau \\ A_\delta(1-e^{-B_\delta t}) + \varepsilon_\delta + \tau_\delta, & t_\tau < t < t_{imax} \end{cases} \qquad (8.66)$$

式中，δ 为可恢复退化导致的性能退化量，τ_δ 为可恢复突发故障退化量，A_δ、B_δ 为指数型可恢复退化影响因子，t_{imax} 为燃气轮机检修周期的长度，t_τ 为发生突发故障的时刻，ε_δ 为可恢复退化的噪声，噪声服从高斯分布。

（2）考虑突发故障的不可恢复退化轨道模型

造成不可恢复退化的原因有多种，主要有侵蚀、腐蚀等因素。定义不可恢复退化轨迹为恒定退化率模型：

$$\theta(t) = \begin{cases} \theta_{i-1} + kt + \varepsilon_\theta, & t_0 < t < t_\tau \\ \theta_{i-1} + kt + \varepsilon_\theta + \tau_\theta, & t_\tau < t < t_{imax} \end{cases} \qquad (8.67)$$

式中，θ 为不可恢复退化导致的性能退化量，τ_θ 为不可恢复突发故障退化量，θ_{i-1} 为第 i 次检修周期前不可恢复退化的累积量，k 为不可恢复退化影响因子，t_{imax} 为大修周期的终点，ε_θ 为不可恢复退化的噪声，噪声服从高斯分布。

（3）考虑突发故障的永久退化轨道模型

根据永久退化机理，定义气路永久退化轨道模型为指数退化率模型：

$$\gamma(t) = \begin{cases} A_\gamma(1-e^{-B_\gamma(t+T_{i-1})}) + \varepsilon_\gamma, & t_0 < t < t_\tau \\ A_\gamma(1-e^{-B_\gamma(t+T_{i-1})}) + \varepsilon_\gamma + \tau_\gamma, & t_\tau < t < t_{imax} \end{cases} \qquad (8.68)$$

式中，γ 为永久退化导致的性能退化量，τ_γ 为永久突发故障退化量，A_γ、B_γ 为指数型永久退化影响因子，t_{imax} 为燃气轮机检修周期的长度，T_{i-1} 为第 i 次检修周期前燃气轮机的运行时间，ε_γ 为永久退化的噪声，噪声服从高斯分布。

由于永久退化遵循指数型退化规律，在燃气轮机停机大修周期内任意时刻的退化速率都有所不同，因此永久退化量与燃气轮机全寿命周期内运行的时间有关。

由于燃气轮机气路性能受到可恢复退化、不可恢复退化与永久退化三类退化的影响，可恢复退化影响因子 A_δ 与 B_δ，不可恢复退化影响因子 k，永久退化影响因子 A_γ 与 B_γ 都是影响退化过程中需要研究的变量。由于燃气轮机的每一个检修周期内，燃气轮机的退化速率都是不同的，每个检修周期内这几个退化因子变量也不相同，因此，需要讨论气路性能退化仿真边界条件设置问题，以确定大修周期内退化轨道模型参数。

8.5.4　气路性能退化仿真边界条件模型

图 8.19 为基于状态的维护目标下，大修周期燃气轮机气路退化趋势示意图。可以看出，船用三轴燃气轮机在服役周期内受到可恢复退化、不可恢复退化和永久退化这三种退化的影响互相耦合，共同构成了燃气轮机大修周期内的退化。

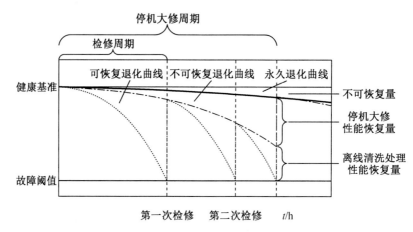

图 8.19　大修周期燃气轮机气路退化趋势示意图

船用燃气轮机的大修周期由多个检修周期组成,每个检修周期之间相互独立,又存在时间上的关联关系。因此要建立大修周期的气路性能退化仿真模型,需要结合可恢复退化、不可恢复退化与永久退化的影响,分别建立对应的各部件的检修周期模型。综合上述模型,形成大修周期的气路性能退化仿真模型。

在检修周期内主要对压气机部件进行离线水洗处理。为了简化退化耦合,本书假设可恢复退化在检修后会被完全清除;在停机大修周期内,不可恢复退化和永久退化的影响持续存在,这会使燃气轮机的检修周期不断缩短。表 8.8 为大修周期气路内不同类型退化的植入表。依据该表可以建立大修周期气路性能退化仿真模型。

表 8.8　气路退化植入表

退化类型	退化原因	退化轨道模型	退化影响	影响时间范围
可恢复退化	盐雾积垢	指数退化率模型	低压压气机流量下降 低压压气机效率下降	离线水洗周期
不可恢复退化	侵蚀、腐蚀、 叶顶间隙等因素	恒定退化率模型	低压压气机流量下降 低压压气机效率下降 高压涡轮效率下降 低压涡轮效率下降 动力涡轮效率下降	停机大修周期
永久退化	套管变形等多种因素	指数退化率模型	气路内六个部件的 部件特性参数均下降	停机大修 周期

结合大修周期内的退化规律,设置各个检修周期的边界条件,确定各检修周期内具体退化轨道,主要解决以下两个问题。

(1)确定模拟的大修周期长度、检修次数和检修周期的长度。

在燃气轮机服役大修周期内,不可恢复退化与永久退化随运行时间增长不断累积,每一个检修周期的燃气轮机的初状态及退化的过程都是不同的,这就导致退化周期长度不可能完全相同。燃气轮机不同的检修周期,由于不可恢复退化积累量的不同,每个离线水洗周期长度都存在较大差距。例如,在燃气轮机停机大修周期的后期,不可恢复退化的累积量会造成燃气轮机的初始性能状态处于亚健康,退化周期的长度相对较短。

本书建立燃气轮机检修周期计算模型的目的是保证各个退化周期的长度能够符合退化过程的规律,满足基于状态的维护策略的要求。因此,以检修周期之和与大修周期的差最小作为优化目标,构建检修周期计算模型。

$$\text{Obj} = \min \sum t_i - T, \quad i = 1, 2, \cdots, n \quad (8.69)$$

式中,i 为检修周期序号,n 为检修周期数量,T 为停机大修周期长度,t_i 为检修周期长度。根据经验,检修周期处于 $500 \sim 1500 \text{ h}$ 随机分布区间。考虑不可恢复退化的累积效应影响,定义检修周期 t_i 满足以下约束:

$$500 < t_i < 1\,500, \quad i = 1, 2, \cdots, n \quad (8.70)$$

$$t_{i+1} < t_i + \varepsilon_i < t_{i-1}, \quad i = 1, 2, \cdots, n \quad (8.71)$$

式中,ε_i 为随机项,由于检修周期长度不可能完全符合约束条件,故加入一定的随机项。在MATLAB 优化工具箱中,采用 fmincon 优化算法求解检修周期,获得符合退化规律的检修周期值。具体计算流程如图 8.20 所示。

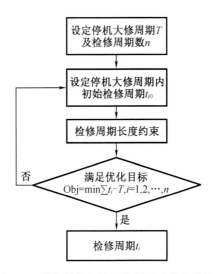

图 8.20　燃气轮机气路检修周期建模方法流程

(2)确定每个检修周期内可恢复退化、不可恢复退化与永久退化三类退化模式的退化量,同时确定多个检修周期组成的大修周期退化轨道参数合理。

如图 8.21 所示,燃气轮机气路性能退化仿真是模拟气路性能不断退化至无法接受的"正问题"过程。气路性能退化仿真边界条件模型与之相反,是在已知退化终点的阈值与退化周期的长度下,结合退化机理,估计退化影响因子,得到气路退化轨道模型的"反问题"。

由于只有退化周期的起始点与终点,而退化影响因子变量远多于已知条件,为了解决这类欠定的多参数求解问题,本书结合性能退化机理,在相应的约束条件下,通过优化方法来解决这类多变量非线性约束问题,从而确定检修期内的退化影响因子。具体实现流程图如图 8.22 所示。

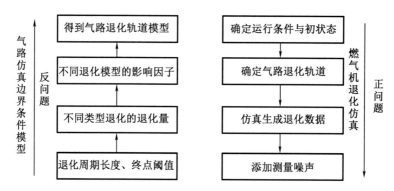

图 8.21　退化影响因子计算模型与气路退化仿真的关系

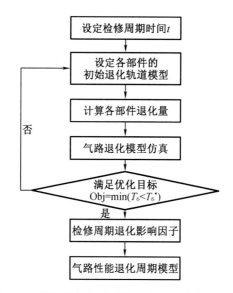

图 8.22　燃气轮机气路退化影响因子计算方法流程

　　对于三轴燃气轮机,运维手册中选择低压涡轮后排气温度 T_6 作为水洗的判别参数,因此本书以 T_6 到达给定的故障阈值作为目标,构建退化影响因子计算模型:

$$\mathrm{Obj} = \min\left(T_6 - T_6^*\right)$$

$$\mathrm{s.\,t.}\ \ A_{\delta\min} < A_\delta < A_{\delta\max},$$

$$B_{\delta\min} < B_\delta < B_{\delta\max},$$

$$k_{\min} < k < k_{\max},$$

$$A_{\gamma\min} < A_\gamma < A_{\gamma\max},$$

$$B_{\gamma\min} < B_\gamma < B_{\gamma\max} \tag{8.72}$$

式中, T_6 为到达检修周期终点时刻的排气温度, T_6^* 为给定的故障阈值, A_δ、B_δ、k、A_γ、B_γ 分别为不同退化的影响因子。结合检修周期长度与初始退化量等条件,优化求解到达阈值时燃气轮机气路退化影响因子,建立退化轨迹模型。

部件退化终点状态的计算公式如下。

$$\begin{cases} D_G(t_{end}) = 1 - \delta_G(t_{end}) - \theta_G(t_{end}) - \gamma_G(t_{end}) \\ D_\eta(t_{end}) = 1 - \delta_\eta(t_{end}) - \theta_\eta(t_{end}) - \gamma_\eta(t_{end}) \\ D_{\sigma_{CC}}(t_{end}) = 1 - \delta_{\sigma_{CC}}(t_{end}) - \theta_{\sigma_{CC}}(t_{end}) - \gamma_{\sigma_{CC}}(t_{end}) \end{cases} \tag{8.73}$$

式中，$D_*(t_{end})$ 为部件在检修周期终点的状态，$\delta_*(t_{end})$、$\vartheta_*(t_{end})$、$\gamma_*(t_{end})$ 为三种类型退化造成的退化量，可以分别通过上面给定的退化影响因子得到。

将检修周期终点状态代入建立的燃气轮机气路性能退化模型中，可以得到检修周期终点的低压涡轮后排气温度 T_6。依据式（8.69）建立的目标函数，采用 MATLAB 优化工具箱中的 fmincon 优化算法，得到满足条件的退化影响因子值。

8.5.5 燃气轮机气路退化仿真流程

在 MATLAB/Simulink 建模环境下，建立了船用三轴燃气轮机模型。燃气轮机气路退化仿真模型建模流程如图 8.23 所示。基于健康状态下的数学模型，通过 8.5.2 节介绍的燃气轮机气路性能退化的植入方法，向各个气路部件植入退化因子，建立燃气轮机气路部件退化模型。对于退化在退化周期内的变化过程，依据 8.5.3 节的退化轨道模型，分别对不同部件的退化过程进行退化轨道建模，植入部件的性能退化因子中，建立燃气轮机气路性能退化模型。

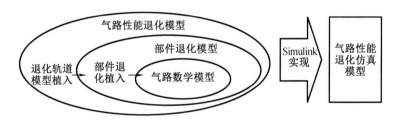

图 8.23 燃气轮机气路退化仿真模型建模流程

图 8.24 为 Simulink 环境下建立的燃气轮机气路退化仿真模型。

1. 燃气轮机部件退化模型设计

下面以低压压气机为例，介绍退化植入的方法。如图 8.25 所示，压气机部件特性通过插值法得到不同工作条件下的低压压气机流量和效率。HCQ、HCE 为植入的流量与效率退化因子，能够改变压气机特性参数，模拟由退化造成的压气机性能退化。对气路其他部件同样进行类似退化植入，建立了燃气轮机部件退化模型。

2. 燃气轮机部件退化轨道模型设计

下面以低压压气机为例，介绍退化周期轨道模型建模方法。本书建立的燃气轮机气路退化模型中，低压压气机受到可恢复退化、不可恢复退化和永久退化的影响。依据式（2.8）~式（2.10），建立的低压压气机退化轨道模型如图 8.26 所示。

通过改变退化轨道模型中退化因子 A_δ、B_δ、k、A_γ、B_γ 的值，模拟不同的退化过程，得到检修周期内各个时刻不同类型退化的退化量，分别计算低压压气机的流量退化因子与效率退化因子。

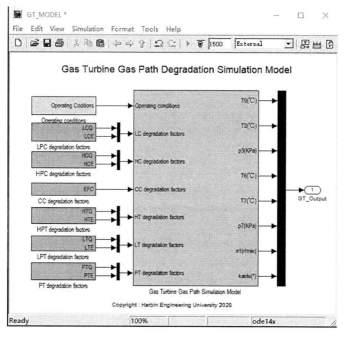

图 8.24　燃气轮机气路退化仿真模型

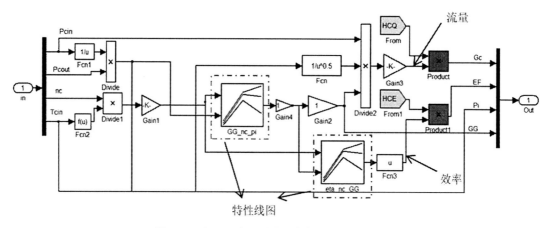

图 8.25　低压压气机流量、效率退化因子植入图

Clock 模块代表仿真时间,可以模拟检修周期时间 t,通过设置仿真时间可以确定检修周期的长度。退化轨道模型模拟了燃气轮机气路在检修周期内的退化规律。由于每台燃气轮机生产、装配及运行的过程不可能完全相同,因此每台燃气轮机退化轨道模型也存在差异。因此需要依据燃气轮机大修周期内退化过程的实际特点,在模型内增加随机项,以模拟实际条件下燃气轮机受温度、湿度、噪声、空气含盐量等多种不确定因素影响的特性。本书引入蒙特卡洛模拟仿真方法,来保证样本的随机性。蒙特卡洛是一种以概率统计理论和方法为基础的数值计算方法,也称为计算机随机模拟方法或者统计实验方法,应用的基础是随机变量的采样,即随机样本的生成,是分析复杂系统的有力工具。其优势在于它可以考虑很多真实的现象(比如燃气轮机运行中的各种不确定因素引起的同一状态下同一参数的不同测量值),而无须在建模或求解过程中引入额外的麻烦。本书选择标准分布法用

于生成标准分布型样本。

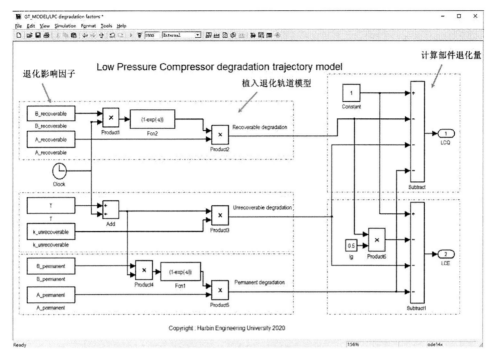

图 8.26　低压压气机退化轨道模型

3. 燃气轮机退化仿真流程

图 8.27 为燃气轮机气路性能退化数据生成流程。为了构造具有足够随机性的退化数据样本,可按照以下步骤进行大修周期燃气轮机退化数据的生成。

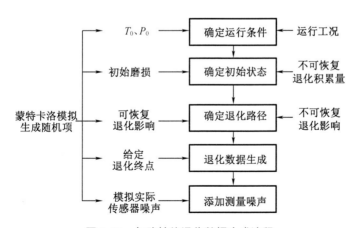

图 8.27　气路性能退化数据生成流程

步骤 1:确定运行条件。

(1)检修周期设定

本节以一组检修周期计算为例,假设某一组停机大修周期 $T = 20\ 000$ h,检修周期个数 $n = 20$ 个,设定初始检修周期 t_{i0} 均为 1 000 h。

使用 MATLAB 优化工具箱中的 fmincon 优化函数,按照约束条件求解检修周期的长度。经过 100 次迭代过程,得到 20 组检修周期结果,计算过程结果如图 8.28 所示。根据该方法,求解出 30 个大修周期内的检修周期值,得到 600 组检修周期长度,用于后续燃气轮机检修周期性能退化数据仿真。使用箱线图绘制检修周期结果,对比周期的分布情况,如图 8.29 所示。可以看到求解得到的检修周期结果服从约束条件,总体呈下降规律,但是由于包含随机项影响,有部分检修周期长度大于前一段检修周期,也反映了燃气轮机退化过程的不确定性。

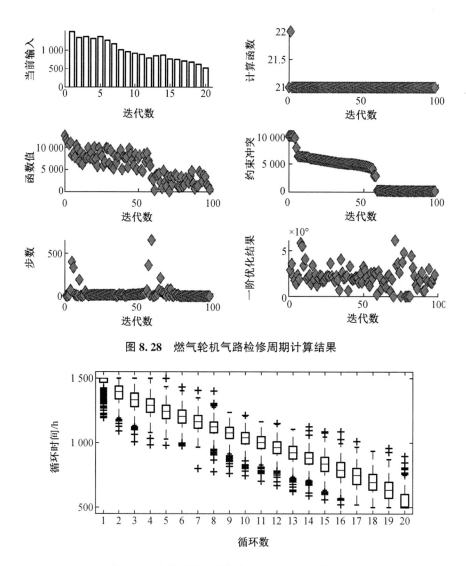

图 8.28　燃气轮机气路检修周期计算结果

图 8.29　大修周期内燃气轮机检修周期计算结果

(2)工况分布特性

由于船舶航行任务的需要,燃气轮机不可能一直稳定在一个工况下运行,工况的变化对监测参数和退化速率均会造成影响。因此,在退化数据集的仿真过程中,本书结合船用燃气轮机实际运行条件来进行模拟。以燃气轮机为主要动力的船舶在 2 000 h 内航速分布结果,如表 8.9 所示。可以看出,船舶 90% 的时间是在中低航速运行。

依据这一统计规律,本书定义燃气轮机的主要运行工况为0.9工况、0.8工况、0.7工况和0.6工况四个工况,这四个工况在每个退化周期内的占比分别为0.6工况(为巡航工况)占比60%,0.7工况占比30%,0.8工况与0.9工况合计占比10%。

表8.9 运行工况统计

航行时间/h	航速/(kn·h⁻¹)	所占比例/%
1 200	17~18	60
600	20~22	30
120	26~27	6
60	最大速度连续运行	4
20	最大速度	

注:1 kn=1.852 km。

(3)环境温度影响

对于船用燃气轮机,由于长期在海面上运行,空气的湿度、含盐量较高,而且随着季节、纬度等因素的改变,环境温度也会随之变化。环境温度的变化会对燃气轮机的退化造成影响。

图8.30为10月份我国东海一个星期内的大气环境温度数据,体现了环境温度的周期性变化规律。结合文献中给出的一年内温度平均值的变化曲线,并加入一定的随机噪声,从而实现了一年内工作海域环境温度的模拟,如图8.31所示。

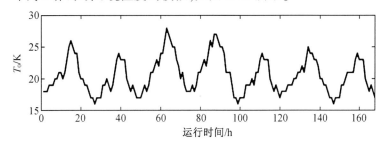

图8.30 一个星期内的大气温度数据

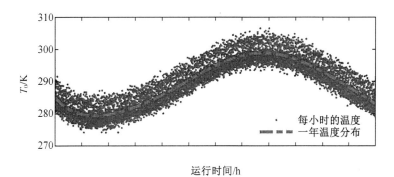

图8.31 一年内的大气温度模拟数据

步骤2:确定初始状态。

受到材料属性、装配制造等工艺过程的影响,且由于存在初始磨损等因素,燃气轮机在第一次运行时不可能100%发挥性能。因此,在开展气路退化仿真时,通过设置不同的初始状态值来模拟初始条件的影响,如表8.10所示,本书给出定义初始磨损量的范围如下:

$$w \in [0.99,1] \tag{8.74}$$

表8.10 初始磨损量

部件性能	初始磨损量/%
低压压气机效率	−0.62
低压压气机流量	−1.01
高压涡轮效率	−0.48
高压涡轮流量	+0.08
低压涡轮效率	−0.10
低压涡轮流量	+0.08

同时,燃气轮机的初始状态可能是经过一次或多次停机检修后的状态。因次,受到不可恢复退化和永久退化的影响,不同检修周期的燃气轮机气路性能初始状态之间会有较大的差异。此时的初始状态 w_0 为

$$w_0 = 1 - \delta_0 - \theta_0 + w + \sigma_0 \tag{8.75}$$

式中,δ_0 为初始不可恢复退化量,θ_0 为初始永久退化量,w 为初始磨损量,σ_0 为随机噪声。

步骤3:确定退化路径。

目前的文献大多假定燃气轮机在检修周期内沿着相似的退化轨道变化,但是对于具体每台燃气轮机的具体退化路径,会受到多方面因素的影响。例如,航行区域环境温度的变化,以及实际航行任务导致运行工况的随机变化,都会对退化的速度产生影响,因此实际中每台燃气轮机的退化轨道都是不同的。

退化轨道模型的影响因子的获取方法在8.5.2节已介绍。下面通过蒙特卡洛方法向退化轨道模型中植入标准分布样本,模拟不同燃气轮机在不同条件下的退化轨道,从而获取足够多并且具有随机性的样本。图8.32为依据8.5.2节求解出由20个检修周期组成的大修周期内低压压气机可恢复退化的退化影响因子结果。可以看到,A_δ 是与退化量有关的常数,由于不可恢复退化与永久退化不断累积,检修周期逐渐变短,A_δ 不断降低。而 B_δ 主要影响可恢复退化的速率,在检修周期内随机变化。因此,8.5.2节提出的退化影响因子计算模型确定退化轨道能够表征出不同检修周期燃气轮机气路性能退化的变化这一特点。

步骤4:退化数据生成。

检修周期气路性能退化数据仿真的关键在于定义退化的终点,即定义燃气轮机的性能退化到无法接受的状态。由于低压涡轮后排气温度 T_6 是最容易观测且能够反映燃气轮机状态的敏感参数,能够反映热端部件工作状态。因此,本书以设计工况1.0工况下,低压涡轮后排气温度 T_6 到达阈值定义为功能失效状态。非设计工况的阈值,则是用设计工况不可

接受状态时气路部件性能,计算出非设计工况下低压涡轮后排气温度作为阈值。

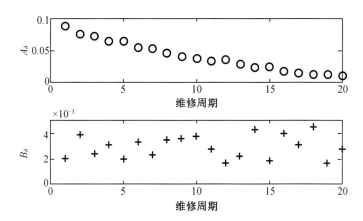

图8.32 20个检修周期的可恢复退化影响因子

步骤5:添加测量噪声。

燃气轮机气路部件的传感器常常处于高温、高压及强电磁干扰的环境下,因此由传感器获得的监测参数会存在一定程度的噪声干扰。为了模拟这部分因素的影响,本书将在退化模型仿真得到数据后,再在各个监测参数的数据上加上一定的随机测量噪声,以模拟实际传感器的状态。

假设燃气轮机各测量参数传感器噪声为零均值高斯噪声,通过与实船数据进行状态对比,找到同一状态下不同测量参数的变化范围(最大值与最小值之差)和方差,再对相同的仿真模型中的参数植入对应的噪声。仿真模型中各个传感器的噪声如表8.11所示,共包括压力、温度、转速等7个测量参数。其中,为 $N(0,1)$ 表示均值为0、方差为1的标准高斯分布。

依据上述步骤,本书既模拟了实际燃气轮机的运行特点及退化规律,也实现了足够丰富的燃气轮机退化周期数据获取,对于基于数据驱动的燃气轮机预测算法的发展有重要的意义。

表8.11 实船数据特点及仿真模型噪声值入

测量参数	符号	变化范围	方差	植入噪声类型
低压压气机出口空气压力/MPa	p_2	0.001	1.774e-03	$N(0,1.774\text{e-}03)$
高压压气机出口空气压力/MPa	p_3	0.007	1.099 1e-03	$N(0,1.099\ 1\text{e-}03)$
低压涡轮后燃气压力/MPa	p_6	0.002	0.059 247	$N(0,0.059\ 247)$
低压涡轮后燃气温度/K	T_6	5	9.187 5e-04	$N(0,9.187\ 5\text{e-}04)$
油门开度/(°)	α	0.1	1.051 4e-05	$N(0,1.051\ 4\text{e-}05)$
高压转子转速/(r·min^{-1})	N_1	30	3.586 2e-04	$N(0,3.586\ 2\text{e-}04)$
低压转子转速/(r·min^{-1})	N_2	40	9.015e-04	$N(0,9.015\text{e-}04)$

8.5.6 检修周期气路性能退化模型验证

下面以某船用三轴燃气轮机在设计工况下 625 h 盐雾积垢实验数据验证本书提出的退化影响因子计算方法的有效性。

首先，定义检修周期长度 $t=625$ h。

其次，确定部件退化影响因子。由于在检修周期内可恢复退化是影响燃气轮机气路性能的主要因素，而不可恢复退化与永久退化的退化量非常小，因此不可恢复退化因子 k 与永久退化因子 A_γ、B_γ 的值非常小。为了简化退化仿真模型，本书做出以下假设：不可恢复退化因子 k 与永久退化因子 A_γ、B_γ 在检修周期内为定值，受不可恢复退化与永久退化影响且对影响的部件影响量相同。不可恢复退化与永久退化的影响在大修周期内会一直存在并累积。根据以上假设，则本次实验周期内不可恢复退化与永久退化的退化轨道模型定义为

$$\theta(t) = 0.000\,000\,5 \cdot (t+T_1), \quad 0<t<t_2$$
$$\gamma(t) = 0.001\,8 \cdot (1-e^{-0.001\,44 \cdot (t+T_1)}), \quad 0<t<t_2 \tag{8.76}$$

由于为台架实验，假定初始的不可恢复为 0，因此在检修周期内，定义低压压气机可恢复退化的退化轨道模型为

$$\delta(t) = A_\delta(1-e^{-B_\delta t}), \quad 0<t<t_2 \tag{8.77}$$

可恢复退化影响因子 A_δ、B_δ 需要通过 8.5.2 节建模方法确定。使用 MATLAB 优化工具箱中的 fmincon 优化函数求解退化影响因子的值。退化影响因子值迭代优化流程如图 8.33 所示。由于优化的参数有两个，因此需经过 8 次迭代，得到左上角退化影响因子结果。本次实验周期内可恢复退化的退化影响因子 $A_\delta=0.082\,5$，$B_\delta=0.004\,7$。

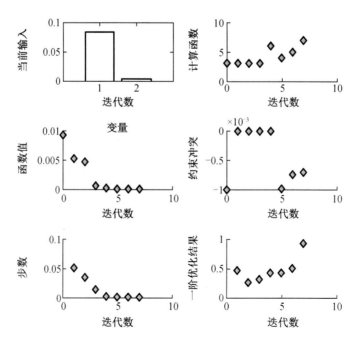

图 8.33 低压压气机可恢复退化影响因子计算结果

该组检修周期内植入的部件退化影响因子如表 8.12 所示。

表 8.12 部件退化影响因子

受影响的部件	低压压气机		高压压气机		燃烧室
	流量	效率	流量	效率	总压恢复系数
A_δ	0.082 5	0.041 25	0	0	0
B_δ	0.004 7	0.004 7	0	0	0
k	0.000 000 5	0.000 000 5	0	0	0
A_γ	0.001 8	0.000 9	0.001 8	0.000 9	0.001 8
B_γ	0.001 44	0.001 44	0.001 44	0.001 44	0.001 44

受影响的部件	高压涡轮		低压涡轮		动力涡轮	
	流量	效率	流量	效率	流量	效率
A_δ	0	0	0	0	0	0
B_δ	0	0	0	0	0	0
k	0	0.000 000 5	0	0.000 000 5	0	0.000 000 5
A_γ	0.001 8	0.000 9	0.001 8	0.000 9	0.001 8	0.000 9
B_γ	0.001 44	0.001 44	0.001 44	0.001 44	0.001 44	0.001 44

依据退化影响因子值与退化仿真流程,进行 625 h 检修周期退化仿真。如图 8.34 所示为退化模型仿真结果与实验数据比较图。

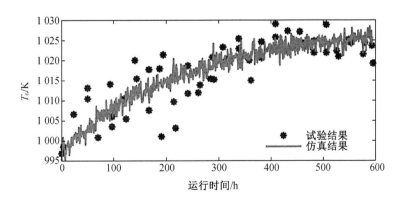

图 8.34 退化模型仿真结果与实验数据比较

可以看出,T_6 的仿真结果与实验数据具有相同的退化趋势,均方误差为 0.399 2,表明本书提出的船用燃气轮机气路性能退化仿真方法是可行和有效的。

8.5.7 燃气轮机大修周期退化数据集

图 8.35 为燃气轮机大修周期退化数据集的具体构建流程。本书开展了 600 组检修周

期内船用燃气轮机气路退化仿真,形成了设计工况气路性能退化数据集、变工况气路性能退化数据集、带有随机故障的气路性能退化数据集组成的船用燃气轮机气路性能退化数据集。

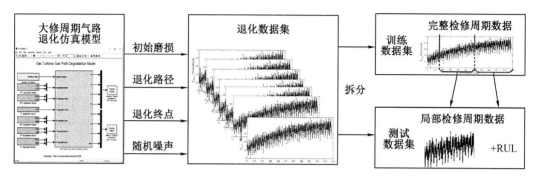

图 8.35　燃气轮机大修周期退化数据集构建流程

三个数据集模拟包含多台燃气轮机由出厂至大修周期,包含多组检修周期,每组数据代表燃气轮机在一次检修周期内的气路性能退化过程。为了满足燃气轮机故障诊断、预测及健康管理技术研究需求,每个数据集中包括训练集与测试集。训练集记录了燃气轮机在检修周期内由健康状态运行至故障状态的数据;而测试集燃气轮机的初末状态在检修周期内的位置进行了随机裁剪,给定剩余使用寿命值。

每组大修周期退化数据依据检修周期分割,并打乱分配到训练集与测试集中,以增加数据的不规律性。通过燃气轮机运行工况、环境温度和环境压力,模拟燃气轮机在不同条件下的仿真结果,表 8.13 为三组数据集。

表 8.13　燃气轮机退化数据集介绍

编号	组数	工况	环境条件	含义
GT1	100 组训练集 100 组测试集	设计工况 1.0	标准环境温度压力	模拟台架试车
GT2	100 组训练集 100 组测试集	0.6 工况、0.7 工况、 0.8 工况、0.9 工况	变环境温度 定环境压力	模拟实际环境
GT3	100 组训练集 100 组测试集	0.6 工况、0.7 工况、 0.8 工况、0.9 工况	变环境温度 定环境压力	模拟实际环境与 随机部件性能退化

下面对各个数据集的部分仿真结果进行分析。

1. 设计工况燃气轮机气路性能退化数据集 GT1

数据集 GT1 由 100 组训练数据和 100 组测试数据构成,由 20 台燃气轮机的大修周期退化数据组成。200 组检修周期数据打乱分配到训练集与测试集中,以增加数据的不规律性。数据集 GT1 燃气轮机的运行条件为设计工况 1.0,环境温度与环境压力分别为 288.15 K 和 101 325 kPa,模拟燃气轮机陆上台架试车情景。

将数据集 GT1 的 100 组训练数据集可视化,在图 8.36 中显示部分监测参数,可以看出:

(1)每组退化数据的起始点均不同,检修的终点也不一致。检修周期的长度大致为 600~1 600 h,体现出在不同检修周期的起点,不可恢复退化与永久退化的累积效应造成初始状态不同产生的影响。

(2)在检修周期内,曲线的趋势大致呈指数型规律,体现出在检修周期内影响性能的主要因素是盐雾积垢故障造成的可恢复退化。

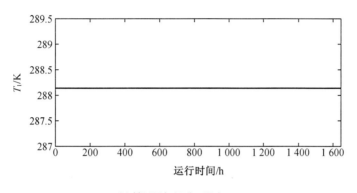

(a)低压压气机进口温度 T_1

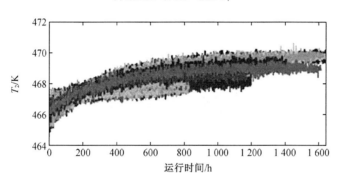

(b)高压压气机进口温度 T_2

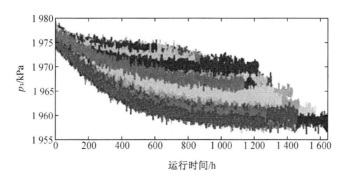

(c)高压压气机出口压力 p_3

图 8.36 数据集 GT1 部分参数展示

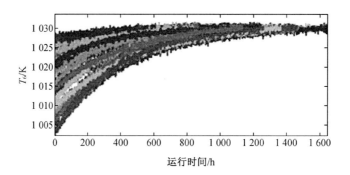

(d) 低压涡轮排气温度 T_6

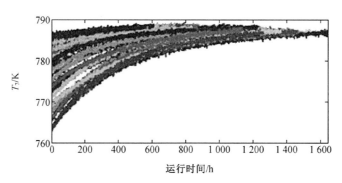

(e) 动力涡轮排气温度 T_7

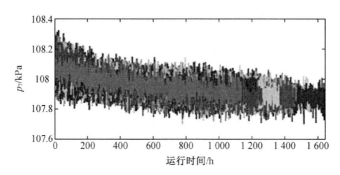

(f) 动力涡轮排气压力 p_7

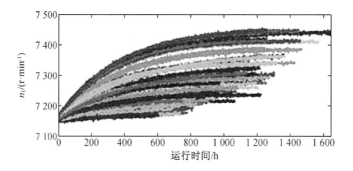

(g) 高压涡轮转速 n_1

图 8.36(续 1)

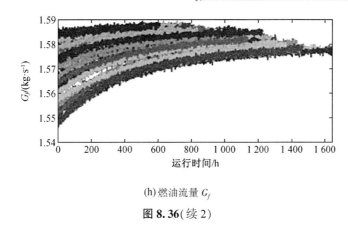

(h)燃油流量 G_f

图 8.36(续 2)

（3）各个参数的退化趋势差异较大,体现出不同参数对退化敏感性不同,对退化速率的影响也有较大差别。

（4）存在部分参数在检修内为定值,如低压压气机进口空气温度 T_1,这部分参数表征燃气轮机运行环境参数,不反映燃气轮机的退化规律,在研究燃气轮机性能退化时应作为环境参数进行处理。

以 T_6 和 n_1 为例,取数据集 GT1 前 5 000 h 的数据进行趋势分析,如图 8.37 和图 8.38 所示。可以看到,参数在检修期内均受到一定程度的噪声影响。以上特征均验证了 8.5.4 节植入的预设条件,本组数据集符合大修周期气路性能退化的特点。在 5 000 h 内包含 5 个检修周期,每个周期长度与每个周期的起点均不相同,体现了不可恢复退化与永久退化对气路性能初始状态的影响。

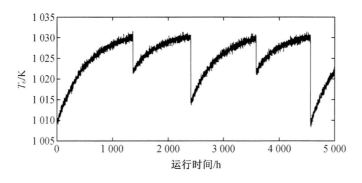

图 8.37　T_6 在 5 000 h 内轨迹

2. 变工况燃气轮机气路性能退化数据集 GT2

数据集 GT2 由 100 组训练数据和 100 组测试数据构成。数据集 GT2 的燃气轮机工作在变功率、变环境温度条件下,模拟燃气轮机在海洋执行实际工作任务的仿真结果,环境温度和运行工况的变化依据 8.5.5 节介绍的方法来模拟。

比较 T_6 与 n_1 可以看出,不可恢复退化与永久退化对 T_6 的影响较大,因此 T_6 的初始状态差异较大,而 n_1 对这两类退化并不敏感,初始状态受到的影响较小,体现出不同参数对不同类型退化敏感性不同的特点。

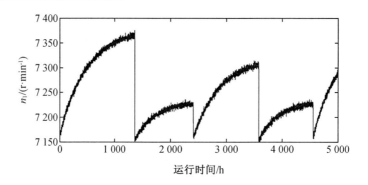

图 8.38 n_1 在 5 000 h 内轨迹

取数据集 GT2 的某一组燃气轮机检修数据进行分析,图 8.39 为这组数据在检修期内,环境温度 T_0 的变化曲线图,图 8.40 为图 8.39 局部放大图。局部放大图呈现出每 24 h 的周期性变化,满足实际条件下环境温度的变化规律。

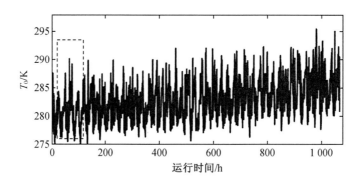

图 8.39 数据集 GT2 环境温度变化图

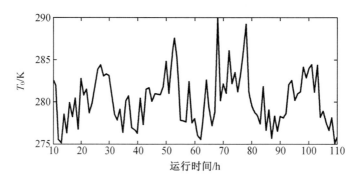

图 8.40 数据集 GT2 环境温度局部放大图

文中的仿真数据集数据为小时级数据,为了简化模型,假设每小时内不发生工况的变化,但每小时燃气轮机所处的工况随机。图 8.41 显示的运行工况分布满足 8.5.5 节工况分布占比的要求,同时也看到四种工况的分布具有一定的随机性。

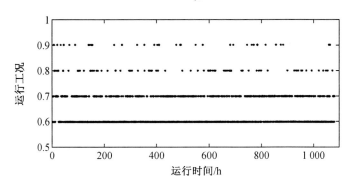

图 8.41　数据集 GT2 工况参数图

图 8.42 为参数 T_6 在 0.6 工况下的运行数据,图 8.43 为图 8.42 局部放大图。由局部放大图可以看到在同一工况下,短时间内环境温度是造成参数值波动的主要因素。图 8.44 为该组数据的 T_6 在周期内的变化图,可以看出 T_6 在周期内受工况随机变化的影响,各工况的数据互相交叉使得气路整体的退化规律难以识别,给后续状态预测研究带来很大的挑战。

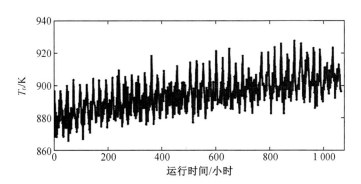

图 8.42　0.6 工况下 T_6 在周期内的变化图

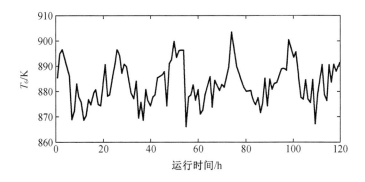

图 8.43　0.6 工况下 T_6 局部放大图

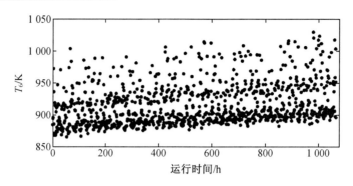

图 8.44　多工况条件 T_6 在周期内的变化图

3. 带有随机故障的燃气轮机气路性能退化数据集 GT3

数据集 GT3 由 100 组训练数据和 100 组测试数据构成。数据集 GT3 的燃气轮机运行条件与数据集 GT2 类似,均为变工况条件,但是在模拟的运行过程中加入了随机故障,会导致燃气轮机某部件的退化因子值突增,降低燃气轮机的可靠运行时间,即剩余使用寿命。在数据集 GT3 中,随机故障是否发生、发生突发故障的时间均不确定。通过这种方式可模拟实际故障的发生条件,并增加退化数据的不确定性。

图 8.45 为数据集 GT3 的某一组燃气轮机参数 T_6 的检修数据,突发故障发生在 370 h。但是由于处于多工况条件下,无法有效区分突发故障与工况变化。这也从另一个角度反映了实际运行条件下健康管理工作的复杂性。图 8.46 为对该组数据进行预处理后的结果,通过预处理一定程度上减小了工况的影响,有助于辨别突发故障。

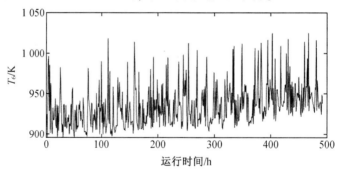

图 8.45　突发故障条件 T_6 在周期内的变化图

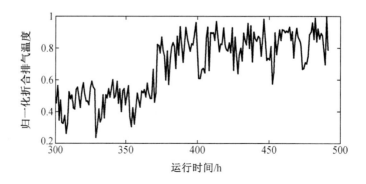

图 8.46　突发故障条件 T_{6cor} 在周期内的变化图

本书建立的船用燃气轮机气路性能退化数据集与目前在两机(航空发动机和燃气轮机)领域广泛使用 NASA 提供的 C-MAPSS 数据集的比较结果,如表 8.14 所示。

比较两个数据集可知:

(1)船用燃气轮机相比航空发动机使用时间长。因此本书建立的燃气轮机性能退化数据训练集周期相比 C-MAPSS 训练集的运行时间长,对应燃气轮机性能退化测试集测试的剩余使用寿命范围也比 C-MAPSS 测试集大。

(2)船用燃气轮机退化数据集考虑的运行负荷条件更加复杂,虽然功率调节范围较小,但是环境温度条件更复杂,增加了工况条件的复杂性。

(3)船用燃气轮机退化数据集针对气路性能退化的同时,增加了突发故障的影响,拓展了数据集的应用范围。

表 8.14 数据集比较

	船用燃气轮机气路性能退化数据集	C-MAPSS 数据集
研究对象	船用三轴燃气轮机	涡扇发动机
数据集数量	GT1:100 组训练集,100 组测试集 GT2:100 组训练集,100 组测试集 GT3:100 组训练集,100 组测试集	FD001:100 组训练集,100 组测试集 FD002:260 组训练集,259 组测试集 FD003:100 组训练集,100 组测试集 FD004:249 组训练集,248 组测试集
工况种类	4 种功率×变环境温度	4 种工况组合
最大训练集周期	1 490 h	543 h
最大测试集剩余使用寿命	711 h	195 h
研究的问题	单工况×气路整体退化 多工况×气路整体退化 多工况×气路整体退化×突发故障	单工况×单故障 多工况×单故障 单工况×多故障 多工况×多故障

第9章　燃气轮机气路健康状态评估方法

　　船用燃气轮机结构复杂,工作环境恶劣,一旦发生故障,会造成重大安全事故和经济损失。传统定期维修和事后维修的保障模式会造成船用燃气轮机维修不足或资源过度浪费,已经无法满足我国船舶动力装备保障能力需求。面对新时代任务需求,基于状态的船用燃气轮机运维保障成为研究热点,通过实时监测船用燃气轮机当前运行状态,评估性能退化程度,并预测其未来运行状态的变化趋势,及时制定维修时间和具体维修内容,为燃气轮机"量身定做"维修方案及策略,有助于提高船用燃气轮机运行的可靠性、安全性和经济性,保障船舶远航任务的成功率。

　　状态评估及预测是实现基于状态运维保障的核心技术,也是当前智能船舶研究的重点。美国海军的综合状态评估系统(integrated condition assessment System, ICAS),采用船载和远程架构实现了船队运维保障和任务优化,已列装所有现役舰船一级、二级系统,在提升装备效能和任务完成能力方面取得了显著效果。其中,燃气轮机状态评估功能包括两部分:IMPACT 公司开发的"波塞冬"系统,实现了 LM2500 燃气轮机热力性能状态评估;Woodward 公司开发的振动监测模块,则实现了燃气轮机机械状态的评估。相关资料表明,ICAS 应用于燃气轮机运维保障后,大修周期间隔增加了近 5 倍,平均维护费用每年节省6.5 万美元,每年总维修费用节省41%。美国 GE 公司、英国罗罗公司、挪威康斯伯格公司及德国 MTU 公司等研发机构在船舶发动机健康状态评估、故障诊断、故障预测及智能维护方面开展了大量研究工作,已开发出相关产品,在提高设备可用性,减少意外停机时间,延长客户维护间隔上效果明显。

　　近年来,我国在船舶健康管理、智能运维研究方面取得了长足进步,如"大智"船安装了我国自主研发的全球首个可自主学习的船舶智能运行与维护系统,实现了机舱健康管理、智能航线优化和智能能效管理,可根据海上风浪情况和洋流情况合理选择最节约能耗的航线进行航行。随着相关智能机舱系统的应用,主机状态评估与预测方法得到广泛研究,其难点主要在于掌握退化规律、科学评估发动机运行状态、及早发现微弱故障、精确预测退化趋势及制定运维策略等。

9.1　健康状态定义

　　长期以来,动力装置仅采用事后维修和定期检修这两种维修策略。事后维修是在设备发生故障后再对其进行维修,这种维修方式通常会产生不必要的经济损失;定期维修能够达到较好的维修效果,但会造成"维修不足"或"维修过剩",浪费大量的人力物力,可靠性不足。为克服这种矛盾,"状态维修"开始被广泛使用。基于状态的维修(condition-based maintenance,CBM)是一种新型的维修方式,它通过对动力装置的工作状态进行实时监测并分析,预测装置可能发生的故障,及时制订合理的维修方案,提高了动力装置运行的可靠性和安全性。

"健康"一词来源于生物学,表示生物机体的功能水平。世界卫生组织(WHO)对健康的定义:健康不是没有疾病或不虚弱,而是身体的、精神的健康和社会幸福的完满状态。WHO定义的健康状态是一种理想状态。如果黑色代表死亡,白色代表健康状态,则在二者之间存在灰色区域。类似的,设备的健康状态可以表现设备现今所处的状态,体现设备完成预期任务的能力,黑色表示设备处于瘫痪状态,白色表示设备处于完美状态。掌握设备运行状态的异常情况,可以及时更换失效的零部件,避免重大事故的发生,方便指导维修人员制订合理的维修计划,实现即时有效的维修,保证系统的正常运行。

随着技术的发展,该含义被应用于工程领域。在此基础上动力装置健康状态评估的综合性指标——健康状态(即健康度)被提出。近年来,众多国内外研究学者对系统健康状态和运载工具综合健康管理(IVHM)进行研究和定义,以降低事故发生率,减少经济损失和危及工作人员人身安全的可能性。但截至目前,还没有一致甚至普遍认可的IVHM和健康状态的定义。系统健康状态的好坏体现了其能否满足既定任务的能力,良好的健康状态是系统保持和发挥能力的重要保证,所以明确健康状态的概念刻不容缓。从健康状态的角度出发,对燃气轮机进行状态评估具有如下意义:

(1)可了解设备的健康状态,避免造成财产损失甚至人员伤亡;

(2)可找出设备存在的隐患,及时制订适当的维修方案,方便维修人员进行维修,保证燃气轮机的正常运行;

(3)健康状态评估可以进行实时监测,对设备的健康状态有更好的了解,避免出现维修不足或维修过剩的现象,节省大量人力和物力。

本章将系统健康状态定义为:在规定的条件和时间内,系统稳定、持续完成预定功能的能力。其外在表现形式是系统、子系统或部件相对于其正常状态偏离的程度,可以通过系统参数的偏差来量化表征。本章研究了船用燃气轮机的层次评估架构,分别建立了燃气轮机热力参数模糊健康度模型和设备级运行状态评估模型,实现船用燃气轮机运行状态的定量化评估。

9.2 燃气轮机层次评估架构

层次分析法是一种结合定性分析和定量分析,将研究对象、目标问题简单化,划分为多个层次的方法。以柴燃联合动力装置为例,按工作机制,可将其划分为参数级、设备级、模块级和装置级共4个层次,柴燃联合运力装置层次评估架构如图9.1所示。

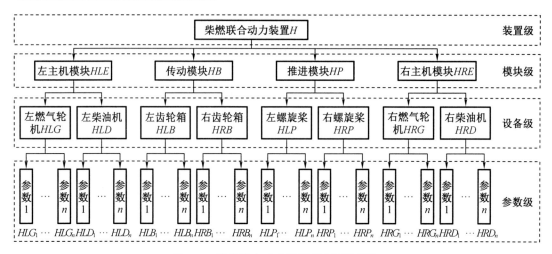

图9.1 柴燃联合动力装置层次评估架构

图9.1中,柴燃联合动力装置运行状态评估是按参数级、设备级、模块级、装置级评估的顺序得到实现的。柴燃联合动力装置装置级状态是由左主机模块、传动模块、推进模块和右主机模块组成的模块级状态的综合体现。模块级的运行状态由相对应的设备运行状态综合计算。设备级状态则由对应设备的监测参数状态所体现。

在上述层次架构下,船用燃气轮机共划分参数级和设备级两个层次。考虑到实船上燃气轮机的监测参数主要为热力参数,本书主要研究燃气轮机的热力性能评估,评估参数如表9.1所示。

表9.1 船用燃气轮机评估参数表

符号表示	含义	符号表示	含义
p_2	低压压气机出口压力	T_7	动力涡轮出口温度
p_3	高压压气机出口压力	n_1	低压压气机-低压涡轮转速
p_6	低压涡轮出口压力	n_2	高压压气机-高压涡轮转速
T_6	低压涡轮出口温度	G_f	燃油流量

因此,为实现船用燃气轮机层次评估,需要解决两个关键问题:参数级状态的评估和各级权重的确定。

9.3 基于模糊的参数健康度模型

本书引入健康度,用以量化表示设备运行状态,定义其为相较于预期正常状态偏离或者退化的程度。因此,参数级状态评估问题就转换为参数级健康度的计算问题。针对该问题,本书利用核密度估计法与模糊隶属函数法相结合,建立热力参数模糊健康度模型,实现船用燃气轮机参数级状态评估,具体流程如图9.2所示,主要包括以下3个步骤。

步骤1:以船用燃气轮机输出转速作为输入,利用最小二乘法中的单变量线性模型和单变量非线性模型建立燃气轮机热力参数的健康基准模型,为后续参数级评估中变化率的计算提供健康基准值。

步骤2:选定适合表示船燃气轮机各热力参数和评估状态之间关系的模糊隶属函数,将参数变化率转化为0到1之间的数,实现参数状态的定量化,便于直观显示燃气轮机各参数的状态。

步骤3:利用核密度估计法对典型退化模式下相对于热力参数健康基准值的变化率进行统计,选定置信区间,以确定燃气轮机各评估参数的模糊健康度模型,实现参数级状态评估。

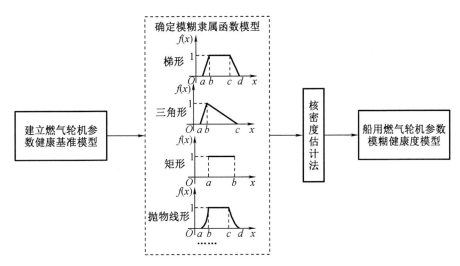

图9.2 基于模糊的参数级评估方法流程

9.3.1 基于最小二乘法的参数健康基准模型

本书状态评估方法的研究主要考虑船用燃气轮机的稳态工况,以燃气轮机输出转速作为工况划分,利用最小二乘法建立参数健康基准模型,以确定各评估参数对应工况下的健康基准值。

最小二乘法算法模型可以分为两大类,即单变量模型和多变量模型,每一类又可以分为线性模型和非线性模型。本书以燃气轮机输出转速为因变量,作为模型输入,因此主要对单变量线性模型和单变量非线性模型的建模方法进行具体介绍。单变量模型是指运用单一变量或变量特征,建立与船用燃气轮机输出转速变化相关的线性或非线性单变量动态模型,用于确定燃气轮机健康状态下各评估参数健康基准值。

1. 单变量模型线性模型

$$y = \beta_0 + \beta_1 x + \varepsilon \tag{9.1}$$

式中,β_0、β_1 为未知参数,β_0 为回归参数,β_1 为回归系数;y 为被解释变量(因变量),而 x 是可以测量的一般变量,称为解释变量(自变量);ε 是随机误差,对随机误差项常假定

$$\begin{cases} E(\varepsilon)=0 \\ \mathrm{var}(\varepsilon)=\delta^2 \end{cases} \tag{9.2}$$

对于船用燃气轮机的状态监测,如果获得 n 组观测数据 (x_i, y_i),$i=1,2,\cdots,n$,则线性回归模型可表示为

$$\begin{cases} y_1=\beta_0+\beta_1 x_1+\varepsilon_1 \\ y_2=\beta_0+\beta_1 x_2+\varepsilon_2 \\ \vdots \\ y_n=\beta_0+\beta_1 x_n+\varepsilon_n \end{cases} \tag{9.3}$$

利用最小二乘法估计模型的未知参数,设

$$\hat{\beta}=[\hat{\beta}_0,\hat{\beta}_1,\hat{\beta}_2,\cdots,\hat{\beta}_p]' \tag{9.4}$$

为参数的 β 的最小二乘估计,则线性回归方程为

$$\hat{y}=\hat{\beta}_0+\hat{\beta}_1 x \tag{9.5}$$

由最小二乘法估计原理,$\hat{\beta}$ 应使全部观察值与回归值 $\hat{y}_i$ 的残差平方和 Q 达到最小,其中 Q 的计算公式如下:

$$Q=\sum_{i=1}^{n}(y_i-\hat{y}_i)^2=\sum_{i=1}^{n}(y_i-\hat{\beta}_0-\hat{\beta}_1 x)^2 \tag{9.6}$$

2. 单变量非线性模型

$$y=\beta_0+\beta_1 x+\beta_2 x^2+\cdots+\beta_p x^p+\varepsilon \tag{9.7}$$

式中,p 为系统阶数,β_0,β_1,β_2,$\cdots$,β_p 为 $p+1$ 个未知参数,β_0 为回归常数,β_1,β_2,$\cdots$,β_p 为回归系数,y 称为被解释变量(因变量),ε 是随机误差。

如果已知 n 组观测数据 $(x_i^1, x_i^2,\cdots,x_i^p; y_i)$,$i=1,2,\cdots,n$,则非线性回归模型可表示为

$$\begin{cases} y_1=\beta_0+\beta_1 x_1^1+\beta_2 x_1^2+\cdots+\beta_p x_1^p+\varepsilon_1 \\ y_2=\beta_0+\beta_1 x_2^1+\beta_2 x_2^2+\cdots+\beta_p x_2^p+\varepsilon_2 \\ \vdots \\ y_n=\beta_0+\beta_1 x_n^1+\beta_2 x_n^2+\cdots+\beta_p x_n^p+\varepsilon_n \end{cases} \tag{9.8}$$

设参数 β 的最小二乘估计为

$$\hat{\beta}=[\hat{\beta}_0,\hat{\beta}_1,\hat{\beta}_2,\cdots,\hat{\beta}_p]' \tag{9.9}$$

则非线性回归方程为

$$\hat{y}=\hat{\beta}_0+\hat{\beta}_1 x^1+\hat{\beta}_2 x^2+\cdots+\hat{\beta}_p x^p \tag{9.10}$$

由最小二乘法估计原理,$\hat{\beta}$ 应使全部观察值与回归值 $\hat{y}_i$ 的残差平方 Q 达到最小,其中 Q 的计算公式如下:

$$Q=\sum_{i=1}^{n}(y_i-\hat{y}_i)^2=\sum_{i=1}^{n}(y_i-\hat{\beta}_0-\hat{\beta}_1 x^1-\hat{\beta}_2 x^2-\cdots-\hat{\beta}_p x^p)^2 \tag{9.11}$$

以低压压气机出口压力和低压涡轮出口压力为例,根据船用三轴燃气轮机退化仿真模型进行健康状态下的参数仿真,得到其健康基准值数据;利用单变量最小二乘法建立燃气

轮机低压压气机出口压力 p_2 和低压涡轮出口压力 p_6 的健康基准模型,如图9.3和图9.4所示。横坐标为燃气轮机输出转速的当量值,纵坐标为热力参数健康基准值的当量值。

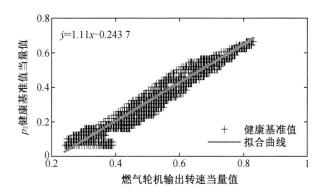

图 9.3　低压压气机出口压力健康基准模型

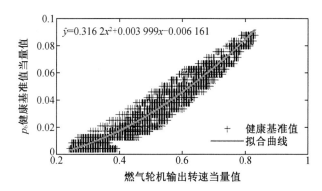

图 9.4　低压涡轮出口压力健康基准模型

图9.3中低压压气机出口压力 p_2 的健康基准模型为线性模型,其估计值与真实值的均方误差为0.025 08。图9.4中低压涡轮出口压力 p_6 的健康基准模型为非线性二次模型,其估计值与真实值的均方误差为0.003 3。结果表明,利用单变量最小二乘法建立的模型能够满足燃气轮机参数健康基准模型对精度的要求,且通过燃气轮机各参数的健康基准模型,可以实现稳态运行工况下参数健康基准值的获取,为后续评估方法研究中评估参数变化率的获取提供标准。基于此,当已知任意时刻参数监测数据时,都可以求取当前时刻该参数的变化率。

9.3.2　评估参数模糊隶属函数

模糊隶属函数是燃气轮机运行状态评估的基础,将变化趋势和变化程度不同的参数进行标准化,转化为0到1之间的数,实现燃气轮机参数级的状态评估。典型模糊隶属函数类型主要有梯形、三角形、矩形、 k 次抛物线形等,其各区间函数值及曲线图如表9.2所示。

表 9.2 典型模糊隶属函数形式

模糊隶属函数类型	函数值 $f(x)$	x 取值范围	函数曲线图
梯形	0	$(-\infty, a)\&[d, +\infty]$	
	$\dfrac{x-a}{b-a}$	$[a, b)$	
	1	$[b, c)$	
	$\dfrac{d-x}{d-c}$	$[c, d)$	
三角形	0	$(-\infty, a)\&[c, +\infty]$	
	$\dfrac{x-a}{b-a}$	$[a, b)$	
	$\dfrac{c-x}{c-b}$	$[b, c)$	
矩形	1	(a, b)	
	0	$(-\infty, a]\&[b, +\infty]$	
k 次抛物线形	0	$(-\infty, a)\&[d, +\infty]$	
	$\left(\dfrac{x-a}{b-a}\right)^{k}$	$[a, b)$	
	1	$[b, c)$	
	$\left(\dfrac{d-x}{d-c}\right)^{k}$	$[c, d)$	

根据国军标 GJB/A 1391—2006 中功能故障与潜在故障的关系图,以及确定部件运行可靠性的状态参量法,本书选择类似于半梯形的模糊隶属函数建立参数级评估模型,其函数曲线图如图 9.5 所示。

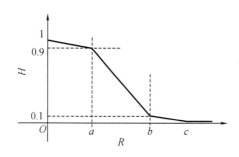

图 9.5 模糊隶属函数曲线图

图9.5中纵坐标 H 为参数对应的健康度,表示健康状态的量化值;横坐标 R 为参数变化率,在后续评估参数隶属函数的建立过程中,无须考虑工况的影响;a 值为健康边界,b 值为退化边界,c 值为故障边界。

目前,健康评估体系状态等级的划分并没有明确的行业标准,因此,本书根据专家经验和 a、b、c 含义,将船用燃气轮机的健康状态分为健康、退化、故障3个等级,健康区间用绿色直线表示;退化区间用蓝色直线表示;故障区间用红色折线表示。运行状态与健康度的具体对应关系如表9.3所示。

表9.3 运行状态和健康度对应关系表

等级	健康度区间	健康状态	健康状态描述	决策行动
I	(0.9, 1]	健康	健康状态好,安全	无
II	(0.1, 0.9]	退化	出现异常,不安全	加强监测/排除故障
III	[0.01, 0.1]	故障	严重异常,必须尽快维修	安排检修

因此,确定模糊隶属函数 a、b、c 值是建立船用燃气轮机参数级评估模型的关键。

9.3.3 核密度估计模型

假定 $\{s_1, s_2, \cdots, s_n\}$ 为船用燃气轮机参数 s 的 n 个样本数据,参数 s 的概率密度函数 $f(s)$ 未知,利用核密度估计法将 $\hat{f}(s)$ 定义为公式(9.12),使其与 $f(s)$ 之间的积分均方误差最小。

$$\hat{f}(s) = \frac{1}{nh} \sum_{j=1}^{n} K((s-s_j)/h) \tag{9.12}$$

式中,h 为窗口宽度,$K(x)$ 为核函数,满足以下条件:(1) 对于任意 x,$K(x) \geqslant 0$;(2) $\int_{-\infty}^{+\infty} xK(x)\mathrm{d}x = 0$;(3) $\int_{-\infty}^{+\infty} K(x)\mathrm{d}x = 1$。 本书选择符合条件的高斯核函数,$K(x) = e^{-x^2/2}/\sqrt{2\pi}$,$x \in R$ 代入式(9.12),得到包含 n 个样本数据的参数 s 的核密度估计为

$$\hat{f}(s) = \frac{1}{nh} \sum_{i=1}^{n} K((s-s_i)/h) = \frac{1}{nh} \sum_{i=1}^{n} \frac{1}{\sqrt{2\pi}} e^{-\frac{((s-s_i)/h)^2}{2}} = \frac{1}{nh} \sum_{i=1}^{n} \frac{1}{\sqrt{2\pi}} e^{-(s-s_i)^2/2h^2} \tag{9.13}$$

在此基础上,引入置信度和置信区间的概念。

当已知样本均值 M 和标准差 ST 时:置信区间为 (θ_L, θ_U);置信下限为 $\theta_L = M - N \cdot ST$;置信上限为 $\theta_U = M + N \cdot ST$。当置信度 $1-\alpha = 90\%$ 时,$N = 1.645$;当置信度 $1-\alpha = 95\%$ 时,$N = 1.96$;当置信度 $1-\alpha = 99\%$ 时,$N = 2.576$。

因此,模糊隶属函数 a、b、c 的计算公式如下所示。

$$\begin{cases} a = M_1 + N_1 \cdot ST_1 \\ b = M_2 + N_1 \cdot ST_2 \\ c = M_2 + N_2 \cdot ST_2 \end{cases} \tag{9.14}$$

式中,M_1 和 ST_1 为健康数据核密度估计的均值及标准差,M_2 和 ST_2 为故障数据核密度估计

的均值及标准差,选取 $N_1 = 1.96, N_2 = 5$。

在该情况下,为获得燃气轮机健康数据和故障数据,以确定参数模糊隶属函数的 a、b、c 值,本书利用第 8 章建立的船用燃气轮机退化仿真模型,进行以下 7 种典型故障的仿真:低压压气机退化、高压压气机退化、高压涡轮退化、低压涡轮退化、动力涡轮退化、压气机退化和涡轮退化。考虑到船用燃气轮机使用过程,压气机热力性能退化以积盐为主,定义压气机效率和流量的关系。而涡轮退化主要以腐蚀退化为主,其主要影响燃气轮机涡轮喉部的开口,增加涡轮的质量流量。针对船用燃气轮机的 7 种典型部件热力性能退化模式进行研究,退化因子的范围及其对应退化程度如表 9.4 所示。

表 9.4 燃气轮机典型退化模式及退化因子植入范围

典型退化模式	植入退化因子范围	对应退化程度 D
低压压气机退化	$K_{LCq} = [0.92, 1] + \varepsilon$；$K_{LC\eta} = [0.94, 1] + \varepsilon$	
高压压气机退化	$K_{HCq} = [0.94, 1] + \varepsilon$；$K_{HC\eta} = [0.955, 1] + \varepsilon$	
高压涡轮退化	$K_{HTq} = [1.05, 1] + \varepsilon$	
低压涡轮退化	$K_{LTq} = [1.05, 1] + \varepsilon$	$[100\%, 0]$
动力涡轮退化	$K_{PTq} = [1.05, 1] + \varepsilon$	
压气机退化	$K_{LCq} = [0.92, 1] + \varepsilon$；$K_{LC\eta} = [0.94, 1] + \varepsilon$ $K_{HCq} = [0.94, 1] + \varepsilon$；$K_{HC\eta} = [0.955, 1] + \varepsilon$	
涡轮退化	$K_{HTq} = [1.05, 1] + \varepsilon$；$K_{LTq} = [1.05, 1] + \varepsilon$；$K_{PTq} = [1.05, 1] + \varepsilon$	

注:ε 为随机噪声,服从高斯分布,$\varepsilon \sim N(0, 0.01)$

根据图 9.5 中 a、b、c 的含义,本书对上述 7 种典型部件热力性能退化模式下的参数变化率进行统计,以退化程度 0% 作为健康,退化程度 100% 作为故障,分别获得了燃气轮机的 700 组健康数据和 700 组故障数据。在此基础上分别对其变化率进行核密度估计,确定 a、b 和 c 值,以建立燃气轮机评估参数的模糊健康度模型。以燃气轮机低压压气机出口压力 p_2 为例,具体分析评估参数低压压气机出口压力的模糊健康度模型中 a、b、c 值的获取过程,图 9.6 为 p_2 的概率密度分布图。

图 9.6 中,横坐标为参数低压压气机出口压力相对于健康基准值的变化率 R,R 值越大表示其与健康基准值的差距越大,发生故障的可能性越大。纵坐标为参数概率密度,概率密度对区间的积分,即该区间的面积,表示被统计对象处于该区间的概率。根据 p_2 健康和故障数据的概率分布图可知 $a = 1.116\ 4, b = 8.374\ 9, c = 9.923\ 4$。当 $R < a$ 时,有 95% 的概率认为 p_2 处于健康状态;当 $a < R < b$ 时,有 95% 的概率认为 p_2 处于退化状态;当 $R > b$ 时,有 95% 的概率认为 p_2 处于故障状态。

对应的低压压气机出口压力的模糊健康度模型如图 9.7 所示,横坐标为低压压气机出口压力相对于健康基准值的变化率 R,纵坐标为低压压气机出口压力健康度 HLG_1,a、b、c 对应位置如图 9.7 所示。

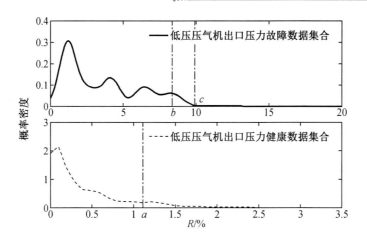

图 9.6 燃气轮机 p_2 健康和故障数据概率密度分布图

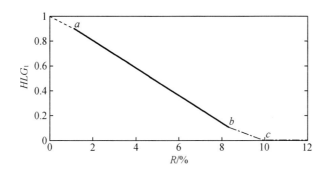

图 9.7 燃气轮机低压压气机出口压力模糊隶属函数图

利用上述方法,分别对燃气轮机各评估参数的健康数据和退化数据变化率进行核密度统计,得到各参数的概率密度分布图如图 9.8 所示。

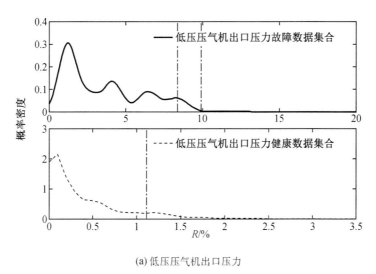

(a) 低压压气机出口压力

图 9.8 燃气轮机评估参数的概率密度分布图

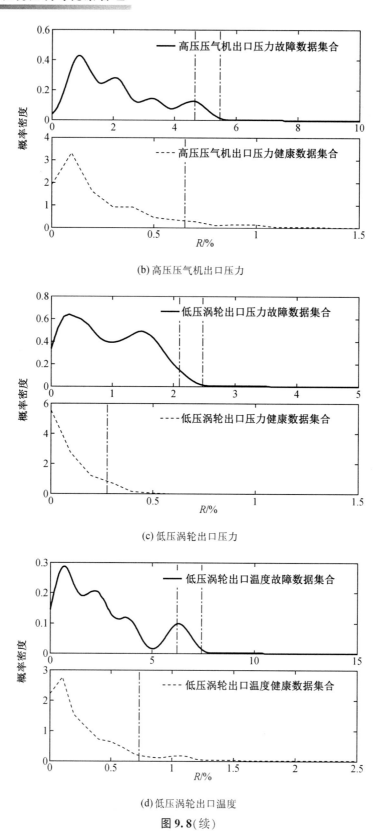

(b) 高压压气机出口压力

(c) 低压涡轮出口压力

(d) 低压涡轮出口温度

图 **9.8**(续)

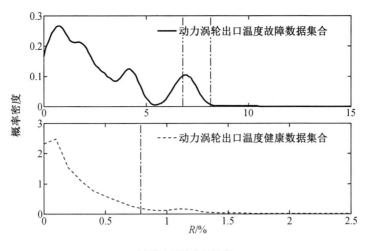

(e)动力涡轮出口温度

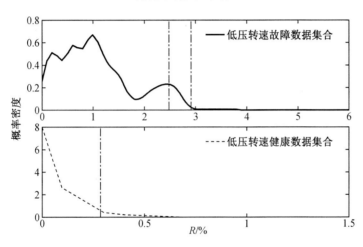

(f)低压转速

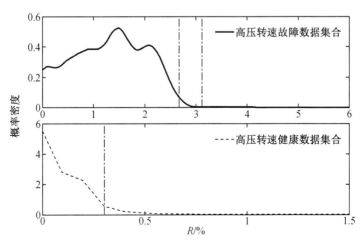

(g)高压转速

图 **9.8**(续)

187

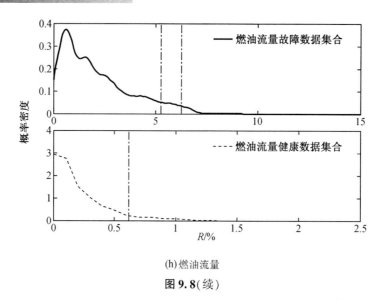

(h)燃油流量

图 9.8(续)

根据图 9.8,确定燃气轮机评估参数模糊隶属函数的 a、b、c,如表 9.5 所示。根据表 9.5,燃气轮机评估参数的模糊健康度模型如图 9.9 所示。

表 9.5 燃气轮机各评估参数对应的模糊隶属函数 a、b、c 取值表

参数	p_2	p_3	p_6	T_6	T_7	n_1	n_2	G_f
a	1. 116 4	0. 653 6	0. 277 5	0. 733 9	0. 788 1	0. 286 5	0. 307 4	0. 619 0
b	8. 374 9	4. 672 8	2. 106 8	6. 246 2	6. 820 8	2. 477 7	2. 676 8	5. 269 7
c	9. 923 4	5. 489 2	2. 479 7	7. 448 1	8. 166 8	2. 924 3	3. 120 4	6. 284 4

根据图 9.9 燃气轮机评估参数模糊健康度模型,已知任意时刻的参数变化率,都可以计算此时该参数的健康度,获得燃气轮机参数级状态评估结果。基于参数健康度,将变化趋势不同的参数进行标准化处理,为后续设备级状态评估提供基础。

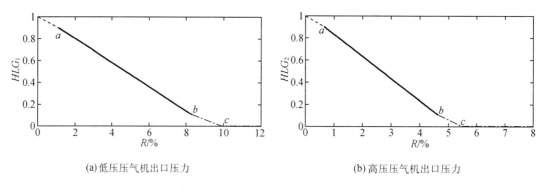

(a)低压压气机出口压力　　　　　　　　(b)高压压气机出口压力

图 9.9 燃气轮机评估参数模糊健康度模型

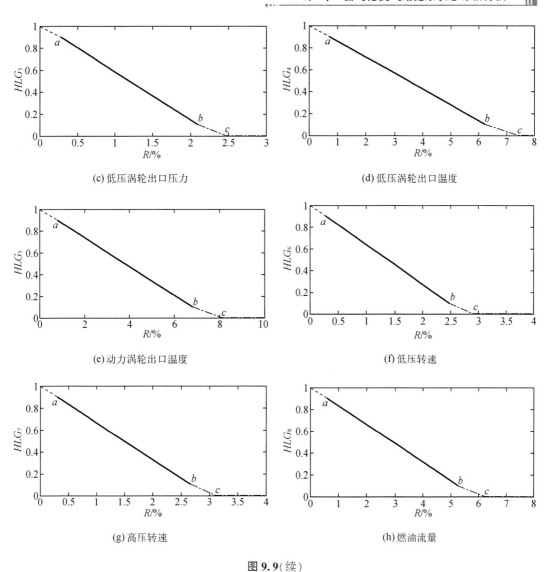

(c) 低压涡轮出口压力

(d) 低压涡轮出口温度

(e) 动力涡轮出口温度

(f) 低压转速

(g) 高压转速

(h) 燃油流量

图 9.9(续)

9.4 基于变权的设备级运行状态评估模型

传统层次分析算法的权重确定是依据评价尺度表中两因素间彼此的重要性排序,该方法会受到人为经验的影响,且固定不变,与实际情况不符。目前,研究中的变权理论仅考虑当前时刻各因素的状态及重要程度,因此,本书提出基于优化常权的变权方法。首先,该方法从时间的维度出发,以增加总体状态趋势单调性为目标,完成初始常权权重的优化;其次,与变异系数法相结合,实现变权优化。该方法既实现了趋势上的优化,又准确反映了任意时刻总体的健康状态。图 9.10 为基于优化常权的变权方法流程,具体实现如下。

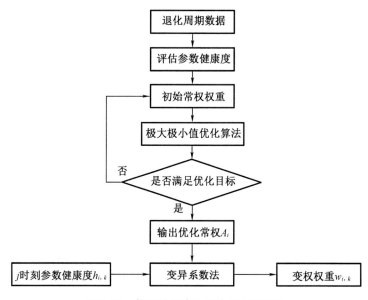

图 9.10　基于优化常权的变权方法流程

1. 常权优化算法

在本书中,设备级初始权重来自多个传感器的退化信号的融合,构建一个复合健康指数,即船用燃气轮机设备级的健康度,目的是希望该健康度能准确描述潜在的退化过程,并可用于进行精确的预测分析。尽管原始传感器数据可能由于噪声而非单调变化,但构建一个具有单调趋势的设备级健康度是非常重要的,能够突出状态趋势变化,增强后期预测的性能。因此,本书以使单调性最大化为目标,构建优化目标函数。

$$\text{obj} = \max \sum\nolimits_{j}^{n-1} c_j \varepsilon_j$$

$$\text{s.t.} \quad \sum\nolimits_{i}^{m} A_i = 1, \quad \varepsilon_j \geq 0, \quad 0.01 \leq w_i \leq 0.4$$

$$j = 1, 2, \cdots, n-1, \quad i = 1, 2, \cdots, m \tag{9.15}$$

式中,j 为观测期;n 为设备观测期总数;i 为传感器数即监测参数个数;m 为传感器总数,即评估参数总数;ε_j 为松弛变量,是测量设备级健康度 d_j 违反单调性的量;c_j 为 ε_j 的权重系数;A_i 为多元传感器的权重系数。松弛变量 ε_j 的计算公式如下所示:

$$\varepsilon_j = \max(d_j - d_{j+1}, 0) \tag{9.16}$$

对于 ε_j 的权重系数 c_j 来说,随着设备退化严重程度的增加,预测的精度对退化信号中松弛变量 ε_j 越来越敏感,因此,随着 j 的增加,松弛变量 ε_j 应该赋予更高的权重。在此基础上,定义了 c_j 的以下约束:

$$\begin{cases} c_{j+1} \geq c_j \geq 0 \\ \sum\nolimits_{j=1}^{n-1} c_j = 1 \end{cases}, j = 1, 2, \cdots, n-1 \tag{9.17}$$

本书假设 c_j 遵循算数级数,公式如下所示:

$$2c_j = c_{j+1} + c_{j-1} \tag{9.18}$$

在此基础上,将 c_1 初始化为一个小的正数,使用以下表达式来计算 c_j:

$$c_j = c_1 + (j-1) \frac{2 - 2c_1(n-1)}{(n-1)(n-2)} \tag{9.19}$$

随着j的增加,将有更多的权重分配给ε_j,因此,多元传感器的权重系数w_i逐渐由更靠近故障点的传感器数据所控制,更能体现信号的退化特征及趋势变化。

利用设备退化周期的观测数据,采用极大极小值优化算法,建立式(9.15)的目标函数,获得使健康状态单调性最大化、趋势明显的参数级优化常权A_i。

2.基于变异系数法的权重动态调整

传统的常权在一定程度上可以反映系统某时刻的健康状态,但不能进行实时更新,当系统某一部件严重偏离健康值时,其完成任务的能力将大打折扣,此时应立刻进行排查检修,但常权模型中,可能会因为该部件的权重系数小,而使该退化不能得到真实的反映。因此,本书利用变异系数法,区分不同参数健康度的重要性,其具体表达式如下所示:

$$w_{i,k}(h_{1,k},\cdots,h_{m,k}) = \frac{A_i(h_{i,k})^{\alpha-1}}{\sum_{i=1}^{m} A_i(h_{i,k})^{\alpha-1}} \tag{9.20}$$

式中,A_i为优化得到的常权权重,$w_{i,k}$为变权权重,$h_{i,k}$为第k时刻第i个项目的健康度,α为变权系数,本书取$\alpha=-2$。

9.5 船用燃气轮机运行状态评估流程

综合基于模糊的参数健康度模型和基于变权的设备级评估模型,在船用燃气轮机层次评估架构的基础上,形成模糊-变权-层次化燃气轮机运行状态评估方法,实施流程如图9.11所示。具体实施步骤如下。

步骤1:划分评估层次架构。本书根据在运行过程中各系统功能的不同,将船用燃气轮机划分为设备级和反映设备热力性能变化的参数级两个层次。

步骤2:建立健康基准模型。利用最小二乘法中的单变量模型,以船用燃气轮机输出转速为自变量,以健康数据为基础,对各评估参数进行参数估计,建立评估参数的健康基准模型,实现运行工况稳态下评估参数健康基准值的确定。

步骤3:建立热力参数的模糊健康度模型。确定模糊隶属函数,实现参数变化率和健康度间映射关系的描述。根据选定的模糊隶属函数,利用核密度估计法将燃气轮机典型退化模式下的健康数据和故障数据变化率分别进行统计,确定评估参数模糊隶属函数的a、b、c值,建立燃气轮机参数模糊健康度模型,实现船用燃气轮机参数级状态评估。

步骤4:基于优化常权的变权确定。为达到研究对象健康状态趋势明显,单调性最大化的目标,利用全退化周期数据健康度建立优化目标函数,利用极大极小值优化算法实现参数级各评估参数常权权重的优化,得到优化常权A_i,进而结合变异系数法,实现基于健康度的权重动态调整,得到参数级变权权重w_i。

步骤5:燃气轮机设备级评估。根据变权权重w_i及通过步骤3获得的参数健康度,利用加权求和法完成设备级运行状态的评估。计算公式如下所示:

$$HLG_j = \sum_{i=1}^{m_G} w_{i,j} HLG_{i,j} \tag{9.21}$$

式中，HLG_j 为船用燃气轮机第 j 时刻的健康度，$w_{i,j}$ 为燃气轮机设备级对应的参数 i 第 j 时刻的变权权重，m_G 为船用燃气轮机评估参数个数，即 $m_G=8$。

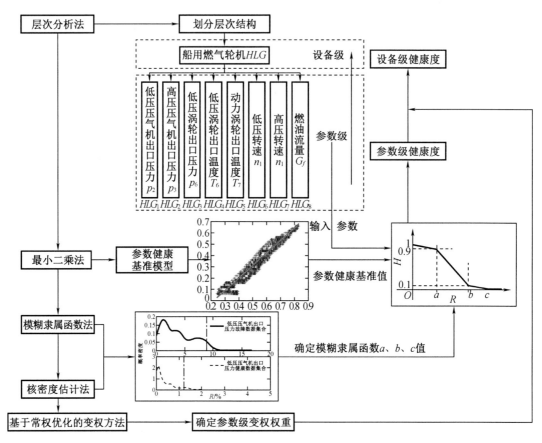

图 9.11　模糊–变权–层次化燃气轮机运行状态评估方法

9.6　船用燃气轮机运行状态评估结果分析

9.6.1　船用燃气轮机运行状态评估常权优化

船用燃气轮机设备级状态评估优化常权的确定步骤如下所示。

首先确定目标优化函数。复合健康指数为船用燃气轮机健康度，即 $d_j=HLG_j$，$h_{i,j}$ 为第 j 时刻第 i 个评估参数的健康度，即 $h_{i,j}=HLG_{ij}(i=1,2,\cdots,8,j=1,2,\cdots,n)$。因此，$d_j$ 计算公式如下所示：

$$d_j = HLG_j = \sum_{i=1}^{m} h_{ij}A_i = \sum_{i=1}^{8} HLG_{i,j}A_i \qquad (9.22)$$

利用式(9.15)~式(9.19)建立目标优化函数。

最后利用船用燃气轮机的 7 种典型部件热力性能退化模式,在每种退化模式下,假定选取 5 个观测期($n=5$),分别为燃气轮机的 5 种不同退化程度(0%、20%、40%、60% 和 100% 退化),该观测期数据包含了燃气轮机的退化周期。设定燃气轮机各评估参数的初始常权为 $A_j^0 = [0.125, 0.125, 0.125, 0.125, 0.125, 0.125, 0.125, 0.125]$,利用极大极小值优化算法,分别获得不同退化模式下的状态评估常权权重的优化结果,并求其权重均值,如表 9.6 所示。

表 9.6 典型部件热力性能退化模式下燃气轮机参数级权重优化结果

优化常权 A_i	p_2	p_3	p_6	T_6	T_7	n_1	n_2	G_f
低压压气机退化	0.01	0.01	0.01	0.15	0.01	0.4	0.01	0.4
高压压气机退化	0.01	0.01	0.01	0.4	0.15	0.01	0.01	0.4
高压涡轮退化	0.01	0.4	0.01	0.01	0.01	0.01	0.4	0.15
低压涡轮退化	0.4	0.01	0.01	0.01	0.01	0.15	0.4	0.01
动力涡轮退化	0.15	0.4	0.01	0.01	0.01	0.4	0.01	0.01
压气机退化	0.01	0.01	0.01	0.4	0.4	0.01	0.01	0.15
涡轮退化	0.01	0.01	0.4	0.01	0.01	0.01	0.4	0.15
平均值	0.085 7	0.121 4	0.065 7	0.141 5	0.085 7	0.141 5	0.177 1	0.181 4

本书将 7 种典型退化模式下各参数的优化常权的平均值作为最终优化常权 A_j,具体优化过程如图 9.12 所示,最终的优化常权如图 9.12 的图(h)所示,图(h)中的虚线表示优化前设定的初始常权值。可以发现,极大极小值优化算法是以优化函数为目标,在设定优化约束的限制下,部分选取优化对象的极大值和极小值作为最终优化结果。不同退化模式下参数的权重分配不同,反映设备级状态的重要程度也不同。在该情况下,本书求得 7 种典型退化模式下优化常权的均值作为最终的参数优化常权,相当于在等权重的假设下,综合 7 种常权得到的优化结果,并与初始常权进行对比,发现优化常权中,评估参数 T_6、n_1、n_2 和 G_f 权重大于初始权重,其重要程度变大;评估参数 p_2、p_3、p_6 和 T_7 权重小于初始权重,其重要程度变小,该优化结果与第 2 章退化仿真结果分析吻合。

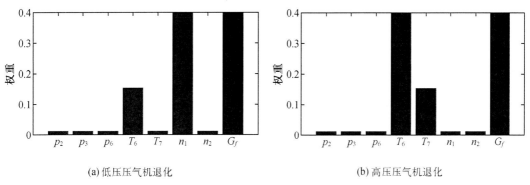

(a)低压压气机退化　　　　　　　　(b)高压压气机退化

图 9.12 燃气轮机参数级优化常权

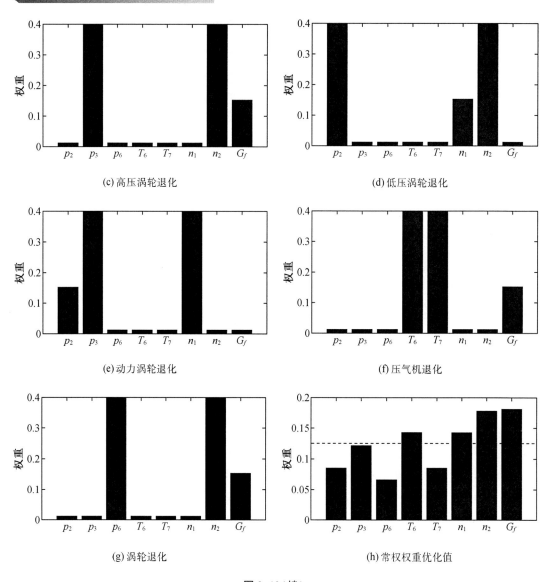

(c)高压涡轮退化

(d)低压涡轮退化

(e)动力涡轮退化

(f)压气机退化

(g)涡轮退化

(h)常权权重优化值

图 9.12(续)

9.6.2 运行状态评估仿真试验

假设燃气轮机工况变化如图 9.13 所示,共经历两个工况,第 1～第 220 个采样点燃气轮机处于 0.81 工况,第 221～第 440 个采样点,燃气轮机处于 0.62 工况。本书不考虑工况的变化过程。

在该工况变化情况下,燃气轮机退化因子的植入过程如图 9.14 所示,横坐标为采样点,纵坐标为对应植入的退化过程,其中纵坐标为 1 代表正常,为 0 代表退化,每种退化过程植入时间为 20 个采样点,间隔为 20 个采样点。具体退化模式对应的退化因子植入情况如表 9.7 所示。

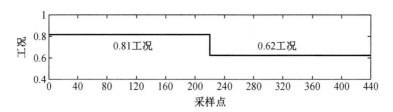

图 9.13 燃气轮机工况变化

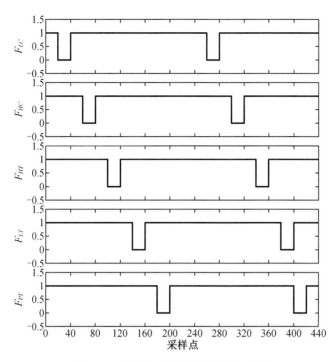

图 9.14 燃气轮机退化因子植入过程

表 9.7 燃气轮机植入退化因子

植入退化过程	退化因子
低压压气机退化 F_{LC}	$K_{LCq} = 0.976 + \varepsilon$;$K_{LC\eta} = 0.982 + \varepsilon$
高压压气机退化 F_{HC}	$K_{HCq} = 0.982 + \varepsilon$;$K_{HC\eta} = 0.9865 + \varepsilon$
高压涡轮退化 F_{HT}	$K_{HTq} = 1.015 + \varepsilon$
低压涡轮退化 F_{LT}	$K_{LTq} = 1.015 + \varepsilon$
动力涡轮退化 F_{PT}	$K_{PTq} = 1.015 + \varepsilon$

注:ε 为随机噪声,服从高斯分布,$\varepsilon \sim N(0, 0.002)$

  按照上述假设,在燃气轮机退化仿真模型中植入各种退化因子后,得到燃气轮机各评估参数的仿真数据,根据参数健康基准模型,求得评估参数变化率,再将参数变化率分别代入图 9.9 的燃气轮机各评估参数的模糊健康度模型中,求得燃气轮机各评估参数健康度,实现燃气轮机参数级的状态评估。评估结果如图 9.15 所示。

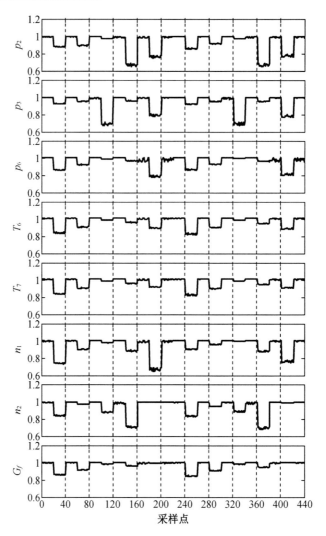

图 9.15　燃气轮机参数级评估结果

从图 9.15 可以看出：

（1）不同退化模式下，燃气轮机参数的敏感程度不同，如对于低压压气机退化，低压转速 n_1 更敏感；

（2）燃气轮机同一参数在不同退化模式下的变化不同，如低压压气机出口压力 p_2 在低压涡轮退化情况下变化幅度最大，在高压涡轮退化情况下变化很小；

（3）比较不同工况下同一退化模式同一参数可以发现，工况对燃气轮机参数健康度的影响较小。

在得到燃气轮机各评估参数健康度的基础上，计算燃气轮机部件级健康度，如图 9.16 所示。

从图 9.16 可以看出，不同退化模式对燃气轮机整体健康度的影响不同，即不同退化造成的燃气轮机参数变化的程度不同；当燃气轮机部件热力性能退化时，利用模糊-变权-层次化评估算法计算的健康度均可表征燃气轮机的退化状态。

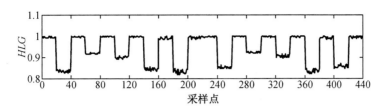

图9.16 燃气轮机运行状态评估结果

从上述参数级状态评估和设备级运行状态评估结果可以看出,当燃气轮机性能发生退化时,模糊-变权-层次化评估算法可以根据健康度的变化准确反映设备所处状态及其性能退化的程度,实现设备退化状态的量化评估及异常监测。

9.6.3 退化程度评估试验

在燃气轮机退化仿真模型中植入对应的退化因子轨迹模型,进行退化程度评估仿真试验。根据船用燃气轮机的运行环境,盐雾积垢为其主要退化,由于盐雾积垢主要发生在燃气轮机低压压气机前几级叶片,因此,本书做出以下假设:

(1)燃气轮机以0.62工况运行2 000 h,获得2 000个采样点,采样间隔1 h;

(2)运行期间低压压气机效率下降6%,流量下降8%;

(3)运行期间低压压气机叶片在第200 h、400 h、600 h和800 h突然受到机械损伤,效率分阶段突然下降1%。

因此,低压压气机效率退化因子和流量退化因子轨迹模型如式(9.23)和式(9.24)所示,其中图9.17为退化因子轨迹。

$$K_{LCq} = 1 - A(1-\mathrm{e}^{-Bt}) + \varepsilon, 0 < t < t_{\max} \tag{9.23}$$

$$K_{LC\eta} = \begin{cases} 1 - 0.75A(1-\mathrm{e}^{-Bt}) + \varepsilon, 0 < t < t_0 \\ 1 - 0.75A(1-\mathrm{e}^{-Bt}) + \varepsilon - 0.01, t_0 < t < t_1 \\ 1 - 0.75A(1-\mathrm{e}^{-Bt}) + \varepsilon - 0.02, t_1 < t < t_2 \\ 1 - 0.75A(1-\mathrm{e}^{-Bt}) + \varepsilon - 0.03, t_2 < t < t_3 \\ 1 - 0.75A(1-\mathrm{e}^{-Bt}) + \varepsilon - 0.04, t_3 < t < t_{\max} \end{cases} \tag{9.24}$$

式中,$A = 0.13$;$B = 0.000 47$;$\varepsilon \sim N(0, 2\times10^{-4})$;$t_0 = 200$;$t_1 = 400$;$t_2 = 600$;$t_3 = 800$;$t_{\max} = 2\ 000$。

在燃气轮机退化仿真模型中植入图9.17的退化因子轨迹,得到燃气轮机各评估参数的监测数据后,求得评估参数变化率,将参数变化率代入隶属函数中,求得燃气轮机各评估参数的健康度如图9.18所示。

由图9.18可以看出当发生突发性故障时,燃气轮机参数健康度在渐变性退化中突然下降,之后继续连续下降。从参数健康度变化可以看出,在该退化情况下,从第1个采样点到第2 000个采样点,参数健康度变化情况如下所示。

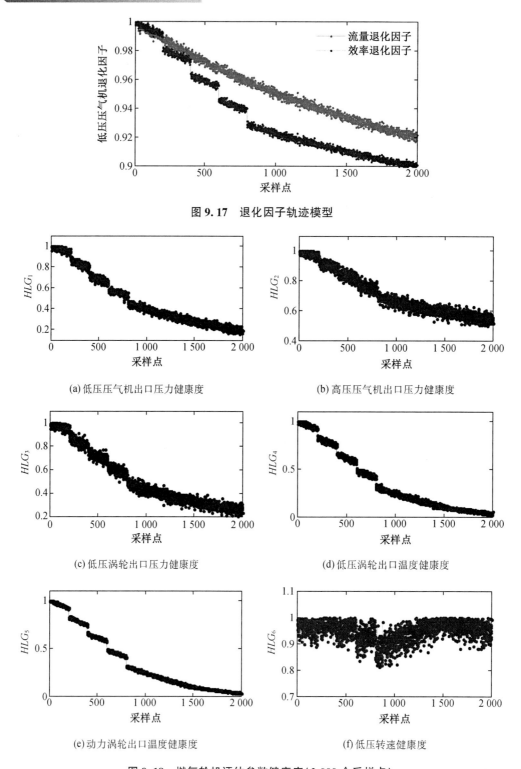

图 9.17　退化因子轨迹模型

(a) 低压压气机出口压力健康度

(b) 高压压气机出口压力健康度

(c) 低压涡轮出口压力健康度

(d) 低压涡轮出口温度健康度

(e) 动力涡轮出口温度健康度

(f) 低压转速健康度

图 9.18　燃气轮机评估参数健康度(2 000 个采样点)

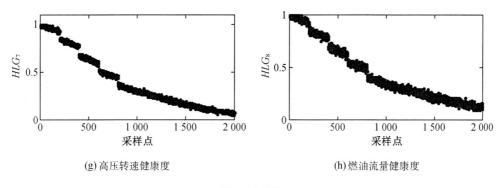

(g) 高压转速健康度　　　　　　　　(h) 燃油流量健康度

图 9.18(续)

(1)压力类参数:低压压气机出口压力从正常状态 1 变为退化状态 0.21,健康度下降了 0.79;高压压气机出口压力从正常状态 1 变为退化状态 0.55,健康度下降了 0.45;低压涡轮出口压力从正常状态 1 变为退化状态 0.23,健康度下降了 0.77。

(2)温度类参数:低压涡轮出口温度健康度从正常状态 1 变为故障状态 0.03,健康度下降了 0.97;动力涡轮出口温度从正常状态 1 变为故障状态 0.04,健康度下降了 0.96。

(3)转速类参数:高压转速从正常状态 1 变为故障状态 0.07,健康度下降了 0.93;低压转速由于对低压压气机流量下降和效率下降所表现的变化趋势不同,因此出现健康度变大的情况,其健康度最大下降 0.82。

(4)燃油流量:燃油流量从正常状态 1 变为故障状态 0.1,健康度下降了 0.9。

由此可以看出,低压涡轮出口温度、动力涡轮出口温度、高压转速和燃油流量在第 2 000 个采样点处于故障状态,健康度下降更大,对该退化情况更敏感,更快到达故障区间,对燃气轮机耐久性、使用寿命及经济性有很大影响。

将燃气轮机评估参数的健康度代入式(9.21)计算得到燃气轮机的健康度如图 9.19 所示。

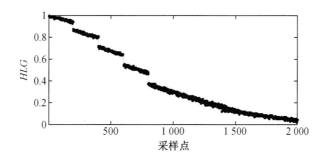

图 9.19　燃气轮机健康度(2 000 个采样点)

由图 9.19 可知,当燃气轮机性能逐渐退化时,其对应健康度逐渐降低,具有连续性,而且在退化过程中发生的突发性故障,都可以从健康度的突然下降得到体现。因此可以证明,本书提出的模糊-变权-层次化评估算法一方面可以实现燃气轮机性能退化和故障退化下退化程度的评估,同时根据健康度的变化情况,可以实现燃气轮机退化过程中突发性故障的监测。

　　为验证基于优化常权的变权方法的优势,分别采用优化常权、变权和基于优化常权的变权方法进行燃气轮机运行状态评估,对比结果如图9.20所示。

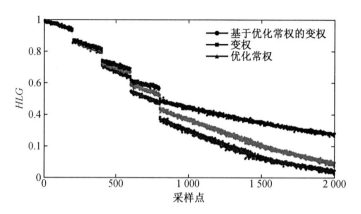

图9.20　不同权重确定方法下燃气轮机健康度对比结果

　　由图9.20可知:从第1个采样点到第2 000个采样点,通过优化常权计算得到的燃气轮机由健康状态1变为退化状态0.28,健康度下降了0.72;通过变权方法计算得到的燃气轮机由健康状态1变为故障状态0.1,健康度下降了0.9;通过基于优化常权的变权方法计算得到的燃气轮机由健康状态1变为故障状态0.04,健康度下降了0.96。结果表明,基于优化常权的变权方法得到的燃气轮机状态变化趋势更明显,相比于优化常权方法和变权方法,其健康度变化趋势单调性更明显,有利于预测早期故障风险。

第10章 基于模型的燃气轮机
气路故障诊断方法

在燃气轮机运行过程中,可能会发生性能衰退情况,然而当退化程度较小时,由于并不会引起严重的故障,性能衰退现象一般不容易监测。基于热力模型决策的气路诊断方法已经广泛应用于燃气轮机健康状况监测中,并且已经成为支持维修策略改革的关键技术之一。通常基于热力模型决策的气路诊断方法使用气路部件的性能参数(绝对参数)来定义部件健康参数,因此在诊断中气路实测参数一般需要进行数据预处理来消除由于环境条件和操作条件变化而导致燃气轮机运行性能变化的影响。由于诊断以部件性能参数为自适应变量,所以需要分两步:第一步,根据气路实测参数通过线性或非线性牛顿-拉普森算法计算得到当前部件性能参数,如空气质量流量、压气机压比、压气机等熵效率、透平前温、透平等熵效率等;第二步,在同一部件特性图上比较发生性能衰退或故障情况下的部件运行点与健康基准情况下的部件运行点,从而观测此时部件特性图上的特性线发生偏移的程度(即得到气路部件健康参数),用于评估当前部件的性能健康状况。对于包含多个部件的船用三轴燃气轮机机组,当机组中参与诊断的部件数目增多时,故障系数矩阵的维数会随之增大,加之受到测量噪声的干扰,模糊效应可能会增强,从而导致气路诊断的可靠性降低。

针对上述问题,为了有效地识别、隔离性能衰退的部件,并准确地量化衰退程度,本章重点工作如下。

(1)用相似折合参数重新定义压气机和透平的气路健康参数,消除由于环境条件(大气压力、温度和相对湿度)变化而导致机组运行性能变化对诊断结果的影响,并以部件健康参数直接作为自变量参数,以气路实测参数作为目标参数,在典型非线性气路诊断方法的基础上提出了改进型的非线性气路诊断方法,作为船用燃气轮机气路诊断方法研究的主体架构。

(2)为了有效地识别、隔离性能衰退的部件,并准确地量化衰退程度,本书提出了一种基于热力模型与粒子群优化算法相结合的非线性气路诊断方法,从全局优化的角度来提高气路诊断结果的准确性。

10.1 气路部件健康参数

当气路部件发生性能衰退(老化)时,由于其几何通道结构并未发生显著变化,其部件(如压气机、燃烧室、透平)的特性线通常会保持与原特性线相同的形状。此时,气路部件的性能衰退情况可以用其特性线的偏移来表征,并且这样的偏移可以用部件健康参数(如压气机和透平的流量特性指数及效率特性指数、燃烧室的效率特性指数)来表示。

通常气路部件健康参数采用部件绝对性能参数来定义,即用部件绝对性能参数表示的特性图中特性线的偏移来表征。此时,为了获取仅由部件性能衰退而导致的气路实测参数的变化量,所有测量参数必须通过数据预处理折算到用户选定的环境条件和操作条件下(一般为标准大气条件及额定功率条件),给气路诊断带来了不便。这里,同压气机和透平的部件特性线处理方式一样,气路部件的健康参数可以用部件的相似折合参数(如折合流量 $G\sqrt{T \cdot R_g}/P$ 和折合转速 $n/\sqrt{T \cdot R_g}$ 等)来定义,从而来消除由于环境条件(如大气压力、温度和相对湿度)变化而导致机组运行性能变化对诊断结果带来的负影响。

10.1.1 压气机气路健康参数

$$SF_{C,FC} = G_{C,cor,deg}/G_{C,cor} \tag{10.1}$$

$$\Delta SF_{C,FC} = (G_{C,cor,deg} - G_{C,cor})/G_{C,cor} \tag{10.2}$$

$$SF_{C,Eff} = \eta_{C,deg}/\eta_C \tag{10.3}$$

$$\Delta SF_{C,Eff} = (\eta_{C,deg} - \eta_C)/\eta_C \tag{10.4}$$

式中　$SF_{C,FC}$——压气机流量性能指数;

　　　$G_{C,cor,deg}$——压气机(性能衰退时)折合流量;

　　　$G_{C,cor}$——压气机(健康时)折合流量;

　　　$SF_{C,Eff}$——压气机效率性能指数;

　　　$\eta_{C,deg}$——压气机(性能衰退时)等熵效率;

　　　η_C——压气机(健康时)等熵效率。

当压气机实际的物理性能退化或发生故障时,压气机的特性会随之发生改变,并可由压气机通用特性图上的特性线的偏移过程来表征,并进一步可由式(10.2)和式(10.4)的压气机健康参数的变化过程来表示。

因此,实际压气机的性能特性可表示为

$$G_{C,cor,deg} = f(n_{C,cor}, \pi_C, \Delta SF_{C,FC}) \tag{10.5}$$

$$\eta_{C,deg} = f(n_{C,cor}, \pi_C, \Delta SF_{C,Eff}) \tag{10.6}$$

10.1.2 燃烧室气路健康参数

燃烧室性能衰退可用燃烧效率的变化来表示。

$$SF_{B,Eff} = \eta_{B,deg}/\eta_B \tag{10.7}$$

$$\Delta SF_{B,Eff} = (\eta_{B,deg} - \eta_B)/\eta_B \tag{10.8}$$

式中　$SF_{B,Eff}$——燃烧室燃烧效率性能指数;

　　　$\eta_{B,deg}$——燃烧室(性能衰退时)燃烧效率;

　　　η_B——燃烧室(健康时)燃烧效率。

因此实际的燃烧室性能特性可表示为

$$\eta_{B,deg} = f(load, \Delta SF_{B,Eff}) \tag{10.9}$$

式中 load——燃气轮机的功率。

10.1.3 透平气路健康参数

$$SF_{\mathrm{T,FC}} = G_{\mathrm{T,cor,deg}} / G_{\mathrm{T,cor}} \tag{10.10}$$

$$\Delta SF_{\mathrm{T,FC}} = (G_{\mathrm{T,cor,deg}} - G_{\mathrm{T,cor}}) / G_{\mathrm{T,cor}} \tag{10.11}$$

$$SF_{\mathrm{T,Eff}} = \eta_{\mathrm{T,deg}} / \eta_{\mathrm{T}} \tag{10.12}$$

$$\Delta SF_{\mathrm{T,Eff}} = (\eta_{\mathrm{T,deg}} - \eta_{\mathrm{T}}) / \eta_{\mathrm{T}} \tag{10.13}$$

式中 $SF_{\mathrm{T,FC}}$——透平流量性能指数；

$G_{\mathrm{T,cor,deg}}$——透平（性能衰退时）折合流量；

$G_{\mathrm{T,cor}}$——透平（健康时）折合流量；

$SF_{\mathrm{T,Eff}}$——透平效率性能指数；

$\eta_{\mathrm{T,deg}}$——透平（性能衰退时）等熵效率；

η_{T}——透平（健康时）等熵效率。

同压气机一样，实际透平的性能特性可表示为

$$G_{\mathrm{T,cor,deg}} = f(n_{\mathrm{T,cor}}, \pi_{\mathrm{T}}, \Delta SF_{\mathrm{T,FC}}) \tag{10.14}$$

$$\eta_{\mathrm{T,deg}} = f(n_{\mathrm{T,cor}}, \pi_{\mathrm{T}}, \Delta SF_{\mathrm{T,Eff}}) \tag{10.15}$$

10.2 牛顿–拉普森算法

对于一个已知的残差方程组 $\boldsymbol{E} = f(\boldsymbol{X})$，当自变量 $\boldsymbol{X} \in \mathbf{R}^n$ 变化一个微小量 ΔX 时，相应的残差向量会随之变化一个微小量 ΔE。假如 ΔX 足够小，则 ΔE 与 ΔX 的关系式可以足够精确地表示为

$$\Delta E = \boldsymbol{J}(\boldsymbol{E}, \boldsymbol{X}) \cdot \Delta X \tag{10.16}$$

$$\boldsymbol{E}_2 - \boldsymbol{E}_1 = \boldsymbol{J}(\boldsymbol{E}, \boldsymbol{X}) \cdot (\boldsymbol{X}_2 - \boldsymbol{X}_1) \tag{10.17}$$

式中，$\boldsymbol{J}(\boldsymbol{E}, \boldsymbol{X})$ 是雅可比矩阵，如下式：

$$\boldsymbol{J}(\boldsymbol{E}, \boldsymbol{X}) = \begin{pmatrix} \dfrac{\partial E_1}{\partial x_1} & \dfrac{\partial E_1}{\partial x_2} & \cdots & \dfrac{\partial E_1}{\partial x_n} \\[2mm] \dfrac{\partial E_2}{\partial x_1} & \dfrac{\partial E_2}{\partial x_2} & \cdots & \dfrac{\partial E_2}{\partial x_n} \\[2mm] \vdots & \vdots & & \vdots \\[2mm] \dfrac{\partial E_m}{\partial x_1} & \dfrac{\partial E_m}{\partial x_2} & \cdots & \dfrac{\partial E_m}{\partial x_n} \end{pmatrix} \tag{10.18}$$

当选择一个初值向量 $\boldsymbol{X}_1$，残差方程组会产生一个残差向量 $\boldsymbol{E}_1$。我们希望当得到下一个迭代点 $\boldsymbol{X}_2$ 时，相应的残差向量 $\boldsymbol{E}_2$ 趋近于 0，即

$$X_2 = X_1 - J^{-1}(E,X)_{X=X_1} \cdot E_1 \qquad (10.19)$$

将式(10.19)一般化,非线性牛顿-拉普森算法可以表示成

$$X_{k+1} = X_k - J^{-1}(E,X)_{X=X_k} \cdot E_k \qquad (10.20)$$

直到残差准则 $\|E_{k+1}\| < \varepsilon$ (ε 为一个特定的迭代收敛精度阈值),可以得到最终解 X_{k+1} 。

为了确保得到唯一解 X_{k+1} ,需要 $n=m$ 。然而在实际应用中, n 可能与 m 不相等。当 $n>m$,则式(10.20)是欠定的,会存在无穷多个具有最小二乘意义的解。此时需要定义一个"伪"逆:

$$J(E,X)^{\#} = J(E,X)^{\mathrm{T}} \cdot (J(E,X) \cdot J(E,X)^{\mathrm{T}})^{-1} \qquad (10.21)$$

这时所得的解 $X_{k+1} = X_k - J^{\#}(E,X)_{X=X_k} \cdot E_k$ 是具有最小二乘意义的最优解。

当 $n<m$,则式(10.20)是超定的,即存在过多约束方程。此时需要定义另一"伪"逆:

$$J(E,X)^{\#} = (J(E,X)^{\mathrm{T}} \cdot J(E,X))^{-1} \cdot J(E,X)^{\mathrm{T}} \qquad (10.22)$$

这时所得的解 $X_{k+1} = X_k - J^{\#}(E,X)_{X=X_k} \cdot E_k$ 也是具有最小二乘意义的最优解。

10.3 非线性气路诊断方法

通常燃气轮机的总体性能健康状况可以用气路部件健康参数(如压气机和透平的流量特性指数和效率特性指数、燃烧室的效率特性指数)来表示,并且在本质上代表了由于性能衰退或故障而导致的部件特性线的偏移。然而这些重要的健康状况信息无法通过直接测量得到,因此不容易监测。在燃气轮机运行过程中,气路测量参数的变化通常指示部件性能参数发生变化,且发生这种变化可能是由于环境条件的改变和/或操作条件和/或部件性能衰退或故障所引起的。因此,气路测量参数与部件性能参数的热力学关系可以表示为

$$z = f(p,u) + v \qquad (10.23)$$

式中 z ——气路测量参数向量;

p ——部件性能参数向量;

u ——环境条件和操作条件向量;

v ——气路传感器测量噪声向量。

通常基于热力模型决策的气路诊断方法使用气路部件的性能参数(绝对参数)来定义部件健康参数,因此在诊断中气路实测参数需要进行数据预处理来消除由于环境条件和操作条件变化而导致燃气轮机运行性能变化的影响,一般将气路实测参数修正至标准大气条件及额定功率条件下。由于以部件性能参数为自适应变量,所以诊断需要分两步:第一步为根据气路实测参数通过线性或非线性牛顿-拉普森算法计算得到当前部件性能参数,如空气流量、压气机压比、压气机等熵效率、透平前温、透平等熵效率等;第二步为在部件特性图上比较发生性能衰退或故障情况下的部件运行点与健康基准情况下的部件运行点,从而观测此时部件特性图上的特性线发生偏移的程度(即得到气路部件健康参数),用于评估当前部件的性能健康状况。由于本书采用部件的相似折合参数(如折合流量 $G\sqrt{T \cdot R_g}/P$ 和

折合转速 $n/\sqrt{T \cdot R_g}$ 等)来定义气路部件的健康参数,当机组环境条件(大气温度、压力和相对湿度)和操作条件变化时,仍可用同一部件通用特性线的偏移程度来表征实际气路部件健康参数变化量,此时可将部件健康参数 ΔSF 直接作为自变量参数,进一步推导出部件健康参数与气路测量参数的热力学关系式:

$$z = f(\mathbf{map}, \Delta SF, u) + v \qquad (10.24)$$

式中　　**map**——健康时的燃气轮机部件通用特性线向量;

　　　　ΔSF——部件健康参数向量,$\Delta SF \in \mathbf{R}^N$。

基于热力学模型决策的自适应气路诊断方法,如图 10.1 所示,这里 $\boldsymbol{E} = z - \hat{z}$。由于燃气轮机热力性能的强非线性特性,因此用牛顿–拉普森算法的一个迭代计算过程计算气路部件健康参数 ΔSF。随着迭代,当热力模型的气路参数计算值非常接近气路参数实测值时(即满足 $\|\boldsymbol{E}\| < \varepsilon$,$\varepsilon$ 是设定的一个相对较小的阈值),则可得到最终的气路部件健康参数 ΔSF,迭代过程如图 10.2 所示。

理论上,非线性气路诊断方法可以有效地识别、隔离发生性能衰退的部件,并准确地量化性能衰退程度。

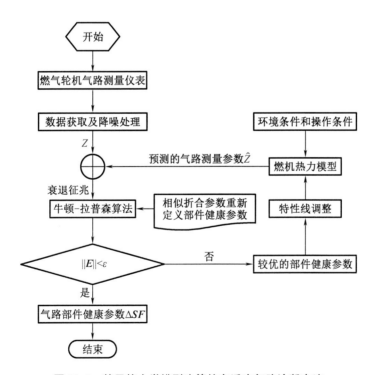

图 10.1　基于热力学模型决策的自适应气路诊断方法

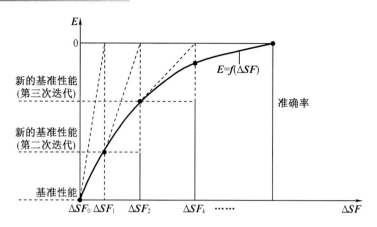

图 10.2　基于热力模型决策的自适应气路诊断方法的迭代计算过程

10.4　基于粒子群的非线性气路诊断方法

粒子群优化算法(PSO)是由 Kennedy 和 Eberhart 提出的一种起源于鸟群集体行为的生物学启发算法。粒子群优化算法由一群粒子组成,并且每一个粒子代表一个候选的解向量,每一个粒子中的每一个元素都表示一个待优化的参数。粒子在解空间中以特定的速度搜索最优解。每一个粒子都有记忆,能帮助其跟踪先前最优位置。每一个粒子的位置用个体极值 *pBest* 和群体极值 *gBest* 来区分。在解空间的搜索过程中,每一个粒子的速度根据其先前行为和相邻粒子行为来调整。每一个粒子的每一次移动主要受记忆、当前位置和群体经验的影响,随着搜索过程,粒子群体逐步向着更优的搜索区域移动。粒子群优化算法迭代寻优过程的流程如图 10.3 所示。

在搜索过程中,每一个粒子的位置和速度通过跟踪两个极值(即个体极值 *pBest* 和群体极值 *gBest*)来更新,则有

$$V_i^{k+1} = W \cdot V_i^k + c1 \cdot r1 \cdot (pBest_i^k - Present_i^k) + c2 \cdot r2 \cdot (gBest^k - Present_i^k) \quad (10.25)$$

$$Present_i^{k+1} = Present_i^k + V_i^{k+1} \quad (10.26)$$

式中　$c1$ 和 $c2$——加速度常数,通常 $c1 = c2 = 1.2$;

　　　$r1$ 和 $r2$——0 至 1 之间的随机数;

　　　W——0.1 至 0.9 之间的惯性权值;

　　　V_i^{k+1}——第 i 个粒子在第 $(k+1)$ 代的速度;

　　　$Present_i^k$——第 i 个粒子在第 k 代的位置;

　　　$pBest_i^k$——第 i 个粒子在第 k 代的最优位置;

　　　$gBest^k$——粒子群体在第 k 代的最优位置。

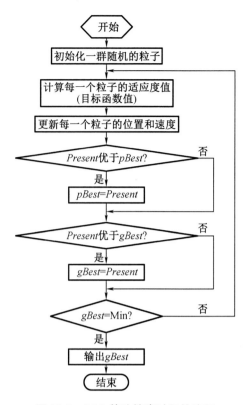

图 10.3 PSO 算法搜索过程的流程

经过不断地迭代更新位置,粒子群体在解空间中逐渐向最优解位置移动,并最终得到全局最优解 $gBest$。

与遗传算法(GA)相比,粒子群优化算法(PSO)没有交叉和变异操作,所以其算法结构更简单,计算速度更快。然而,典型的 PSO 算法在搜索终端容易出现在全局最优解附近往复振荡的现象。为了解决这一问题,在搜索过程中,可以将惯性权值 W 从最大值 W_{max} 随迭代代数线性地降低至最小值 W_{min},如式(10.27)所示,相对较大的惯性权值有利于全局寻优,而相对较小的惯性权值有利于局部寻优。

$$W = W_{max} - iter \cdot \frac{W_{max} - W_{min}}{iter_{max}} \tag{10.27}$$

式中 $iter$——当前迭代代数;

$iter_{max}$——总的迭代代数。

对于包含多部件的复杂燃气轮机机组,当机组中参与诊断的部件数目增多时,故障系数矩阵的维数会随之增大,加之受到测量噪声的干扰,模糊效应可能会增强,从而导致气路诊断的可靠性降低。为了有效地识别、隔离性能衰退的部件,并准确地量化衰退程度,本节在10.3节非线性气路诊断方法基础上提出了一种基于热力模型与粒子群优化算法相结合的非线性气路诊断方法,从全局优化的角度来改善诊断结果的准确性。该方法的诊断过程如图10.4所示,其具体诊断步骤如下。

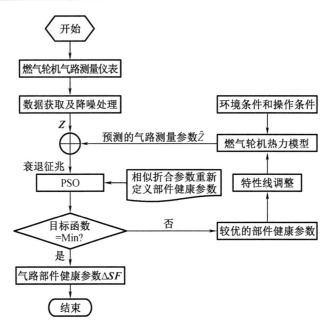

图 10.4　基于热力模型与粒子群优化算法相结合的非线性气路诊断过程

步骤 1:基于目标燃气轮机新投运(或健康)时的气路实测参数建立能完全反映各个部件特性的燃气轮机非线性热力模型。

步骤 2:用相似折合参数重新定义压气机和透平的气路健康参数,消除由于环境条件(大气压力、温度和相对湿度)变化给诊断结果带来的负影响。

步骤 3:采集当前目标燃气轮机稳定运行时某一时段的气路测量参数,进行降噪处理后作为待诊断的气路测量参数。

步骤 4:设置已建立的燃气轮机热力模型的环境输入条件(大气压力、温度和相对湿度)和操作输入条件与采样时的目标燃气轮机运行工况一致,消除由于环境条件和操作条件变化给诊断结果带来的负影响。

步骤 5:以待诊断的气路测量数据与热力模型计算的气路实测参数之间的均方根误差为目标函数,通过粒子群优化算法迭代寻优计算得到当前的各个部件(压气机、透平和燃烧室)的气路健康参数,用以评估对象燃气轮机实际的性能健康状况。

$$\hat{z} = \left[z_{1,\text{predicted}}, \cdots, z_{i,\text{predicted}}, \cdots, z_{M,\text{predicted}} \right] \tag{10.28}$$

$$z = \left[z_{1,\text{actual}}, \cdots, z_{i,\text{actual}}, \cdots, z_{M,\text{actual}} \right] \tag{10.29}$$

其中　$\hat{z}$——燃气轮机热力模型计算的气路参数向量;

　　　z——气路实测参数向量;

　　　M——气路测量参数数目。

$$\Delta SF = \left[\Delta SF_{LC,FC}, \Delta SF_{LC,Eff}, \Delta SF_{HC,FC}, \Delta SF_{HC,Eff}, \Delta SF_{B,Eff}, \Delta SF_{C,Eff}, \Delta SF_{HT,FC}, \Delta SF_{HT,Eff}, \right.$$
$$\left. \Delta SF_{LT,FC}, \Delta SF_{LT,Eff}, \Delta SF_{PT,FC}, \Delta SF_{PT,Eff} \right] \tag{10.30}$$

式中,ΔSF 为气路部件健康参数,作为 PSO 算法中的一个粒子。

这里以一个均方根误差为目标函数,如式:

$$F_{itness} = \sqrt{\dfrac{\sum\limits_{i=1}^{M}\left[(z_{i,\,predicted} - z_{i,\,actual})/z_{i,\,actual}\right]^2}{M}} \qquad (10.31)$$

式中，F_{itness} 为优化目标，随着迭代寻优，当 F_{itness} 逐渐趋近于 0 时，计算的气路测量参数z 与实测的气路参数 z 相匹配，此时输出最终的全局最优解 ΔSF。

10.5　故障诊断结果分析

本节研究对象为三轴船用燃气轮机。在实际燃气轮机运行过程中，单部件性能退化（老化）是最常见的，这里假设压气机（LC、HC）、燃烧室（B）和透平（HT、LT 和 PT）都有可能发生性能衰退或故障，并且单部件、双部件或三部件可能同时发生性能衰退或故障情况。燃气轮机的性能衰退通过改变气路部件健康参数 ΔSF 来模拟。本节选用 10 个诊断案例，如表 10.1 所示，用于校验本章方法的有效性。其中，案例 1~5 是单部件性能衰退情况，案例 6~10 是多部件同时性能衰退情况。前 5 个诊断案例用于测试本章方法用于识别、隔离和量化单部件性能衰退的能力，而案例 6~10 用于测试本章方法识别、隔离和量化多部件性能衰退的能力。一旦获取到模拟的性能衰退的气路实测参数（表 10.1 所示），便假设压气机、透平和燃烧室的实际性能衰退情况是未知的。

表 10.1　植入的部件性能衰退样本

部件	标识符	参数	案例 1	案例 2	案例 3	案例 4	案例 5	案例 6	案例 7	案例 8	案例 9	案例 10
			植入的性能衰退程度/%									
LC	1	$\Delta SF_{LC,Eff}$	-2	0	0	0	0	-2	0	0	0	-2
	2	$\Delta SF_{LC,FC}$	-2	0	0	0	0	-2	0	0	0	-2
HC	3	$\Delta SF_{HC,Eff}$	0	-2	0	0	0	0	-2	-2	-2	0
	4	$\Delta SF_{HC,FC}$	0	-2	0	0	0	0	-2	-2	-2	0
B	5	$\Delta SF_{B,Eff}$	0	0	-2	0	0	0	0	0	-2	-2
HT	6	$\Delta SF_{HT,Eff}$	0	0	0	-2	0	-2	0	-2	-2	0
	7	$\Delta SF_{HT,FC}$	0	0	0	2	0	2	0	2	2	0
LT	8	$\Delta SF_{LT,Eff}$	0	0	0	0	0	0	0	-2	0	0
	9	$\Delta SF_{LT,FC}$	0	0	0	0	0	0	2	0	0	0
PT	10	$\Delta SF_{PT,Eff}$	0	0	0	-2	0	0	0	-2	0	-2
	11	$\Delta SF_{PT,FC}$	0	0	0	2	0	0	0	2	0	2

这里假设所有的气路传感器是健康的，即不存在测量偏差。当气路测量参数发生偏差时，可能指示发生部件性能衰退或故障。

通过将表 10.1 所示的不同诊断案例分别植入燃气轮机热力模型中,可以得到相对于健康基准状况时的气路测量参数的相对偏差,用于气路测量参数对部件健康参数的敏感度分析,如表 10.2 所示。由表 10.2 可知,不同的燃气轮机部件性能衰退情况会导致不同的气路测量参数偏差情况,并且在相同的环境条件和操作条件下,几乎所有的性能衰退案例都导致了燃料消耗量的增加,即机组总体热效率的下降。为了校验本章方法的有效性,这 10 组气路测量参数分别输入 10.3 节和 10.4 节所述的诊断方法中,并且假设压气机、透平和燃烧室的实际性能衰退或故障情况是未知的。

表 10.2　气路测量参数对部件健康参数的敏感度分析

参数	敏感度分析/%									
	案例 1	案例 2	案例 3	案例 4	案例 5	案例 6	案例 7	案例 8	案例 9	案例 10
P_1	0.047	0.047	0.001	−0.098	−0.101	−0.062	−0.088	−0.165	−0.063	−0.051
t_1	0	0	0	0	0	0	0	0	0	0
P_2	−1.535	0.952	0.014	6.196	3.645	4.909	−1.219	11.432	7.579	2.067
t_2	0.628	0.629	0.009	4.298	2.581	5.236	−0.794	7.779	5.192	3.256
P_3	−0.875	−0.877	0.002	2.436	2.774	2.015	4.357	4.723	2.020	1.878
t_3	0.701	0.703	0.001	1.124	1.273	2.082	3.124	3.252	2.029	2.000
P_5	−0.774	−0.776	0.011	4.702	2.406	4.367	2.401	6.750	4.378	1.629
t_5	1.048	1.051	−0.049	5.470	0.172	6.885	4.727	6.847	6.750	1.193
P_6	−0.691	−0.693	0.013	4.279	0.416	3.991	4.191	4.314	4.005	−0.261
t_6	1.147	1.151	−0.033	5.664	−0.371	7.195	6.044	6.581	7.072	0.764
P_7	−0.112	−0.112	0.003	0.869	0.401	0.832	0.857	1.241	0.834	0.288
t_7	1.209	1.254	−0.004	10.130	0.699	12.122	10.647	12.382	11.994	1.947
n_1	0.379	−0.696	−0.009	1.645	1.611	2.248	1.292	2.755	1.160	1.994
n_2	0.574	−0.217	−0.019	−1.248	0.085	−0.641	4.617	−1.154	−1.336	0.649
n_3	0	0	0	0	0	0	0	0	0	0
G_f	0.114	0.114	2.091	9.257	2.159	10.138	9.486	12.204	12.376	4.441

在本章诊断案例分析中,植入不同部件性能衰退案例模拟的燃气轮机性能被视为"实际"的燃气轮机性能,而基于气路测量参数通过本章方法诊断的燃气轮机性能则视为"预测"的性能。

由于测量噪声在实际的气路测量中是不可避免,并会对诊断结果造成负影响,因此在模拟的气路测量参数中引入测量噪声使诊断分析更切合实际。不同测量参数的最大测量噪声,如表 10.3 所示。

表 10.3　最大的测量噪声

参数	范围	最大测量噪声
P	20.688 ~ 310.32 kPa	±0.5%
	55.168~3.172 2e+003 kPa	±0.5%或 0.862 kPa 取大
t	−65~290 ℃	±3.3 ℃
	290~1 000 ℃	$\pm\sqrt{2.5^2+(0.007\,5\cdot t)^2}$
	1 000~1 300 ℃	$\pm\sqrt{3.5^2+(0.007\,5\cdot t)^2}$
G_f	达 1.513 9 kg/s	0.017 6 kg/s
	达 3.405 6 kg/s	0.039 6 kg/s

为减小测量噪声的副作用,在气路测量参数样本输入诊断系统前,需要进行降噪处理。由于测量噪声一般符合高斯分布,这里将连续获取的多个气路测量值,用一个 30 点滚动平均方法来得到一个平均的测量值,即

$$\bar{z} = \frac{1}{P}\sum_{i=1}^{P} z_i \qquad (10.32)$$

式中　z_i——每一个气路测量参数的第 i 个采样点的样本值;

　　　P——每一个气路测量参数的采样点数量(这里 $P=30$,用于 30 点滚动平均)。

PSO 算法相关参数的选取如表 10.4 所示,这里进化代数为 80,种群规模为 60,用于搜索最优的部件健康参数 ΔSF。

表 10.4　PSO 算法相关参数的选取

参数	取值
种群规模	60
进化代数	80

10.5.1　案例 1~5 的诊断结果

将案例 1~5 模拟的“实际”燃气轮机性能的气路测量参数引入测量噪声后分别输入10.3 节和 10.4 节所述的诊断方法中,所得到的诊断结果如图 10.5~图 10.9 所示。当单部件发生性能衰退或故障时,由于该型三轴燃气轮机气路部件数目较大(即气路部件健康参数较多),且存在气路测量噪声副作用,应用 3.2.4 节所述的改进型非线性气路诊断方法(GPA)时,由于其核心算法(牛顿–拉普森算法)本质上是一种局部迭代寻优方法,其诊断结果出现了一定程度的模糊效应。由于基于热力模型与粒子群优化算法相结合的非线性气路诊断方法(PSO–GPA),本质上是一种全局迭代寻优方法,因此可以更加准确地识别、隔离实际性能衰退的部件,并准确地预测出性能衰退的程度。

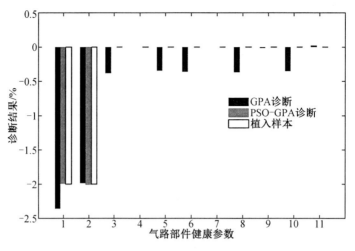

图 10.5　案例 1 的诊断结果

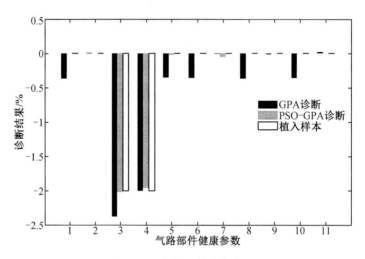

图 10.6　案例 2 的诊断结果

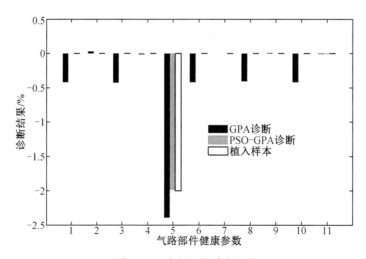

图 10.7　案例 3 的诊断结果

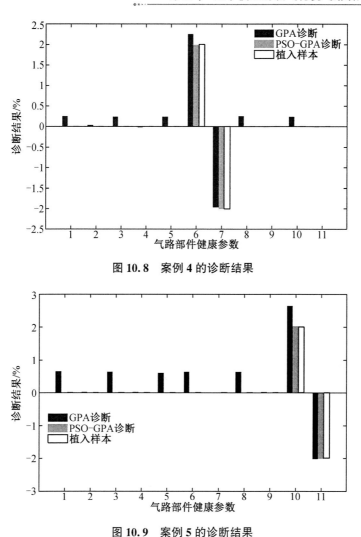

图10.8　案例4的诊断结果

图10.9　案例5的诊断结果

注:图10.5至图10.9中横坐标为表10.1所示的各个部件健康参数的标识符,纵坐标为各个部件健康参数的气路诊断量化结果。

10.5.2　案例6至案例10的诊断结果

将案例6至案例10模拟的"实际"燃气轮机性能的气路测量参数引入测量噪声后分别输入10.3节和10.4节所述的诊断方法,所得到的诊断结果如图10.10至图10.14所示。由于双部件和三部件同时性能衰退或故障的组合模式较多,这里只任意选取2个案例用于测试双部件同时发生性能衰退的诊断情况,选取3个案例用于测试三部件同时发生性能衰退的诊断情况。从图10.10至图10.14可知,通过PSO-GPA诊断方法可以成功地识别、隔离实际性能衰退的部件,且预测的性能衰退程度几乎与性能衰退案例样本一致,然而应用GPA方法时,则出现了一定程度的模糊效应。

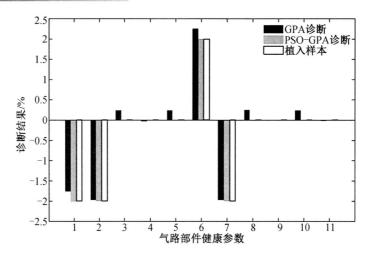

图 10.10 案例 6 的诊断结果

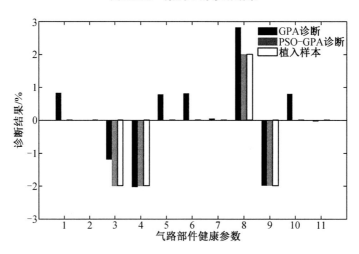

图 10.11 案例 7 的诊断结果

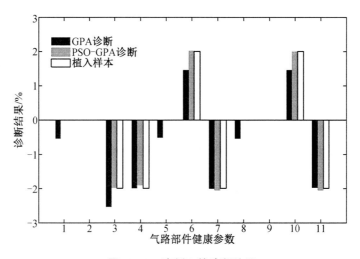

图 10.12 案例 8 的诊断结果

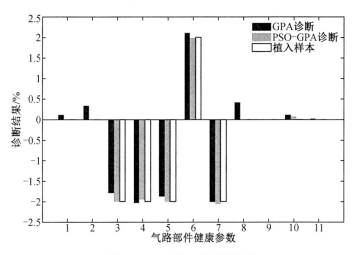

图 10.13 案例 9 的诊断结果

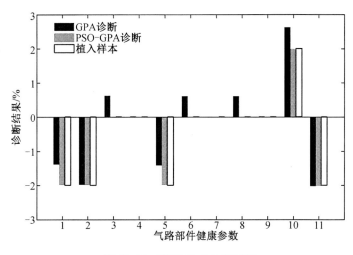

图 10.14 案例 10 的诊断结果

注:图 10.10 至图 10.14 中横坐标为表 10.1 所示的各个部件健康参数的标识符,纵坐标为各个部件健康参数的气路诊断量化结果。

其中,PSO-GPA 诊断方法在案例 10 中的迭代搜索计算过程如图 10.15。

由图 10.15 可知,群体极值即当前粒子群体的目标函数最优值随着全局迭代寻优计算逐渐减小,当进化代数达到 50 后,基本趋近于稳定值 0.013%,此时得到最终的全局最优解 $gBest$,即诊断出当前各个部件(压气机、透平和燃烧室)的气路健康参数,用于评估目标燃气轮机实际的性能健康状况。

为进一步校验诊断结果的准确性,这里引入各个案例中诊断出的气路部件健康参数与植入样本之间误差绝对值的和 D 及所有案例中诊断出的气路部件健康参数与植入样本之间误差绝对值的和 D_{total},来比较这两种方法的诊断有效性,如表 10.5 所示。

$$D = \sum_{i=1}^{11} \left| SF_{i,\text{predicted}} - SF_{i,\text{actual}} \right| \tag{10.33}$$

$$D_{\text{total}} = \sum_{j=1}^{10} \sum_{i=1}^{11} \left| SF_{j,i,\text{predicted}} - SF_{j,i,\text{actual}} \right| \tag{10.34}$$

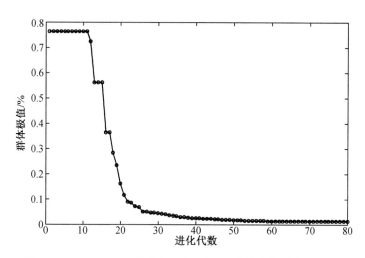

图 10.15　PSO-GPA 诊断方法在案例 10 中的迭代搜索计算过程

表 10.5　各个案例中诊断出的气路部件健康参数与植入样本之间误差绝对值的和

D	案例 1		案例 2		案例 3		案例 4		案例 5	
	GPA	PSO-GPA	GPA	PSO-GPA	GPA	PSO-GPA	GPA	PSO-GPA	GPA	PSO-GPA
	2.228	0.012	2.226	0.128	2.564	0.021	1.595	0.029	3.833	0.026
	案例 6		案例 7		案例 8		案例 9		案例 10	
D	GPA	PSO-GPA	GPA	PSO-GPA	GPA	PSO-GPA	GPA	PSO-GPA	GPA	PSO-GPA
	1.569	0.013	4.932	0.015	3.297	0.224	1.499	0.208	3.727	0.077
D_{total}	GPA					PSO-GPA				
	27.468 3					0.752 7				

由表 10.5 可知,PSO-GPA 诊断方法在准确地量化部件性能衰退程度方面要远优于改进型非线性气路诊断方法,适用于包含多个部件的船用三轴燃气轮机机组及存在测量噪声干扰的诊断情况。

第 11 章　基于线性多模型的气路故障诊断方法

多模型方法是由美国学者 Magil 在研究随机样本的最优自适应估计时提出的,具有将复杂问题简化的能力,尤其适合于解决随机混合系统问题,广泛应用于机动目标跟踪、复杂系统控制及故障诊断等多个领域。多模型方法发展至今可分为三类,即自主多模型方法(AMM)、交互多模型方法(IMM)及变结构多模型方法(VSMM)。AMM 方法中假设模型数量是确定的,且对应各假设模型的滤波器在运行过程中并行且无交互,而估计的结果由各滤波器估计输出融合确定。IMM 方法考虑了系统状态之间的跳变行为,反映了各假设模型之间的交互关联。相对于 AMM 方法,IMM 方法将系统状态变化假设为马尔科夫或半马尔科夫过程,因而假设模型初始化过程有所不同。AMM 方法和 IMM 方法都是具有固定假设模型数量的方法,但实际中系统运行状态是未知的,因此很难实现假设模型的完备性。此外,增加假设模型的数量也会增加计算复杂度,导致耗时增加,但对多模型方法性能的提升却不明显。

本章首先简单介绍多模型方法的发展并分析其在气路故障诊断应用中的可行性,总结多模型方法在气路故障诊断应用中所需解决的问题;针对基于多模型的气路故障诊断中模型集获取问题,提出气路故障模型集获取方法,且对存在的单故障与多故障问题,建立层次化检测与隔离框架并研究模型集自适应生成方法;为了实现故障幅值的估计,在检测与隔离结果的基础上,研究基于广义似然比(GLR)的故障幅值估计方法;通过仿真分析评估所提出的线性多模型方法在单故障与多故障、稳态与过渡过程、不同传感器数量,以及存在测量野点值下的故障诊断性能,分析了欠定条件下基于多模型方法与 GLR 实现故障幅值估计的可行性。

11.1　多模型方法简介

11.1.1　基本原理

多模型方法的基本原理是针对一个复杂的随机系统,为了估计其当前的运行状态,通过建立一组表征系统当前可能运行状态的假设模型组成模型集,并且对每一个假设模型设计对应的递归滤波器。各滤波器滤波残差能够作为模型集内各假设模型与实际运行状态的匹配程度的表征,因此可以通过贝叶斯方法将各滤波器滤波残差转化为各假设模型的条件概率,通过各假设模型的条件概率对各假设模型的状态估计值进行融合作为当前实际状态的估计。多模型估计方法框架如图 11.1 所示。

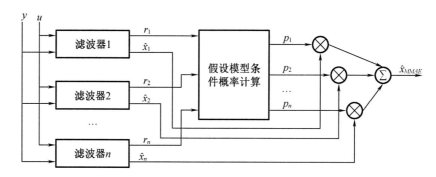

图 11.1 多模型估计方法框架

如图 11.1 所示,假设系统当前运行状态一共有 n 种可能,建立 n 个假设模型分别对应每一种可能,并对每个假设模型设计对应的滤波器。当控制输入为 u,测量参数为 y 时,每一个滤波器都会有一组对应的滤波残差 $r_i(i=1,2,\cdots,n)$ 与状态变量估计值 $\hat{x}_i(i=1,2,\cdots,n)$。将每个滤波器产生的滤波残差输入到假设模型条件概率计算模块,得到每个假设模型的条件概率 $p_i(i=1,2,\cdots,n)$。与系统实际运行状态更接近的模型残差更小,对应得到的条件概率则更大,因此,可以根据条件概率对每个假设模型的状态估计进行融合,得到当前系统实际状态的估计。

11.1.2 主要组成部分

由多模型估计流程可知,多模型方法主要包含模型集获取、滤波器设计及估计融合。模型集获取是根据系统可能运行状态建立合理的假设模型组成模型集,滤波器设计是根据系统需求设计适用的滤波器,而估计融合则是根据各假设模型的状态估计确定系统实际状态估计。

1. 模型集获取

模型集获取是多模型方法面临的首要问题,也是影响多模型方法性能的关键因素。复杂系统可能的运行状态有很多,理论上模型集应包含系统所有可能的运行状态,且假设模型之间相互独立。但这一般很难实现且需考虑实际的计算负担与方法性能,因此模型集不宜过大,一般只考虑系统主要的可能状态。在模型集获取初期,需要根据系统有关的先验知识针对性地选择主要的可能状态建立假设模型。

2. 滤波器设计

每个假设模型都需要设计对应的滤波器,滤波器的设计依赖于所建立的系统类型。对于线性系统,常选择线性卡尔曼滤波器,而非线性系统则常选择非线性卡尔曼滤波器。

3. 估计融合

为了获得系统当前的状态估计,需要将每一个假设模型的状态估计根据对应的条件概率进行融合,根据不同的需求选择不同的融合方法,常用的方法有软融合、硬融合及随机融合。

11.1.3 在故障诊断中的应用

多模型方法通过预先建立多个可能的系统状态,来确定当前的实际状态的特点,为其在故障诊断中的应用奠定了基础。根据系统故障先验知识,建立表征系统可能状态的假设模型,包括正常状态及不同故障状态,然后通过多模型方法确定与实际状态最匹配的假设模型,实现故障的检测与隔离(FDI)。基于多模型方法的 FDI 是在基于多模型估计方法的基础上改进而来的。基于多模型方法的故障检测与隔离框架如图 11.2 所示。

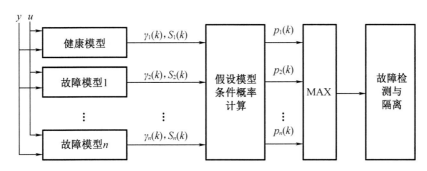

图 11.2 基于多模型方法的故障检测与隔离框架

对比图 11.1 和图 11.2 可知,多模型方法相对于基于多模型状态估计方法的主要区别在于输出结果的融合策略。基于多模型方法的状态估计是根据假设模型的估计结果及对应的条件概率加权融合实现的,而基于多模型的故障检测与隔离是根据各假设模型对应的条件概率直接使用概率最大准则确定概率最大的假设模型作为当前故障检测与隔离结果。

多模型方法虽然在气路故障诊断实际应用中具有较大潜力,但是目前仍处于初期研究阶段,在实际应用中还存在不少需要解决的问题。其中,模型集的建立是多模型方法在气路故障诊断应用中面临的一个关键问题。对于传感器与执行器故障,故障的发生只引起模型控制输入或者测量输出的变化,并不会引起模型本身的变化,而气路故障则会导致模型的变化,这是多模型方法在气路故障诊断应用中需要解决的问题。此外,由于气路故障具有随机性,且发生故障的故障幅值也各不相同,导致模型集的建立异常困难,很难达到完备性。因此,为了实现多模型方法在气路故障诊断中的应用,需要提出一种新的模型集建立方法实现模型集的获取。

另一个问题是针对每一个假设模型需要设计对应的滤波器,因此有多个滤波器并行运行,复杂的滤波器设计将导致在实际应用中面临较大的计算负担,影响基于多模型方法的故障检测与隔离的实时性。因此,滤波器的设计也是需要考虑的一个问题。另外,多模型方法是一种故障检测与隔离方法,检测的结果只能确定故障发生的位置、时间及幅值大概范围,无法确定准确的故障幅值。因此,需要进一步研究基于多模型方法的被检测故障的故障幅值估计方法。

此外,当前研究主要针对气路故障或者传感器故障,并未考虑传感器故障与气路故障同时存在的问题。当气路故障与传感器故障同时存在时,两类故障之间将会互相耦合,使气路故障与传感器故障的检测与隔离难度增大。因此,如何降低气路故障与传感器故障对彼此检测与隔离的影响是实际应用中需要解决的问题。针对上述分析的问题,本章及后续章节将进行系统研究并提出相关解决方法,最终实现多模型方法在气路故障诊断中的应用。

11.2 基于多模型方法的气路检测与隔离原理

根据燃气轮机气路故障先验知识确定可能发生的气路故障,建立代表燃气轮机不同状态的假设模型并设计对应的滤波器,图 11.2 中每一个滤波器都对应一个假设模型,包括正常假设模型及不同的故障假设模型。由于每一种气路故障对燃气轮机性能的影响不同,根据当前的控制变量及测量参数,每一个滤波器都会产生一组滤波残差。与当前状态匹配的模型残差均值接近 0,而不匹配的模型残差均值偏差较大,因此滤波残差能够用于表征各假设模型与当前实际状态的近似程度。使用贝叶斯方法根据滤波残差递归计算各假设模型条件概率,概率越大与实际运行状态越匹配,因而可以根据最大概率准则实现故障的检测与隔离。

11.2.1 滤波器设计

本章研究主要基于线性模型,因此设计线性卡尔曼滤波器。对于任意假设模型,假设其离散时间线性状态空间模型如下:

$$\begin{cases} \Delta x_{k+1} = A\Delta x_k + B\Delta u_k + w_k \\ \Delta y_k = C\Delta x_k + D\Delta u_k + v_k \end{cases} \tag{11.1}$$

式中,x 是状态变量,u 是控制变量,y 是输出参数,矩阵 A、B、C 和 D 分别为状态矩阵、控制矩阵、输出矩阵及反馈矩阵,而 w、v 分别表示过程噪声与测量噪声,假设其为零均值高斯白噪声且协方差分别为 Q 和 R。

卡尔曼滤波是最常用的递归滤波算法,也是线性系统最优估计方法。在多模型方法中,针对每一个假设模型设计对应的线性卡尔曼滤波器。线性卡尔曼滤波算法分为两部分:时间更新与测量更新。整个算法如下:

时间更新:

$$\hat{x}_{k\,|\,k-1} = A\hat{x}_{k-1} + Bu_{k-1}$$

$$\hat{P}_{k\,|\,k-1} = A\hat{P}_{k-1}A^{\mathrm{T}} + Q$$

测量更新:

$$K_k = \hat{P}_{k\,|\,k-1}C^{\mathrm{T}}[C\hat{P}_{k\,|\,k-1}C^{\mathrm{T}} + R] - 1$$

$$\hat{x}_k = \hat{x}_{k\,|\,k-1} + K_k[y_k - (C\hat{x}_{k\,|\,k-1} + Du_k)]$$

$$\hat{P}_k = \hat{P}_{k\,|\,k-1} - K_kC\hat{P}_{k\,|\,k-1} \tag{11.2}$$

式中，$\hat{x}_k$ 为状态变量的估计值，$\hat{P}_k$ 为误差协方差矩阵，K_k 为卡尔曼增益。

11.2.2 假设模型条件概率

在多模型方法中，每一个假设模型代表系统的一种状态，如正常或者不同的故障状态。在任意时刻 k，每一个滤波器输出一组滤波残差，残差可用于表征各假设模型与实际运行状态的近似程度，残差越小则与实际运行状态越接近。使用条件概率表示各假设模型与实际运行状态的近似程度。条件概率 $p_i(k)$ 定义为在 k 时刻，测量参数为 y_k 时对应的燃气轮机运行状态为 m_i（$i=1,2\cdots,n$，为模型个数）的概率，如下：

$$p_i(k) = \Pr[m=m_i | y(t_k) = y_k] \tag{11.3}$$

那么，任意时刻假设模型对应的条件概率可利用前一时刻的值以及当前测量值的高斯概率密度通过贝叶斯方法递推计算，如下：

$$p_i(k) = \frac{f(y_k | i, y_{k-1}) p_i(k-1)}{\sum_{j=1}^{n} f(y_k | j, y_{k-1}) p_j(k-1)} \tag{11.4}$$

式中，$f(y_k | i, y_{k-1})$ 表示第 i 个假设模型在当前测量值下的高斯概率密度，$p_i(k-1)$ 表示上一时刻第 i 个假设模型的条件概率。高斯概率密度函数如下。

$$f(y_k | j, y_{k-1}) = \frac{1}{(2\pi)^{l/2} |S_j|^{1/2}} \exp\left[-\frac{1}{2} \gamma_j^{\mathrm{T}} S_j \gamma_j\right] \tag{11.5}$$

式中，l 为测量参数的维数，S_j 为滤波器残差协方差，而 γ_j 为滤波器残差，这些参数都可在滤波过程中获得。

11.2.3 故障隔离逻辑

通过比较每个假设模型的条件概率能够实现故障的检测与隔离。假设当前时刻的运行状态与第 j 个假设模型 m_j 匹配，则假设模型 m_j 的滤波器输出残差均值将接近 0，其对应的高斯概率密度将接近最大值，而其他模型滤波器残差均值偏差将较大，对应的高斯概率密度相对较小，可以通过贝叶斯递归求解。假设模型 m_j 的条件概率将最大，因此，可以采用概率最大准则对故障进行隔离，即如式(11.6)所示。

$$j = \arg \max_{i=1,\cdots,n} p_i(k) \tag{11.6}$$

式中，j 表示第 j 个假设模型 m_j 与当前燃气轮机运行状态最匹配。

11.3 基于参数扩展的气路故障模型集建立方法

气路故障模型集的建立是基于多模型方法的气路故障检测与隔离核心环节。当前假设模型的建立方法都是预先建立可能的故障模型,然后在故障检测与隔离过程中对假设模型进行选择。由于故障发生的随机性,很难建立所有可能的故障模型,无法确保故障模型的完备性。此外,执行器与传感器故障的故障模型只需在正常模型的基础上改变对应的控制参数 u 与输出参数 y,并不会引起模型本身的变化。而燃气轮机发生气路故障后,对应的模型会发生变化,导致每一种故障模型都需要重新建立。因此,本书提出一种新的模型集建立方法,将表征气路故障的故障因子扩展为控制变量,通过这种转化来建立不同的气路故障模型。

11.3.1 典型气路故障

受积垢、磨损、腐蚀及外物损伤等因素的影响,燃气轮机在运行过程中会不可避免地发生气路故障,气路故障的发生会改变部件结构,导致部件性能下降,使得燃气轮机总体性能发生退化。部件性能下降主要体现在质量流量及效率等性能参数的变化。典型气路故障对部件性能的影响如表 11.1 所示,由表 11.1 可知,气路故障的发生可能引起质量流量的增加或者下降,且会引起等熵效率下降。

表 11.1 典型气路故障对部件性能的影响

气路故障	对流量的影响	对效率的影响
压气机积垢	↓	↓
压气机磨损	↓	↓
压气机腐蚀	↓	↓
涡轮积垢	↓	↓
涡轮磨损	↑	↓
涡轮腐蚀	↑	↓

在本书中,以性能参数作为故障类别。燃气轮机主要包含压气机、高压涡轮及动力涡轮三个部件,因此主要考虑以下 6 种气路故障:

(1)压气机质量流量发生变化: F_{mc};

(2)压气机等熵效率发生变化: $F_{\eta c}$;

(3)压气机涡轮质量流量发生变化: F_{mct};

(4)压气机涡轮等熵效率发生变化: $F_{\eta ct}$;

（5）动力涡轮质量流量发生变化：F_{mpt}；

（6）动力涡轮等熵效率发生变化：$F_{\eta pt}$。

其中，每一种故障以对应的故障因子来表示，其定义为故障时性能参数值与正常时性能参数值的比值，如式（11.7）所示。

$$\begin{cases} f_m = m_{fault} / m_{normal} \\ f_\eta = \eta_{fault} / \eta_{normal} \end{cases} \tag{11.7}$$

由式（11.7）可知，燃气轮机处于正常状态时故障因子等于 1，而处于故障状态时故障因子不等于 1。例如，当 $f_{mc} < 1$ 时表示发生了引起压气机质量流量下降故障，在线性模型中，使用其百分比变化量 Δf_{mc}。

11.3.2 基于参数扩展的气路故障模型获取方法

燃气轮机正常状态下的离散时间线性化模型如式（11.8）所示。

$$\begin{cases} \Delta x_{k+1} = A \Delta x_k + B \Delta u_k + w_k \\ \Delta y_k = C \Delta x_k + D \Delta u_k + v_k \end{cases} \tag{11.8}$$

式中，矩阵 A、B、C 和 D 为正常状态下的系统矩阵。

发生气路故障时，受故障因子变化影响燃气轮机模型的系统矩阵会发生变化，因而故障后的离散时间线性化模型变化为如式（11.9）所示。

$$\begin{cases} \Delta x_{k+1} = A' \Delta x_k + B' \Delta u_k + w_k \\ \Delta y_k = C' \Delta x_k + D' \Delta u_k + v_k \end{cases} \tag{11.9}$$

式中，矩阵 A'、B'、C' 和 D' 为故障状态下的系统矩阵。

每一种气路故障发生后对应的线性模型的系统矩阵都有所区别，这将大大增加假设模型的建立难度。为了能够快速建立假设模型，将燃气轮机非线性模型也看作是所有故障因子组合 $f_c = [f_{mc}, f_{\eta c}, f_{mct}, f_{\eta ct}, f_{mpt}, f_{\eta pt}]^T$ 的函数，即

$$\begin{cases} \dot{x} = f(x, u, f_c) + w \\ y = h(x, u, f_c) + v \end{cases} \tag{11.10}$$

将式（11.10）进行线性化得

$$\begin{cases} \Delta x_{k+1} = A \Delta x_k + B \Delta u_k + E \Delta f_{c,k} + w_k \\ \Delta y_k = C \Delta x_k + D \Delta u_k + H \Delta f_{c,k} + v_k \end{cases} \tag{11.11}$$

由式（11.11）可知，当 $\Delta f_c = 0_{6 \times 1}$ 时，即没有发生故障，模型可简化为式（11.8）。因而，式（11.11）中的 A、B、C 和 D 矩阵为燃气轮机正常状态下的矩阵，而 E 和 H 矩阵认为是气路故障对正常模型的影响矩阵。考虑到式中故障因子对线性模型的作用与控制变量近似，因此把故障因子扩展为控制变量，得到一个新的线性化模型，如式（11.12）所示。

$$\begin{cases} \Delta x_{k+1} = A \Delta x_k + \begin{bmatrix} B & E \end{bmatrix} \begin{bmatrix} \Delta u_k \\ \Delta f_{c,k} \end{bmatrix} + w_k \\ \Delta y_k = C \Delta x_k + \begin{bmatrix} D & H \end{bmatrix} \begin{bmatrix} \Delta u_k \\ \Delta f_{c,k} \end{bmatrix} + v_k \end{cases} \tag{11.12}$$

由式(11.12)可知,当燃气轮机正常工作时,作为控制变量的故障因子变化量 $\Delta f_c = 0_{6\times1}$;而当发生气路故障时,作为控制变量的故障因子的变化量 $\Delta f_c \neq 0_{6\times1}$,将引起模型响应变化。反之,在正常模型的基础上改变故障因子的值就能够建立不同故障的故障模型。因此,将故障因子扩展为控制变量能够实现通过改变故障因子的值来达到建立各种气路故障模型的目的,而不需要对不同故障状态分别建立各自的故障模型,这样能够大大降低气路故障模型集的建立难度。

11.3.3 气路故障模型获取方法比较

为了验证基于参数扩展的气路故障模型建立方法的可行性,在设计点工况下,分别使用分步拟合法建立了对应于式(11.9)与式(11.12)的两种线性化故障模型,假设所建立的故障模型为压气机质量流量(F_{mc})下降1%故障,考虑7个测量参数,分别为 N_1、N_2、T_2、P_2、T_4、P_4 及 T_5,而状态变量为 N_1、N_2、T_3、P_3、P_4 及 P_5,以燃油流量为控制变量,离散时间步长取 0.02 s。式(11.9)对应的故障的线性状态空间模型如式(11.13)所示,该模型是在非线性模型中植入 F_{mc} 下降1%故障后,在新的稳态点进行线性化获得。对于如式(11.12)所示的基于参数扩展的线性故障模型,是正常状态下将故障因子作为控制变量建立的线性化模型,如式(11.14)所示。相对于式(11.13),式(11.14)的控制变量有 7 个,它能够根据给定不同的故障因子值仿真不同的故障。

$$
\begin{bmatrix} \Delta N_1 \\ \Delta N_2 \\ \Delta T_3 \\ \Delta P_3 \\ \Delta P_4 \\ \Delta P_5 \end{bmatrix}_{k+1} = \begin{bmatrix} 0.971\,0 & 0.030\,7 & 0.006\,2 & 0.080\,3 & -0.112\,1 & 0.354\,2 \\ -0.052\,4 & 0.520\,0 & 0.014\,9 & 0.125\,5 & 0.323\,2 & -2.522\,9 \\ -0.070\,6 & 1.792\,2 & 0.425\,8 & 1.204\,9 & -1.942\,5 & -5.016\,2 \\ -0.003\,4 & 1.867\,7 & -0.516\,4 & 2.089\,4 & -2.016\,5 & -5.238\,6 \\ -0.037\,0 & 0.100\,7 & -0.073\,4 & 0.428\,2 & 0.607\,1 & -2.815\,1 \\ -1.068\,8 & -0.004\,5 & -0.004\,3 & 0.005\,7 & 0.007\,3 & 0.781\,1 \end{bmatrix} \begin{bmatrix} \Delta N_1 \\ \Delta N_2 \\ \Delta T_3 \\ \Delta P_3 \\ \Delta P_4 \\ \Delta P_5 \end{bmatrix}_k +
$$

$$
\begin{bmatrix} 0.004\,0 \\ 0.003\,3 \\ 0.053\,4 \\ 0.051\,2 \\ 0.014\,9 \\ 1.17e-4 \end{bmatrix} \begin{bmatrix} \Delta w_f \end{bmatrix}_k
$$

$$
\begin{bmatrix} \Delta N_1 \\ \Delta N_2 \\ \Delta T_2 \\ \Delta P_2 \\ \Delta T_4 \\ \Delta P_4 \\ \Delta T_5 \end{bmatrix}_k = \begin{bmatrix} 1 & 0 & 0 & 0 & 0 & 0 \\ 0 & 1 & 0 & 0 & 0 & 0 \\ 0.654\,7 & -0.868\,0 & 0.189\,3 & -0.376\,1 & 1.050\,5 & 1.979\,6 \\ 0 & 0 & 0 & 1 & 0 & 0 \\ 0.043\,0 & -2.713\,0 & 1.891\,0 & -2.330\,3 & 3.341\,9 & 8.539\,6 \\ 0 & 0 & 0 & 0 & 1 & 0 \\ 0.031\,1 & 2.123\,3 & 0.260\,3 & -0.157\,5 & -0.345\,1 & -17.399 \end{bmatrix} \begin{bmatrix} \Delta N_1 \\ \Delta N_2 \\ \Delta T_3 \\ \Delta P_3 \\ \Delta P_4 \\ \Delta P_5 \end{bmatrix}_k +
$$

$$
\begin{bmatrix}
0 \\
0 \\
-0.001\ 9 \\
0 \\
-0.004\ 9 \\
0 \\
-6.5e\text{-}4
\end{bmatrix}
\begin{bmatrix} \Delta w_f \end{bmatrix}_k
\tag{11.13}
$$

图 11.3 给出了非线性模型、式(11.13)所示的传统线性故障模型及式(11.14)所示的基于参数扩展的线性故障模型各测量参数的动态响应比较。其中 F_{mc} 下降 1% 故障发生在 $t=5$ s 并在 $t=25$ s 恢复;燃油流量在 $t=15$ s 从 1.0 向下阶跃至 0.99,而在 $t=35$ s 发生 F_{mct} 下降 1% 故障直到仿真结束。由图 11.3 可知,对于基于参数扩展的线性故障模型,各参数的动态响应与非线性模型的动态响应始终一致,而对于传统线性故障模型只在 F_{mc} 故障发生后与非线性模型响应一致,当燃气轮机处于正常状态及发生 F_{mct} 故障时与非线性模型动态响应不一致。因此,由式(11.14)所示的由扩展方法建立的故障模型能够通过改变对应的故障因子的值灵活快速地建立所需的故障模型,使其能够与非线性模型的动态响应始终保持一致,这对于模型集的建立具有重要作用。

$$
\begin{bmatrix}
\Delta N_1 \\
\Delta N_2 \\
\Delta T_3 \\
\Delta P_3 \\
\Delta P_4 \\
\Delta P_5
\end{bmatrix}_{k+1}
=
\begin{bmatrix}
0.970\ 9 & 0.039\ 2 & 0.005\ 9 & 0.084\ 4 & -0.117\ 3 & 0.360\ 20 \\
-0.051\ 8 & 0.503\ 2 & 0.017\ 5 & 0.117\ 7 & 0.342\ 2 & -2.505\ 8 \\
-0.076\ 1 & 1.803\ 2 & 0.423\ 7 & 1.224 & -1.969 & -5.044\ 7 \\
-0.004\ 0 & 1.878\ 9 & -0.518\ 3 & 2.105\ 9 & -2.042\ 8 & -5.268\ 6 \\
-0.036\ 6 & 0.099\ 1 & -0.074 & 0.429\ 2 & 0.606\ 4 & -2.807\ 7 \\
0 & -0.004\ 5 & -0.004\ 3 & 0.005\ 7 & 0.007\ 2 & 0.780\ 7
\end{bmatrix}
\begin{bmatrix}
\Delta N_1 \\
\Delta N_2 \\
\Delta T_3 \\
\Delta P_3 \\
\Delta P_4 \\
\Delta P_5
\end{bmatrix}_k
+
$$

$$
\begin{bmatrix}
0.004\ 2 & -0.025\ 0 & 0.009\ 9 & 0.078\ 3 & -0.001\ 5 & -0.098\ 4 & -0.008\ 9 \\
0.003\ 3 & -0.071\ 4 & -0.050\ 2 & 0.127\ 8 & -0.091\ 0 & 0.235\ 3 & 0.146\ 6 \\
0.053\ 5 & 0.023\ 7 & -0.031\ 1 & 1.168\ 8 & -0.017\ 8 & -1.564\ 4 & -0.509\ 4 \\
0.051\ 2 & 0.170\ 0 & 0.073\ 2 & 1.069\ 8 & 0.125\ 7 & -1.581\ 8 & -0.530\ 8 \\
0.015\ 0 & 0.035\ 0 & 0.012\ 6 & 0.449\ 8 & -0.014\ 2 & -0.340\ 1 & -0.018\ 4 \\
0.000\ 1 & 0.000\ 3 & 0.000\ 2 & 0.004\ 9 & 0.001\ 0 & 0.007\ 0 & 0.001\ 2
\end{bmatrix}
\begin{bmatrix}
\Delta w_f \\
\Delta f_{mc} \\
\Delta f_{\eta c} \\
\Delta f_{mct} \\
\Delta f_{\eta ct} \\
\Delta f_{mpt} \\
\Delta f_{\eta pt}
\end{bmatrix}_k
$$

$$
\begin{bmatrix}
\Delta N_1 \\
\Delta N_2 \\
\Delta T_2 \\
\Delta P_2 \\
\Delta T_4 \\
\Delta P_4 \\
\Delta T_5
\end{bmatrix}_k
=
\begin{bmatrix}
1 & 0 & 0 & 0 & 0 & 0 \\
0 & 1 & 0 & 0 & 0 & 0 \\
0.638\ 3 & -0.846\ 3 & 0.183\ 0 & -0.374\ 2 & 1.035\ 9 & 1.889\ 1 \\
0 & 0 & 0 & 1 & 0 & 0 \\
0.043\ 2 & -2.729\ 6 & 1.891\ 1 & -2.359\ 4 & 3.385\ 1 & 8.515\ 5 \\
0 & 0 & 0 & 0 & 1 & 0 \\
0.029\ 9 & 2.129\ 4 & 0.263\ 6 & -0.156\ 3 & -0.355\ 2 & -17.348\ 5
\end{bmatrix}
\begin{bmatrix}
\Delta N_1 \\
\Delta N_2 \\
\Delta T_3 \\
\Delta P_3 \\
\Delta P_4 \\
\Delta P_5
\end{bmatrix}_k
+
$$

$$\begin{bmatrix} 0 & 0 & 0 & 0 & 0 & 0 & 0 \\ 0 & 0 & 0 & 0 & 0 & 0 & 0 \\ -0.001\,8 & 0.208\,7 & -0.741\,8 & -0.635\,0 & -0.228\,1 & 0.748\,1 & 0.235\,3 \\ 0 & 0 & 0 & 0 & 0 & 0 & 0 \\ -0.004\,8 & -0.018\,4 & 0.004\,0 & -1.980\,2 & -0.290\,3 & 2.561 & 0.764\,0 \\ 0 & 0 & 0 & 0 & 0 & 0 & 0 \\ -0.000\,6 & 0.112\,5 & 0.078\,5 & -0.079\,4 & 0.046\,0 & 0.032\,9 & -0.999\,0 \end{bmatrix} \begin{bmatrix} \Delta w_f \\ \Delta f_{mc} \\ \Delta f_{\eta c} \\ \Delta f_{mct} \\ \Delta f_{\eta ct} \\ \Delta f_{mpt} \\ \Delta f_{\eta pt} \end{bmatrix}_k$$

$$(11.14)$$

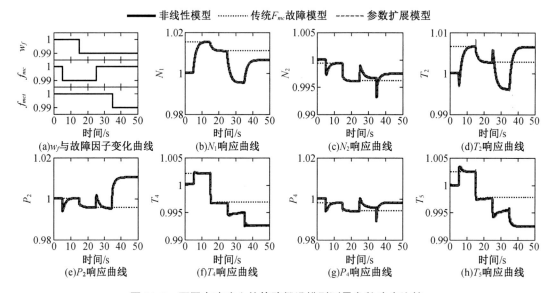

图 11.3 不同方法建立的故障假设模型测量参数响应比较

11.3.4 假设模型通用形式

将故障因子扩展为控制变量后,每一个假设模型可以通过改变故障因子的值来建立,而无须单独建立对应故障的非线性故障模型进行线性化来获取。这样,气路故障假设模型的建立将与执行器故障假设模型建立方法一致。因此,通过扩展后可以将气路故障转变为一类"执行器"故障。当故障没有发生时,对应的故障因子变化量为0,即对应的控制变量输入为0;而当故障发生时,对应的故障因子变化量不等于0,即对应的控制变量将发生变化。可以将气路故障认为是一类特殊的执行器故障,这类执行器在正常时对燃气轮机没有控制作用,只在故障后才有控制作用。参照执行器故障的模型集建立方法,以燃油流量为控制变量,可以推导出气路故障模型集中假设模型的通用形式,如式(11.15)所示。

$$
\begin{cases}
\Delta x_{k+1} = A\Delta x_k + \begin{bmatrix} B & E \end{bmatrix} \begin{bmatrix} \Delta w_f \\ \sum_{i=1}^{q} b_{c,i} z_{c,i} \end{bmatrix}_k \\[4mm]
\Delta y_k = C\Delta x_k + \begin{bmatrix} D & H \end{bmatrix} \begin{bmatrix} \Delta w_f \\ \sum_{i=1}^{q} b_{c,i} z_{c,i} \end{bmatrix}_k
\end{cases}
\tag{11.15}
$$

式中，$\Delta f_c = \sum_{i=1}^{q} b_{c,i} z_{c,i}$，$q$ 表示燃气轮机可能的故障数，本书中故障数为 6，$b_{c,i}$ 表示第 i 个故障的故障幅值，为标量，而 $z_{c,i}$ 表示发生故障的位置，6 个故障分别对应一个位置，当发生故障时其对应位置的元素值为 1，其他元素的值为 0，为一个 6×1 向量。当燃气轮机处于正常状态时，Δf_c 为一个 6×1 的零向量，当发生故障时为一个 6×1 的非零向量。

例如，当建立一个 F_{mc} 下降 2% 以及 $F_{\eta c}$ 下降 2% 时的故障模型时，$z_{c,1} = [1\ 0\ 0\ 0\ 0\ 0]^T$，$b_{c,1} = -2$，$z_{c,2} = [0\ 1\ 0\ 0\ 0\ 0]^T$，$b_{c,2} = -2$，而其他的 $z_{c,i} (i = 3,4,\cdots,6)$ 为 6×1 的零向量，而 $b_{c,i} (i = 3,4,\cdots,6)$ 为 0，最终 $\Delta f_c = [-2\ -2\ 0\ 0\ 0\ 0]^T$，然后与其他控制变量形成模型的控制输入，建立对应的气路故障假设模型。对于其他气路故障假设模型，可以同样的方式来建立。因此，式（11.15）可以作为燃气轮机气路故障模型集中假设模型的通用形式。

11.4　基于层次化框架的多故障检测与隔离方法

气路故障的发生类型与数量往往具有随机性，可能是单故障也可能是多故障。对于单故障诊断来说，故障状态相对少，对应的故障假设模型数也少，但实际中可能存在多故障的情况。对于多故障，由于故障具有不同的组合形式且每一个故障还有不同的故障幅值，可能的故障状态将非常多，模型集的确定将面临组合爆炸的问题。此外，由图 11.2 可知，多模型方法是根据各假设模型的条件概率来实现故障的检测与隔离，如果对应所有可能状态的滤波器都同时运行，不仅面临很大的计算量而且还影响多模型方法的性能。因此，本节将使用层次化框架实现多故障的检测与隔离，并且针对每一层次的模型集建立问题提出了模型集自适应生成方法。

11.4.1　层次化检测与隔离框架

为了解决多故障情况下模型集的建立会面临组合爆炸的问题，Maybeck 提出了一种基于层次化框架的多故障检测与隔离方法。该方法由多个层次组成，能够将多故障的故障检测与隔离问题分层次进行，从而将这类复杂问题进行简化。图 11.4 给出了层次化框架的基本结构，其中 m_0 代表正常状态，$m_i (i = 1,2,\cdots,n)$ 分别表示不同的故障状态，而 $m_{ij} (i = 1, 2,\cdots,n, j = 1,2,\cdots,n)$ 则表示不同的双故障状态或者更严重的单故障状态。在该框架中，第一层模型集包括正常状态模型及各种不同的故障模型,主要用于单故障的检测与隔离,而从第二层次开始则用于更严重的单故障或者多故障的检测与隔离。每一层的模型集是根据上一层次的诊断结果从预先建立的假设模型中进行选择组成的。如图 11.4 所示,框架在故障 m_1 被检测与隔离后进入第二层,第二层将在滤波器组 1 的基础上进行故障的检测与隔离,这样可以使每一层次的假设模型数都保持 n 个,远小于所有可能的运行状态数,能够大幅度降低运算量,提高故障检测与隔离效率。

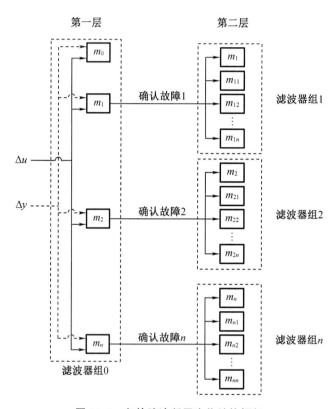

图 11.4 多故障诊断层次化结构框架

将本书中涉及的 6 种故障及正常运行状态用表 11.2 进行描述,则层次化框架中每一层次对应的假设模型如表 11.3 所示。假设每一种可能的故障初始故障幅值为 -1%,且每下降 1% 则表示更严重的故障。如表 11.3 所示,第一层次的模型集包含一个正常状态模型以及 6 个不同的故障状态模型,且每种故障的故障幅值为 -1%。而在第二层次,每一种故障被检测后对应第二层的模型集都不一样。假设在第一层次检测到 F_{mc} 下降 1% 的故障,则第二层次的模型集为表 11.3 第二层次中第一行的 7 个假设模型,包括检测到的 F_{mc} 下降 1% 的故障模型、一个更严重的 F_{mc} 下降 2% 的故障模型,以及其他 5 个不同故障分别与 F_{mc} 下降 1% 故障同时发生的双故障模型,这些模型组成了第二层次的模型集并用于新的故障的检测。以此类推,可实现所有发生故障的检测与隔离。

表 11.2　燃气轮机正常运行状态与不同故障状态描述

序号	故障模型	表示	描述
1	正常状态	H	$b_{c,i}=0(i=1,2,\cdots,6)$
2	压气机折合流量 m_c 变化故障	$F_{mc}(b_{c,1}\%)$	$b_{c,1}=(f_{mc}-1)\times100\%$
3	压气机等熵效率 η_c 变化故障	$F_{\eta c}(b_{c,2}\%)$	$b_{c,2}=(f_{\eta c}-1)\times100\%$
4	压气机涡轮质量流量 m_{ct} 变化故障	$F_{mct}(b_{c,3}\%)$	$b_{c,3}=(f_{mct}-1)\times100\%$
5	压气机涡轮等熵效率 η_{ct} 变化故障	$F_{\eta ct}(b_{c,4}\%)$	$b_{c,4}=(f_{\eta ct}-1)\times100\%$
6	动力涡轮质量流量 m_{pt} 变化故障	$F_{mpt}(b_{c,5}\%)$	$b_{c,5}=(f_{mpt}-1)\times100\%$
7	动力涡轮等熵效率 η_{pt} 变化故障	$F_{\eta pt}(b_{c,6}\%)$	$b_{c,6}=(f_{\eta pt}-1)\times100\%$

表 11.3　层次化框架下燃气轮机可能的单故障与双故障组合形式

层次	运行模型						
	1#	2#	3#	4#	5#	6#	7#
第一层	H	$F_{mc}(-1\%)$	$F_{\eta c}(-1\%)$	$F_{\eta c}(-1\%)$	$F_{\eta ct}(-1\%)$	$F_{mpt}(-1\%)$	$F_{\eta pt}(-1\%)$
第二层	$F_{mc}(-1\%)$	$F_{mc}(-2\%)$	$F_{mc}(-1\%)$ $F_{\eta c}(-1\%)$	$F_{mc}(-1\%)$ $F_{\eta c}(-1\%)$	$F_{mc}(-1\%)$ $F_{\eta ct}(-1\%)$	$F_{mc}(-1\%)$ $F_{mpt}(-1\%)$	$F_{mc}(-1\%)$ $F_{\eta pt}(-1\%)$
	$F_{\eta c}(-1\%)$	$F_{\eta c}(-1\%)$ $F_{mc}(-1\%)$	$F_{\eta c}(-2\%)$	$F_{\eta c}(-1\%)$ $F_{\eta c}(-1\%)$	$F_{\eta c}(-1\%)$ $F_{\eta ct}(-1\%)$	$F_{\eta c}(-1\%)$ $F_{mpt}(-1\%)$	$F_{\eta c}(-1\%)$ $F_{\eta pt}(-1\%)$
	$F_{\eta c}(-1\%)$	$F_{\eta c}(-1\%)$ $F_{mc}(-1\%)$	$F_{\eta c}(-1\%)$ $F_{\eta c}(-1\%)$	$F_{\eta c}(-2\%)$	$F_{\eta c}(-1\%)$ $F_{\eta ct}(-1\%)$	$F_{\eta c}(-1\%)$ $F_{mpt}(-1\%)$	$F_{\eta c}(-1\%)$ $F_{\eta pt}(-1\%)$
	$F_{\eta ct}(-1\%)$	$F_{\eta ct}(-1\%)$ $F_{mc}(-1\%)$	$F_{\eta ct}(-1\%)$ $F_{\eta c}(-1\%)$	$F_{\eta ct}(-1\%)$ $F_{\eta c}(-1\%)$	$F_{\eta ct}(-2\%)$	$F_{\eta ct}(-1\%)$ $F_{mpt}(-1\%)$	$F_{\eta ct}(-1\%)$ $F_{\eta pt}(-1\%)$
	$F_{mpt}(-1\%)$	$F_{mpt}(-1\%)$ $F_{mc}(-1\%)$	$F_{mpt}(-1\%)$ $F_{\eta c}(-1\%)$	$F_{mpt}(-1\%)$ $F_{\eta c}(-1\%)$	$F_{mpt}(-1\%)$ $F_{\eta ct}(-1\%)$	$F_{mpt}(-2\%)$	$F_{mpt}(-1\%)$ $F_{\eta pt}(-1\%)$
	$F_{\eta pt}(-1\%)$	$F_{\eta pt}(-1\%)$ $F_{mc}(-1\%)$	$F_{\eta pt}(-1\%)$ $F_{\eta c}(-1\%)$	$F_{\eta pt}(-1\%)$ $F_{\eta c}(-1\%)$	$F_{\eta pt}(-1\%)$ $F_{\eta ct}(-1\%)$	$F_{\eta pt}(-1\%)$ $F_{mpt}(-1\%)$	$F_{\eta pt}(-2\%)$

11.4.2　自适应模型集生成方法

层次化框架中每一层次的假设模型都是通过上一层次的检测结果在预先建立的代表所有可能状态的假设模型库中进行选择,形成下一层次的模型集,用于进一步的故障检测与隔离。然而,故障发生的位置、数量及故障幅值都不确定,组合形式也有很多种可能。如表 11.3 所示,在双故障且只考虑两种故障幅值时,可能的假设模型有 21 个,在三故障或者更多故障的情况下可能的组合将会更多,因此通过预先代表所有可能状态的假设模型库的方法很难在实际应用中实现。因此,本书提出了一种能够根据上一层次的诊断结果自适应建立下一层次模型集的模型集自适应生成方法。

模型集自适应生成方法是在 8.4 节建立的假设模型通用形式的基础上实现的,根据上一层次的检测结果推导出下一层次可能的故障状态,然后根据式(11.15)对可能的故障状态进行快速建模,实现模型集的自适应生成。模型集自适应生成示意图如图 11.5 所示,在建立的分段线性化模型的基础上,第一层次的模型集可以通过给定故障因子的值与式(11.15)建立所需的 7 个假设模型组成模型集,并实现第一层次的故障检测。如果第一层次检测出故障,则将根据该故障推导出下一层次可能的故障状态,获得这些故障状态的故障因子向量 Δf_c,然后根据 Δf_c 建立第二层次的模型集并进行新故障的检测与隔离。

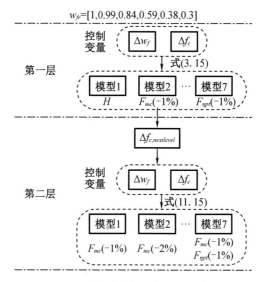

图 11.5　模型集自适应生成示意图

由图 11.5 可知,生成下一层次模型集的关键是确定式(11.15)的 Δf_c($\Delta f_c = \sum_{i=1}^{6} b_{c,i} z_{c,i}$)。表 11.4 给出了模型集自适应生成算法,在该算法中,通过各个假设模型对应的条件概率组成的条件概率向量 $\boldsymbol{p}_{upperlevel}$($\boldsymbol{p}_{upper\,level} = [p_1, p_2, p_3, p_4, p_5, p_6, p_7]_{1\times7}$)以及每一个假设模型中 Δf_c 组成的故障因子矩阵 $\Delta f_{c,upperlevel}$($\Delta f_{c,upperlevel} = [\Delta f_{c,1\#}, \Delta f_{c,2\#}, \Delta f_{c,3\#}, \Delta f_{c,4\#}, \Delta f_{c,5\#}, \Delta f_{c,6\#}, \Delta f_{c,7\#}]_{6\times7}$,其中 $\Delta f_c = \sum_{i=1}^{q} b_{c,i} z_{c,i}$)就可以确定上一层次检测出的故障。$\boldsymbol{p}_{upperlevel}$ 中的每一个元素代表各假设模型的条件概率,而 $\Delta f_{c,upperlevel}$ 的每一列代表一个故障假设模型。若在上一层次中假设模型 i($i = 1, 2, \cdots, 7$)的条件概率 p_i 最大,则该故障被检测与隔离,进而可以根据 $\Delta f_{c,i\#}$ 确定发生的故障数量 n 及故障的位置 $z_{c,i}$。之后,根据 $\Delta f_{c,upperlevel}$、n 及 $z_{c,i}$ 获得下一层次的故障因子矩阵 $\Delta f_{c,nextlevel}$,并将矩阵的每一列分别代入式(11.15)获得对应的假设模型组成下一层次的模型集,进行下一层次的故障检测与隔离。

表 11.4　模型集自适应生成算法流程

第一步:根据检测结果确定当前发生的故障个数和类型。

$m_i = find(\boldsymbol{p}_{upperlevel} > 0.98)$

$z_{c,i} = find(\Delta \boldsymbol{f}_{c,upperlevel}(:,m_i) < 1)$

$n = numel(z_{c,i})$

第二步:推导出下一层次可能的故障状态,获得故障因子矩阵。

for $k = 1:n$

$\Delta \boldsymbol{f}_{c,nextlevel} = \Delta \boldsymbol{f}_{c,upperlevel}$

$\Delta \boldsymbol{f}_{c,nextlevel}(z_{c,i}(k),:) = \Delta \boldsymbol{f}_{c,upperlevel}(z_{c,i}(k),m_i);$

$\Delta \boldsymbol{f}_{c,nextlevel}(z_{c,i}(k),z_{c,i}(k)+1) = \Delta \boldsymbol{f}_{c,upperlevel}(z_{c,i}(k),m_i) - s_i;$

end

第三步:通过将故障因子矩阵的每一列代入式(11.15)建立下一层次的模型集。

假设模型 i:
$$\begin{cases} \Delta x_{k+1} = \boldsymbol{A}\Delta x_k + \begin{bmatrix} \boldsymbol{B} & \boldsymbol{E} \end{bmatrix} \begin{bmatrix} \Delta w_f \\ \Delta \boldsymbol{f}_{c,nextlevel}(:,i) \end{bmatrix}_k \\ \Delta y_k = \boldsymbol{C}\Delta x_k + \begin{bmatrix} \boldsymbol{D} & \boldsymbol{H} \end{bmatrix} \begin{bmatrix} \Delta w_f \\ \Delta \boldsymbol{f}_{c,nextlevel}(:,i) \end{bmatrix}_k \end{cases}, i = 1,2,\cdots,7$$

注释

$\boldsymbol{p}_{upperlevel}$ 表示上一层次的各假设模型的条件概率组成的向量,大小为 7×1;

$\Delta \boldsymbol{f}_{c,upperlevel}$ 表示上一层次各假设模型的故障因子组成的矩阵,大小为 6×7;

$\Delta \boldsymbol{f}_{c,nextlevel}$ 表示下一层次各假设模型的故障因子组成的矩阵,大小为 6×7;

s_i 表示每一层之间故障幅值的变化值,为标量。

11.4.3　气路故障检测与隔离整体框架

为了实现燃气轮机大运行范围故障检测与隔离,在第 2 章建立的分段线性化模型的基础上建立了基于线性多模型方法的燃气轮机气路故障检测与隔离整体框架,如图 11.6 所示。在框架中,对于每一个层次,首先根据控制变量与分段线性化模型获得表征当前特性的线性模型,在该模型的基础上给定不同故障因子值生成不同假设模型组成模型集。每一层次的模型集都由 7 个假设模型组成,以覆盖燃气轮机当前主要可能运行状态。对每个假设模型设计线性卡尔曼滤波器进行并行滤波估计,根据测量估计残差 $\gamma_i(k)$ 及残差协方差 $S_i(k)$,递归计算各个假设模型的条件概率 p_i,并通过概率最大准则确定与当前运行状态最匹配的假设模型,实现故障的检测与隔离。当上一层次检测到故障后,框架将在检测结果基础上利用表 11.4 自适应生成下一层次的模型集,设计滤波器并进入下一层次的故障检测与隔离。重复上述过程,实现对燃气轮机气路故障的持续检测与隔离。

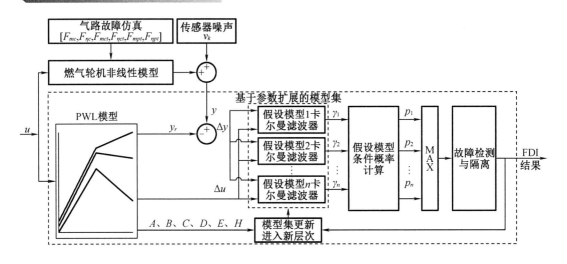

图 11.6　基于线性多模型方法的气路故障检测与隔离框架

11.5　气路故障检测与隔离仿真分析

为了评估本书提出的线性多模型方法对气路故障的检测与隔离性能,本书作者仿真了 LM2500 燃气轮机常见气路故障,并利用所提方法对故障进行检测与隔离。基于第 2 章建立的非线性模型,通过故障植入的方法仿真各种故障,假设燃气轮机各测量参数传感器噪声为零均值高斯噪声,且对应的标准差如表 11.5 所示。

表 11.5　各测量参数噪声相对于稳态值的标准差

测量参数	N_1	N_2	T_2	P_2	T_4	P_4	T_5
噪声标准差	0.051	0.051	0.23	0.164	0.097	0.164	0.097

在第 2 章所选择的 6 个线性化点的基础上,以 0.02 s 为离散时间步长建立了基于参数扩展的离散时间分段线性化模型。对于每一个代表不同类型、数量及幅值的假设模型,都可以在基于参数扩展的线性化模型的基础上改变故障因子的值来建立。因此,第一层次模型集中的代表正常状态的假设模型通过令所有故障因子变化为 0 建立,而其他 6 个代表不同故障的假设模型则分别根据对应的故障因子变化来建立。为了方便说明,本书主要考虑性能参数下降故障,假设每一个故障的初始故障幅值为下降 1%,则第一层次的 7 个假设模型对应的故障因子如表 11.6 所示。将表中各故障因子向量代入式(11.15)中就能够建立对应的假设模型。

表 11.6　7个假设模型对应的故障因子向量

假设模型	故障因子矩阵 Δf_c
正常状态 H	$[0\ 0\ 0\ 0\ 0\ 0]^T$
压气机质量流量下降1%故障 $F_{mc}(-1\%)$	$[-1\ 0\ 0\ 0\ 0\ 0]^T$
压气机效率下降1%故障 $F_{\eta c}(-1\%)$	$[0\ -1\ 0\ 0\ 0\ 0]^T$
高压涡轮质量流量下降1%故障 $F_{\eta c}(-1\%)$	$[0\ 0\ -1\ 0\ 0\ 0]^T$
高压涡轮效率下降1%故障 $F_{\eta ct}(-1\%)$	$[0\ 0\ 0\ -1\ 0\ 0]^T$
动力涡轮质量流量下降1%故障 $F_{mpt}(-1\%)$	$[0\ 0\ 0\ 0\ -1\ 0]^T$
动力涡轮效率下降1%故障 $F_{\eta pt}(-1\%)$	$[0\ 0\ 0\ 0\ 0\ -1]^T$

在本书中,选择测量协方差 $R=\mathrm{diag}([0.001\ 376\quad 0.001\ 323\quad 0.025\ 59\quad 0.012\ 81\ 0.004\ 536\quad 0.013\ 37\quad 0.004\ 568])$,系统噪声协方差 $Q=\mathrm{diag}(0.001*\mathrm{ones}(6,1))$,设计对应7个假设模型的卡尔曼滤波器。通过对仿真得到的含噪测量参数进行滤波估计,获得滤波残差并递归求解各假设模型的条件概率,最后根据概率最大准则实现故障的检测与隔离。

假设燃气轮机的初始状态为正常状态,即正常状态模型对应的条件概率为1,其他假设模型的条件概率为0。为防止故障发生时因条件概率接近0而变化慢的问题,给每个假设模型设置最小的条件概率值,本书选择为0.001。当燃气轮机正常时,模型集中正常状态模型的滤波残差最小,对应的条件概率最大;而当发生故障后,正常状态模型滤波残差将增大,而匹配故障的假设模型的滤波残差将减小且对应的条件概率会增大。

图 11.7 展示了在 $t=5\ \mathrm{s}$ 时发生 F_{mc} 下降1%故障时各假设模型条件概率变化曲线,其中,仿真时长为15 s,时间步长为0.02 s,燃气轮机运行在设计点工况。由图 11.7 可知,当故障发生后,正常模型的条件概率快速下降,而匹配故障的假设模型(2#)的条件概率快速上升,其他假设模型则一直保持很小的条件概率值。

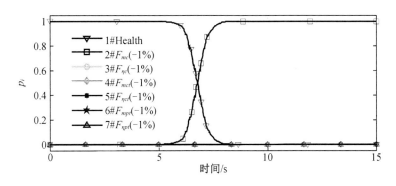

图 11.7　F_{mc} 下降1%时各假设模型条件概率变化曲线

为了确定故障检测与隔离时间,引入检测阈值与隔离阈值,检测阈值用于表明检测到故障发生,而隔离阈值用于表明检测到的故障被隔离。在本书中选择的检测阈值与隔离阈值都为0.98,即当假设模型的条件概率由接近1的值下降到小于0.98时,则认为检测到新故障;而当匹配实际故障的假设模型的条件概率由接近 0 上升到大于 0.98 时,则认为故障被隔离。此外,多模型方法是一种概率化的方法,检测阈值与隔离阈值的选择仅用于判断故障的检测与隔离时间,并不会影响故障的误诊率与漏诊率。

11.5.1 气路故障敏感度分析

由于当前燃气轮机实际发生故障类型及故障幅值都未知,因此在多模型方法中,是通过预先建立一定故障幅值的故障假设模型来实现当前故障的检测与隔离,并且随着层次的增加,所建立的故障模型的故障幅值也会随之增加,用于进一步确定实际故障幅值范围。在本书中,假设故障幅值的增加是等间隔的,如果第一层次给定的故障幅值为−1%,则故障幅值每增加一次就变化 1%(即−2%)。然而不同的故障幅值间隔选择将会对多模型故障检测与隔离方法性能有所影响。为了选择合理的初始故障幅值及间隔,作者分析了多模型方法在不同故障幅值间隔时对各故障的敏感度,即各故障最小可检测幅值。表 11.7 给出了间隔分别为 0.5%、1%、1.5% 及 2% 下各故障的最小可检测幅值。

表 11.7 不同故障幅值间隔下各故障的最小可检测幅值

间隔/%	各故障最小可检测幅值/%					
	F_{me}	$F_{\eta c}$	F_{mct}	$F_{\eta ct}$	F_{mpt}	$F_{\eta pt}$
0.5	−0.26	−0.36	−0.26	−0.41	−0.25	−0.26
1	−0.51	−0.57	−0.51	−0.6	−0.49	−0.51
1.5	−0.76	−0.79	−0.76	−0.8	−0.75	−0.76
2	−1.01	−1.01	−1.01	−1.01	−1.01	−1.01

由表 11.7 可知,随着故障幅值间隔增加,所能检测的最小故障幅值也增加,尤其是间隔为 2% 时,所能检测的最小故障幅值为−1.01%。因此,间隔越大,对故障敏感度越弱,不能及时检测故障;而间隔越小,对故障的发生越敏感。但是,随着间隔的减小,对于同一严重程度的故障来说,所需要的检测层次将增加,且同一故障的相邻两个故障幅值对应的假设模型之间的差异也将更小,导致两个假设模型间相互竞争,检测故障所需时间将增加。因此,本书选择故障幅值间隔为 1%(即表 11.4 中的 $s_i = 1\%$),且第一层次中各种故障模型的初始故障幅值为−1%。当检测出某一故障之后,在第二层次对应这个被检测故障更严重状态的故障幅值将为−2%,如表 11.3 所示。

11.5.2 单故障检测与隔离分析

为了评估线性多模型方法对燃气轮机单气路故障检测与隔离性能,在稳态及过渡状态下使用线性多模型方法对仿真故障进行检测与隔离。稳态仿真时分析了多模型方法对 6 种气路故障在 3 种故障幅值下的检测与隔离性能,3 种故障幅值分别下降 1%、2% 和 5%,分别用于表示轻微故障、中度故障及重度故障。图 11.8 展示了在设计点稳态工况下,各故障分别发生下降 1% 故障时的检测与隔离结果。

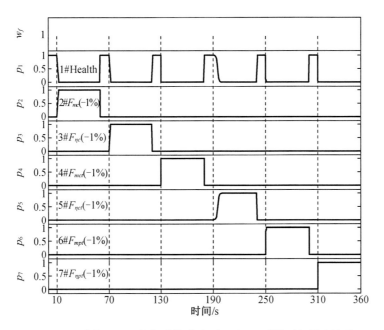

图 11.8 稳态工况下各气路故障分别下降 1% 时检测与隔离结果

总仿真时长为 360 s,时间步长为 0.02 s。从 $t = 10$ s 开始每个气路故障依次发生且保持 50 s,然后燃气轮机恢复正常,10 s 后发生下一个故障。对于下降 2% 与 5% 故障也以相同的方式进行仿真,且对应的假设模型的故障幅值也分别为 2% 与 5%。表 11.8 给出了 6 个故障在 3 种故障幅值下的故障检测所需时间 Δt_d($\Delta t_d = t_d - t_f$)和故障隔离所需时间 Δt_i($\Delta t_i = t_i - t_f$),其中 t_f 为故障发生时刻,t_d 为检测到故障时刻,t_i 为故障被隔离时刻。

表 11.8 各故障的故障检测时间与故障隔离时间

故障类别	故障幅值/%	Δt_d/s	Δt_i/s	故障类别	故障幅值/%	Δt_d/s	Δt_i/s
F_{mc}	−1	0.82	3.14	$F_{\eta ct}$	−1	2.10	7.92
	−2	0.18	0.64		−2	0.52	2.24
	−5	0.06	0.14		−5	0.10	0.38
$F_{\eta c}$	−1	0.60	2.36	F_{mpt}	−1	0.22	0.70
	−2	0.16	0.54		−2	0.06	0.20
	−5	0.06	0.12		−5	0.04	0.06
F_{mct}	−1	0.18	0.52	$F_{\eta pt}$	−1	0.32	0.96
	−2	0.06	0.16		−2	0.18	0.34
	−5	0.02	0.04		−5	0.12	0.14

由图 11.8 和表 11.8 可知,虽然每个故障对应的检测时间与隔离时间各不相同,但是 6 种故障在 3 种故障幅值下都被准确地检测与隔离,表明线性多模型气路故障诊断方法能够实现不同故障幅值下单故障的准确检测与隔离。从检测时间 Δt_d 与隔离时间 Δt_i 可知故障幅值越大所需时间越短,主要是因为故障越严重,各假设模型之间的区别也越大,各假设模型的条件概率变化越快,故障检测与隔离所需时间越短。此外,检测与隔离所需时间的长短也能体现故障检测与隔离的难易程度,在 6 个故障中,F_{mct} 故障的检测与隔离时间最短,最容易被检测与隔离,而 $F_{\eta ct}$ 故障的检测与隔离时间最长,最难被检测与隔离。其主要是因为不同的气路故障对燃气轮机性能影响不一,F_{mct} 故障对燃气轮机性能影响使其与其他假设模型之间的差别大,易于检测与隔离;而 $F_{\eta ct}$ 故障对燃气轮机性能影响使其与其他假设模型差别小,检测与隔离困难。

图 11.9 展示了在过渡过程依次发生各气路故障下降 1% 时的检测与隔离结果。在该仿真中,燃油流量在 $t=0$ s 开始经过 360 s 从 1.0 下降到 0.38,而气路故障从 $t=10$ s 开始依次发生,每个故障保持 50 s 之后燃气轮机恢复正常并在 10 s 后发生下一个气路故障,总仿真时长为 380 s,时间步长为 0.02 s。由结果可知,在过渡过程,除 $F_{\eta ct}$ 故障被误诊为 $F_{\eta pt}$ 故障外,其他气路故障都被准确检测与隔离。主要是因为一方面 $F_{\eta ct}$ 故障本身与其他假设模型区别较小而使检测与隔离困难,所需检测与隔离时间长;另一方面是随着工况的变化,在发生 $F_{\eta ct}$ 故障前,燃油流量离线性化点较远,对应的线性化误差增大,使得多模型方法将正常状态误检测为 $F_{\eta pt}$ 故障,且在 $F_{\eta ct}$ 故障发生后依然误诊为 $F_{\eta pt}$ 故障,直到发生 F_{mpt} 故障。此外,在燃油流量下降的过程中分段线性化模型中各线性模型会进行切换,由于线性模型是在稳定点进行线性化的,模型切换后是从正常稳态点开始的,然后通过故障因子的控制作用接近实际状态。在这个过程中也会产生较大误差,从而导致假设模型条件概率会发生一定的波动。因此,线性多模型方法在过渡过程的检测与隔离性能会受线性化误差的影响而下降。为了提高多模型方法对燃气轮机过渡过程的检测与隔离性能,一方面可以增加分段线性化模型中线性模型的数量,以减小模型误差,另一方面可以考虑使用基于非线性模型的多模型方法。

准确检测(CD)、误检(ID)和漏检(MD)是表征故障检测与隔离方法性能的三个重要指标。因此,在燃气轮机设计点工况下,对气路故障的故障类型及故障幅值进行随机仿真并使用本书所提方法进行检测与隔离以评估对单故障的检测与隔离性能。在仿真过程中,对燃气轮机故障状态进行随机生成,包括正常状态及各故障状态,对于故障状态,其故障幅值在 [-2.7%,-0.7%] 范围内随机生成,最终进行了 1 000 次随机仿真,故障检测与隔离结果如表 11.9 所示。由表 11.9 可知,本书提出的线性多模型方法能够准确检测与隔离 95.5% 的故障,表明该方法具有较高的检测与隔离精度。而其他 4.5% 的故障发生了误诊且所有误诊故障都是 $F_{\eta pt}$ 故障,都被误诊为 F_{mc} 故障。图 11.10 给出了随机仿真中所有仿真 $F_{\eta pt}$ 故障的故障幅值及其对应的检测与隔离结果。由图 11.10 可知,所有被误诊的故障都具有大故障幅值。导致误诊的原因是由于故障幅值较大,导致 $F_{\eta pt}$ 下降 1% 的假设模型与实际故障状态区别较大,无法从所有假设模型中被准确检测与隔离。这种情况可以通过多个层次实现大幅值故障的连续检测与隔离避免。

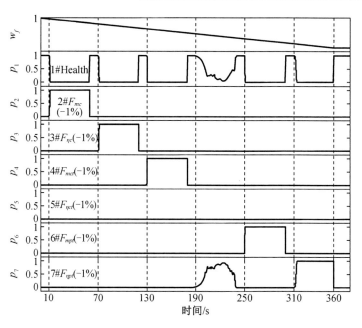

图 11.9 过渡工况下各气路故障分别下降 1% 时检测与隔离结果

表 11.9 1 000 次随机仿真的 FDI 结果

FDI 结果的混淆矩阵							最终结果		
	H	F_{mc}	$F_{\eta c}$	F_{mct}	$F_{\eta ct}$	F_{mpt}	$F_{\eta pt}$	CD	ID	MD
H	135	0	0	0	0	0	0			
F_{mc}	0	123	0	0	0	0	0			
$F_{\eta c}$	0	0	152	0	0	0	0			
F_{mct}	0	0	0	121	0	0	0	95.5%	4.5%	0
$F_{\eta ct}$	0	0	0	0	153	0	0			
F_{mpt}	0	0	0	0	0	171	0			
$F_{\eta pt}$	0	45	0	0	0	0	145			

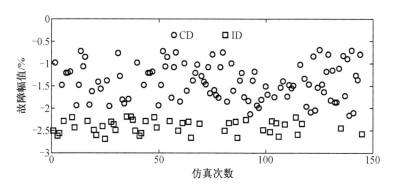

图 11.10 $F_{\eta pt}$ 故障仿真幅值及 FDI 结果

11.5.3 多故障检测与隔离分析

此外,本书也分析了线性多模型方法对燃气轮机多气路故障的检测与隔离性能。假设多故障不是同时发生的,且两故障发生时间间隔足够检测出第一个故障。这个假设与实际情况是相符合的,因为故障一般不会同时发生,而多模型方法检测的实时性也足够在第二个故障发生前就实现对第一个故障的检测与隔离。假设在设计点工况下,燃气轮机发生 $F_{\eta ct}$ 下降 2% 故障及 $F_{\eta c}$ 下降 1% 故障,其中 $F_{\eta ct}$ 下降 2% 故障发生在 $t = 15\text{ s}$,而 $F_{\eta c}$ 下降 1% 故障发生在 $t = 35\text{ s}$,总仿真时长为 60 s,时间步长为 0.02 s。使用图 11.6 所示的层次化多故障检测与隔离框架对仿真的故障进行检测与隔离,结果如图 11.11 所示。

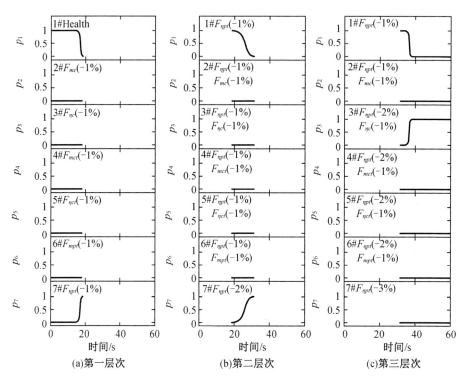

图 11.11 层次化框架下多故障检测与隔离结果

由图 11.11(a)可知,当 $F_{\eta ct}$ 下降 2% 故障发生时,由于模型集中只有 $F_{\eta ct}$ 下降 1% 故障的假设模型(7#)与实际故障状态最匹配,因此 7#假设模型的条件概率将增加至最大并超过阈值 0.98,之后第一层次算法将停止,并根据检测结果与表 11.4 所示模型集自适应算法生成第二层次模型集继续对故障进行检测与隔离,如图 11.11(b)所示。在第二层次中,7#假设模型与实际故障状态最为接近,因此 $F_{\eta ct}$ 下降 2% 故障会被进一步检测与隔离,之后第二层次算法将停止,并在此基础上生成第三层次的模型集继续对故障进行检测与隔离,如图 11.11(c)所示。当 $F_{\eta c}$ 下降 1% 故障发生时,与燃气轮机当前状态匹配的假设模型(3#)的条件概率逐渐增加至最大且大于阈值 0.98,最终 $F_{\eta ct}$ 下降 2% 故障以及 $F_{\eta c}$ 下降 1% 故障被正确检测并隔离。此外,第一个故障是 $F_{\eta ct}$ 下降 2% 故障,需要经过两个层次的检测与隔离才能最终检测与隔离,如图 11.11(b)所示,第二层次刚激活,7#假设模型的条件概率就快速变化,表明发生了故障幅值较大的故障。因此,在多故障发生的情况下,线性多模型方法能够通过层次化结构逐层实现实际发生故障的检测与隔离,并确定发生故障的故障幅值大概范围。

同样,本书也通过随机故障仿真分析了本书所提方法在多故障情形下的故障检测与隔离性能。在燃气轮机设计点工况下,考虑发生的故障可能是渐变故障或者突变故障,进行了两种故障情形下的故障检测与隔离分析,分别是双渐变故障仿真和双突变故障仿真。每一种情形下分别随机仿真 100 组故障,故障的类型与故障幅值随机生成且故障幅值范围为 $[-2.7\%, -0.7\%]$。其中,第一个故障发生在 $t = 20$ s,第二个故障发生在 $t = 70$ s,且在渐变情形下,两个故障的故障幅值同时从 $t = 0$ s 开始线性下降,并在 $t = 20$ s 与 $t = 70$ s 下降到给定故障幅值。两种情形下的故障检测与隔离结果如图 11.12 及表 11.10 所示。

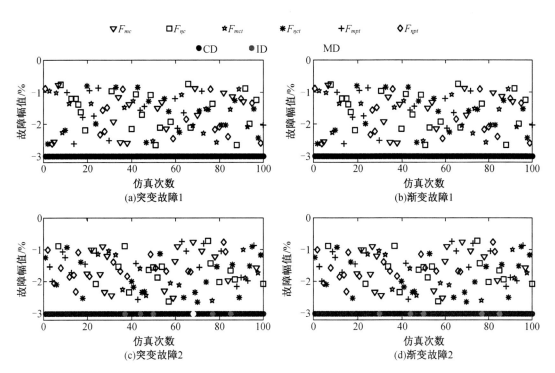

图 11.12 随机仿真双突变故障与双渐变故障的故障幅值及其对应检测与隔离结果

表 11.10 双故障随机仿真 FDI 结果统计

故障类别	故障	仿真次数	FDI 结果		
			CD	ID	MD
突变	故障 1	100	100	0	0
	故障 2	100	94	5	1
	总计	200	194	5	1

表 11.10(续)

故障类别	故障	仿真次数	FDI 结果		
			CD	ID	MD
渐变	故障 1	100	100	0	0
	故障 2	100	95	5	0
	总计	200	195	5	0

由图 11.12 以及表 11.10 可知,无论故障发生类型是渐变故障还是突变故障,层次化的多模型故障检测与隔离框架都能够实现第一个故障 100% 的检测与隔离。在突变情形下,有 5 次仿真的故障在第 2 个故障发生后被误诊为发生了 3 种或更多种故障,有 1 次仿真的故障由于故障幅值较小而并未被检测与隔离。在渐变情形下,有 5 次仿真的故障在第 2 个故障发生后被误诊为发生了 3 种故障。但是,根据对仿真故障的检测与隔离可以看出本书提出的方法在多故障发生的情形下对渐变故障与突变故障分别具有 95% 与 94% 的准确率,且层次化的检测与隔离框架能够很好地提升对大幅值故障的检测与隔离性能。

11.5.4 传感器数量与测量野点值影响分析

在实际运行中,传感器受所处恶劣环境的影响易发生退化或故障,使向诊断系统提供有效测量参数信息的传感器数量减少,从而影响最终的诊断结果。因此,本节研究了在传感器发生故障后,有效传感器数量变化时对线性多模型方法检测与隔离性能的影响。分别在 6 个、4 个和 2 个传感器下对各类故障下降 1% 进行检测与隔离,其中 6 个传感器时的测量参数为 N_1、N_2、T_2、P_2、T_4、P_4,4 个传感器时的测量参数为 N_1、N_2、P_2、T_4,而 2 个传感器情况则是 N_1、N_2。在该仿真案例中,燃气轮机运行在设计点稳定状态下,各类故障下降 1% 故障发生在 $t = 5$ s,仿真步长为 0.02 s,分别对各类发生故障进行检测与隔离,其检测所需时间与隔离所需时间如表 11.11 所示,表中"-"表示故障未检测或被误检测为其他故障。由表 11.11 可知,在 6 个传感器的情形下,除动力涡轮效率故障外其他故障与在 7 个传感器情形下的检测与隔离所需时间近似。随着传感器数量的减少,检测与隔离所需时间会增加,尤其是在 2 个传感器情形下,有三种故障并未被检测或被误检测为其他故障。因此,测量参数的选择对所需检测时间与隔离时间影响很大,随着参数数量增加,获得的信息增加,故障就更容易被检测与隔离。

表 11.11 不同传感器数量下的故障检测与隔离结果

故障	7 个传感器		6 个传感器		4 个传感器		2 个传感器	
	$\Delta t_d(s)$	$\Delta t_i(s)$	$\Delta t_d(s)$	$\Delta t_i(s)$	$\Delta t_d(s)$	$\Delta t_i(s)$	$\Delta t_d(s)$	$\Delta t_i(s)$
F_{mc}	0.82	3.14	0.76	2.82	3.30	10.42	191.82	813.88
$F_{\eta c}$	0.60	2.36	0.56	2.16	4.02	35.20	—	—

表 11.11(续)

故障	7个传感器		6个传感器		4个传感器		2个传感器	
	$\Delta t_d(s)$	$\Delta t_i(s)$	$\Delta t_d(s)$	$\Delta t_i(s)$	$\Delta t_d(s)$	$\Delta t_i(s)$	$\Delta t_d(s)$	$\Delta t_i(s)$
F_{mct}	0.18	0.52	0.18	0.54	0.24	1.24	729.9	2967.8
$F_{\eta ct}$	2.10	7.92	2.10	7.64	2.28	39.56	—	—
F_{mpt}	0.22	0.70	0.22	0.70	3.20	12.62	—	—
$F_{\eta pt}$	0.32	0.96	0.54	2.08	0.58	2.52	32.38	105.52

此外,传感器受外界影响使测量得到的参数值中可能含有野点值,从而影响故障诊断系统诊断结果。因此,针对测量参数野点值的问题,本书也分析了线性多模型方法在野点值存在的情形下对故障的检测与隔离性能。在该仿真案例中,人为向测量参数值中加入周期为 1 s,占空比为 0.5,幅值为各测量参数值的 2% 的脉冲信号作为野点值,且假设燃气轮机在 $t=5$ s 时发生 F_{mc} 下降1%的故障,在这种情形下进行故障的检测与隔离。各测量参数的实际变化及故障检测与隔离结果分别如图 11.13 和图 11.14 所示。

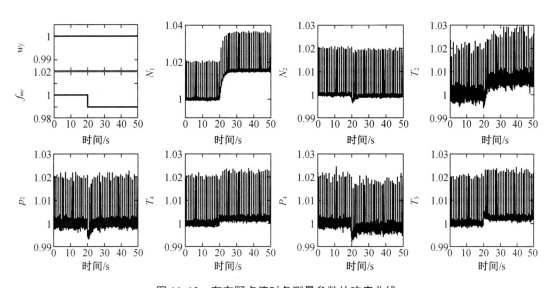

图 11.13 存在野点值时各测量参数的响应曲线

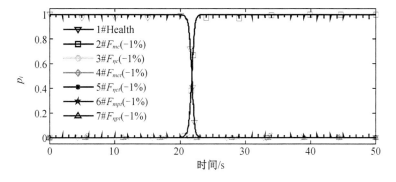

图 11.14 存在野点值的情况下各假设模型的条件概率变化曲线

由图 11.13 与图 11.14 可知,测量参数存在野点值时,多模型方法依然能够准确检测与隔离故障。野点值仅仅引起条件概率的微小波动,并不会引起误诊或漏诊,说明线性多模型方法对于野点值具有很好的鲁棒性,无须提前剔除测量信号中存在的野点值。

11.6 基于广义似然比的故障幅值估计

多模型方法作为一种故障检测与隔离方法,虽然能够确定所检测故障的故障幅值的大概范围,但是依然无法实现故障幅值的准确估计。此外,当前常用的故障幅值估计方法是基于卡尔曼滤波器的方法,其通过将故障因子增广为状态变量进行估计获得各故障的故障幅值,但是在欠定条件下将无法实现所有故障的故障幅值估计。因此,本节在被检测故障结果的基础上,推导基于广义似然比(GLR)的故障幅值估计方法,用于实现被检测故障的故障幅值估计。GLR 方法是一种检测估计方法,它能够根据滤波残差序列及预设的检测阈值判断故障发生的时间、位置及估计故障幅值。

11.6.1 GLR 估计

GLR 主要是根据建立的线性模型、卡尔曼滤波残差及故障的加性特性建立滤波器残差之间的递归关系。在故障未发生时,对应正常状态的滤波器滤波残差的期望值为 0,而当气路故障发生时,卡尔曼滤波器的滤波残差将发生变化。假设故障幅值为 $b_{c,i}$ 的第 i 个故障在 t 时刻被多模型方法检测并隔离,则对于正常状态下的卡尔曼滤波器在故障被检测后的任意时刻残差的期望值可以表示为

$$E[\gamma(k)] = b_{c,i}\boldsymbol{G}_{\mathrm{f}}(k,t)z_{c,i} \tag{11.16}$$

式中,矩阵 $\boldsymbol{G}_{\mathrm{f}}(k,t)$ 称为故障的特征矩阵,$z_{c,i}$ 为故障位置,t 表示检测到该故障的时间。因而第 i 个故障发生后滤波器残差序列的最大对数似然比为

$$T_i = \sup_i \sum_{k=t}^{t+N} (\boldsymbol{\kappa}_k^i)^{\mathrm{T}} S_k^{-1} \boldsymbol{\kappa}_k^i$$

$$\boldsymbol{\kappa}_k^i = \gamma_k - \hat{b}_{c,i}\boldsymbol{G}_{\mathrm{f}}(k,t)z_{c,i} \tag{11.17}$$

式中,S_k 为残差协方差,$\hat{b}_{c,i}$ 为发生故障的故障幅值 $b_{c,i}$ 的估计值。对式(11.17)进行求导并令导数为 0,则估计值 $\hat{b}_{c,i}$ 就能够获得:

$$\hat{b}_{c,i} = d_i/c_i$$

$$d_i = z_{c,i}^{\mathrm{T}} \sum_{k=t}^{t+N} \boldsymbol{G}_{\mathrm{f}}^{\mathrm{T}}(k,t)S_k^{-1}\gamma_k$$

$$c_i = z_{c,i}^{\mathrm{T}} \sum_{k=t}^{t+N} \boldsymbol{G}_{\mathrm{f}}^{\mathrm{T}}(k,t)S_k^{-1}\boldsymbol{G}_{\mathrm{f}}(k,t)z_{c,i} \tag{11.18}$$

由式(11.18)可知,为了获得故障幅值的估计值 $\hat{b}_{c,i}$ 需要先确定特征矩阵 $\boldsymbol{G}_{\mathrm{f}}(k,t)$。假设燃气轮机发生了第 i 个故障且故障幅值为 $b_{c,i}$,则在 $k \geq t$ 时刻燃气轮机的线性化模型如式

(11.19)所示：

$$\begin{cases} \Delta x_{k+1} = A\Delta x_k + B\Delta u_k + Eb_{c,i}z_{c,i} + w_k \\ \Delta y_k = C\Delta x_k + D\Delta u_k + Hb_{c,i}z_{c,i} + v_k \end{cases} \qquad (11.19)$$

而正常状态下的燃气轮机线性化模型如式(11.8)所示,因此,对应于正常模型的卡尔曼滤波器在燃气轮机发生故障后的滤波残差期望将如式(11.20)所示：

$$\begin{aligned} E[\gamma_k] &= E[y_k - \hat{y}_k] \\ &= E[Cx_k + Du_k + Hb_{c,i}z_{c,i} + v_k - (C\hat{x}_{k\mid k-1} + Du_k + v_k)] \\ &= E[C(x_k - \hat{x}_{k\mid k-1}) + Hb_{c,i}z_{c,i}] \\ &= E[C[-A\delta\hat{x}_{k-1} + Eb_{c,i}z_{c,i}] + Hb_{c,i}z_{c,i}] \end{aligned} \qquad (11.20)$$

将式(11.20)代入式(11.16),则可得到：

$$G_{\mathrm{f}}(k,t) = -CAJ_{\mathrm{f}}(k-1,t) + CE + H \qquad (11.21)$$

式中,$J_f(k-1,t)$为状态变量的特征矩阵且定义为

$$E[\delta\hat{x}_k] = b_{c,i}J_{\mathrm{f}}(k,t)z_{c,i} \qquad (11.22)$$

式中,$\delta\hat{x}_k$为状态变量实际值与估计值之差,可通过式(11.23)获得：

$$\begin{aligned} \delta\hat{x}_k &= \hat{x}_k - x_k \\ &= \hat{x}_{k\mid k-1} + K_k[y_k - (C\hat{x}_{k\mid k-1} + Du_k + v_k)] - x_k \\ &= [I - K_kC]\hat{x}_{k\mid k-1} + K_k[y_k - (Du_k + v_k)] - x_k \\ &= [I - K_kC]\hat{x}_{k\mid k-1} + K_k[Cx_k + Du_k + Hb_{c,i}z_{c,i} + v_k - (Du_k + v_k)] - x_k \\ &= [I - K_kC][\hat{x}_{k\mid k-1} - x_k] + x_k + K_kHb_{c,i}z_{c,i} - x_k \\ &= [I - K_kC][A\delta\hat{x}_{k-1} - Eb_{c,i}z_{c,i}] + K_kHb_{c,i}z_{c,i} \end{aligned} \qquad (11.23)$$

将式(11.23)代入式(11.22),得到

$$J_{\mathrm{f}}(k,t) = AJ_{\mathrm{f}}(k-1,t) + K_kG_{\mathrm{f}}(k,t) - E \qquad (11.24)$$

因此,根据式(11.21)与式(11.24)建立的递归关系,就可以确定特征矩阵 $G_{\mathrm{f}}(k,t)$,并进一步根据式(11.18)获得被检测故障的故障幅值估计。

11.6.2 欠定条件下的故障幅值估计

在测量参数数量少于待估计故障因子数量时,基于卡尔曼滤波的故障因子估计由于不满足能观性而无法实现所有故障因子的同时估计。如果多模型方法在检测与隔离结果的基础上只对被检测故障的幅值进行估计,则能够有效地克服欠定估计问题。因此,当故障被检测与隔离后,可以利用正常状态模型对应的滤波器残差序列及 GLR 估计方法实现被检测故障幅值的估计。图 11.15 展示了燃气轮机在只有 4 个测量参数(N_1,N_2,P_2,T_4)时发生了 F_{mc} 下降 1.3% 故障后的故障检测与隔离结果以及对应的基于 GLR 的故障幅值估计结果。在该案例中,燃气轮机运行在设计点稳态运行状态且故障发生在 $t=5$ s,估计窗口长度 $N=100$,初始特征矩阵 $J_{\mathrm{f}}(0,0)$ 为 $0_{6\times6}$ 矩阵。

由结果可知,故障诊断的过程可分为两步,首先实现故障的检测与隔离,然后对被检测故障进行针对性的故障幅值估计。在 4 个传感器情形下,虽然相对于 7 个传感器所需检测

与隔离时间更长,但是能够准确检测并隔离故障,且在隔离后 GLR 估计方法能够准确地估计出实际故障幅值。此外,由图 11.15 也可知,估计出故障幅值的时间与故障发生时间相隔一段时间,主要是在进行故障的检测与隔离。因此,多模型方法与 GLR 估计方法相结合,实现先检测后估计策略,能够克服欠定情形下的估计问题。

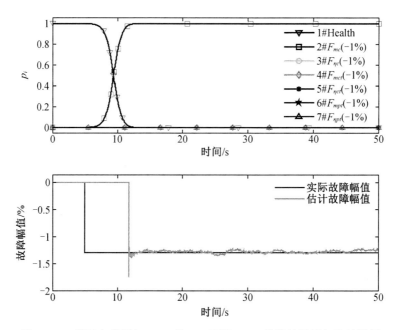

图 11.15　基于多模型与 GLR 的 F_{mc} 下降 1.3% 故障的检测与估计结果

第 12 章　基于 LSTM 的气路性能退化趋势预测方法

　　故障诊断方法虽然能够对燃气轮机当前运行状态给出决策建议,但属于事后维修范畴,此时燃气轮机故障已然发生或部件已经失效,已经影响设备安全稳定运行,给动力系统带来不同程度的经济损失。因此,完备的燃气轮机维修决策支持体系除了包含高精度、高鲁棒性的机组故障诊断技术外,还应结合故障预测技术共同管理机组运行。故障预测是指在故障发生前或部件失效前,依据设备运行状态变化趋势,提前发现设备运行异常,预测设备可能出现的故障。故障预测包含三方面任务:(1)依据设备当前监测信息,结合运行参数历史变化状态,准确预测机组设备状态变化趋势;(2)在机组设备状态变化趋势预测的基础上,研究可靠的劣化水平评价方法,给出机组随时间推移下的劣化状态及剩余寿命;(3)研究机组健康评价准则,根据机组不同部件的劣化水平,评估机组当前健康状态,并给出相应的维修决策建议。因此,准确的运行状态趋势预测是故障预测任务的基础,对判断机组故障发生概率,及时防止故障带来的经济损失具有重要意义。

　　目前,运行状态趋势预测研究方法主要包括时间序列模型、支持向量回归与深度学习等。

1. 时间序列模型

　　时间序列模型是根据观测到的时间序列数据建立的预测数据与历史数据间的参数关系模型,包括自回归模型(auto regression model,AR)、滑动平均模型(moving average model,MA)和自回归移动平均模型(auto regression moving average model,ARMA)等适用于平稳信号的模型及差分整合移动平均自回归模型(autoregressive integrated moving average model,ARIMA)等处理非平稳信号的模型。虽然时间序列模型能够根据观测数据建立拟合关系,但要求时序数据稳定或经过差分后稳定,只能得到时间序列的线性关系。

2. 支持向量回归

　　支持向量回归(supportvector regression,SVR)是支持向量机由分类问题转向回归问题的拓展应用,通过将 SVM 中的合页损失函数转换成敏感度损失函数,得到 SVR 的无约束损失函数,并类似地通过引入松弛变量等进行求解。由于 SVR 可以采用核函数将数据映射至高维空间,解决了时间序列模型无法处理的非线性拟合问题,同时具有原始速度快、泛化能力强的特点。SVR 在面对大量数据时由于需要求解函数的二次规划问题,需要大量的存储空间,同时其核函数的选取标准目前尚未统一,无法根据数据分布特点自适应选取合适的核函数,因此限制了其工程实际应用。

3. 深度学习

　　尽管传统的趋势预测方法已经取得了瞩目的成果,但是其通常仅研究建模数据中的浅层关系,如线性关系等。然而,在现实场景中,时序数据往往受到诸多因素的影响,因而其蕴含的潜在变化模式往往也是复杂多变的。因此,为了刻画这种复杂的趋势信息,研究者借助深度神经网络强大的表征能力,提出了一系列基于深度学习的趋势预测方法。

深度神经网络模型通过使用一系列非线性层来构建历史数据的特征表达,进而学习未来趋势和历史数据之间的关系。神经网络具备强大的非线性拟合能力与灵活度,因此在趋势预测中也得到了广泛关注与研究。

本章选择低压涡轮排气温度作为表征气路性能退化的参数,建立了基于长短期记忆人工神经网络(long short term Memory, LSTM)的燃气轮机气路性能退化趋势预测模型;利用LSTM 深度学习模型隐含层内的循环记忆结构,提取检修周期内的低压涡轮排气温度时序特征,建立低压涡轮排气温度历史数据间的非线性时域关联关系,实现对燃气轮机退化状态的趋势预测;为了提高燃气轮机气路性能退化趋势预测模型迁移和泛化能力,研究了特征参数标准化和归一化预处理方法及滑窗重叠采样技术;利用船用燃气轮机气路性能退化数据集验证了所提出的气路性能退化预测算法的性能与突发故障检测能力。

12.1　长短时记忆网络模型

人工神经网络(artificial neural network)是人们通过对神经结构进行模拟得到的自适应非线性网络系统。但是人工神经网络在增加浅层神经网络层数时,难以解决训练过程中遇到的局部最优及过拟合等问题。Hinton 等提出深度学习,即通过"逐层预训练"的方法,有效地克服了训练中出现的问题。深度学习方法模型可以逐层提取数据特征,大大增强了神经网络在特征提取和模式识别方面的能力。递归神经网络(recurrent neural network, RNN)是深度学习的一个分支,相比于传统网络,其可以利用内部记忆和反馈,学习复杂的非线性动态映射。图 12.1 为 RNN 隐含层展开图模型。

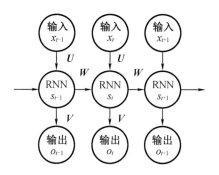

图 12.1　RNN 隐含层展开图模型

U、V、W 为 RNN 模型的连接权值矩阵,通过这三个矩阵可以计算 RNN 各层状态。对于任意 t 时刻,网络的输入为 $x_t = [x_1, x_2, \cdots, x_n]$,$n$ 为特征的维度。经过 RNN 的隐含层后,可以得到该时刻网络的隐藏状态 S_t,其由输入 x_t 与前一时刻的隐藏状态 S_{t-1} 共同决定:

$$S_t = \sigma \cdot (U \cdot x_t + W \cdot S_{t-1} + b) \tag{12.1}$$

式中,σ 为 RNN 隐含层的激活函数,b 为线性偏置。在 t 时刻,RNN 的输出 o_t 为

$$o_t = V \cdot S_t + c \tag{12.2}$$

由 RNN 的隐含层结构可以看出,RNN 在隐藏层中除了与输出层之间有连接外,在隐藏层内部添加了连接,形成一个内部的循环,这个循环可以使 RNN 在网络中累积时间域,从而使其能够处理输入之间前后关联的问题。但是 RNN 只能记忆短期的信息,对于距离相距很远的信息记忆能力差,这就是所谓的"梯度消失"问题。为了解决"梯度消失"问题,LSTM 被提出。LSTM 是 RNN 的一种变体,是一种十分适合用于处理非线性时域动态系统建模的方法,图 12.2 为 LSTM 的神经元结点。通过使用这个结点作为 RNN 的隐含层结点,可以有效提高 RNN 的性能,解决"梯度消失"问题。

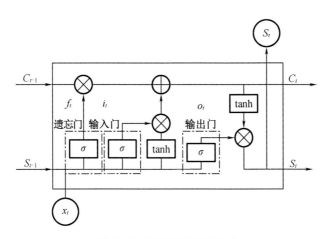

图 12.2　LSTM 神经元结点

相比于 RNN,LSTM 具有遗忘门、输入门和输出门三个单元及一个记忆单元。通过这四个单元结构,LSTM 网络可以实现对长期信息的记忆和无用信息的丢弃。

遗忘门的计算如式(12.3)所示。W_f 和 U_f 为遗忘门的连接权值矩阵,用于分配输入 x_t 与前一时刻状态 S_{t-1} 中舍弃的部分信息,再通过激活函数 $\sigma(\cdot)$ 将输出转换为 $[0,1]$ 之间的数。b_f 为遗忘门的偏置。

$$f_t = \sigma(W_f \cdot S_{t-1} + U_f \cdot x_t + b_f) \tag{12.3}$$

输入门的计算如式(12.4)所示。W_i 和 U_i 为输入门的连接权值矩阵,用于分配输入 x_t 与前一时刻状态 S_{t-1} 中学习的信息。同样通过激活函数 $\sigma(\cdot)$ 将输出转换为 $[0,1]$ 之间的数。b_i 为输入门的偏置。

$$i_t = \sigma(W_i \cdot S_{t-1} + U_i \cdot x_t + b_i) \tag{12.4}$$

l_t 代表临时记忆单元,W_l 和 U_l 为临时记忆单元的连接权值矩阵,b_l 为临时记忆单元的偏置。临时记忆单元通过 tanh 函数进行变换。

$$l_t = \tanh(W_l \cdot S_{t-1} + U_l \cdot x_t + b_l) \tag{12.5}$$

C_t 为记忆单元此时的状态,C_{t-1} 为前一时刻记忆单元的状态,$\circ$ 为元素乘。通过遗忘门 f_t 丢弃掉部分无用历史信息,再通过记忆门 i_t 加入新学习的信息 l_t,实现记忆单元的更新。这三部分结构单元的存在实现了 LSTM 的信息增减能力。

$$C_t = f_t \circ C_{t-1} + i_t \circ l_t \tag{12.6}$$

输出门的计算如式(12.7)和式(12.8)所示。W_o 和 U_o 为输出门的连接权值矩阵,用于分配输出 x_t 与前一时刻状态 S_{t-1} 中学习的信息。同样通过激活函数 $\sigma(\cdot)$ 将输出转换为 $[0,1]$ 之间的数,b_o 为输出门的偏置。通过 tanh 函数对记忆单元的输出 C_t 进行变化,输出的变化区间为 $[-1,1]$。输出的正负值表示如何对记忆单元的信息进行处理。S_t 是当前时刻输出的状态信息。

$$o_t = \sigma(W_o \cdot S_{t-1} + U_o \cdot x_t + b_o) \tag{12.7}$$

$$S_t = o_t \circ \tanh(C_t) \tag{12.8}$$

通过 LSTM 内部的循环模块,有效地防止了传统 RNN 中出现的梯度消失现象,实现时序数据上下文信息跨时间长度的传递。

12.2　基于 LSTM 的气路性能退化趋势预测方法

12.2.1　预测方法实现流程

图 12.3 为 LSTM 气路性能退化趋势预测算法流程,具体实现步骤如下。

步骤 1:参数预处理阶段。选取多组历史检修周期内低压涡轮排气温度数据作为算法的训练数据,对输入参数进行参数标准化与归一化,以降低工况的影响。数据预处理详见 3.2.2 节。

步骤 2:模型训练阶段。使用滑窗法对输入参数进行重叠采样,构造大小为 $(1,n)$ 的一维监测参数输入和 $(1,p)$ 的参数输出。输入搭建完成的 LSTM 神经网络模型进行迭代训练,得到 LSTM 气路性能退化趋势预测算法。

步骤 3:预测阶段。选取维度为 $(1,n)$ 的低压涡轮排气温度数据,对低压涡轮排气温度进行数据预处理,输入已训练好的 LSTM 模型。预测结果进行反归一化,得到低压涡轮排气温度预测结果。

12.2.2　数据预处理

1. 参数标准化

环境温度是燃气轮机运行的一个较大影响因素。采用 USSA-1976 定义的标准大气条件,以海平面高度作为起始点,$T_{st} = 288.15$ K,$p_{st} = 101\,325$ Pa。依据相似原理,对参数进行标准化。假定当前工况条件下环境温度为 T_0、环境压力为 p_0,定义温度相似因子 K_T 和压力 K_p 相似因子分别为

$$K_T = \frac{T_0}{T_{st}}、K_T = \frac{T_0}{T_{st}} \tag{12.9}$$

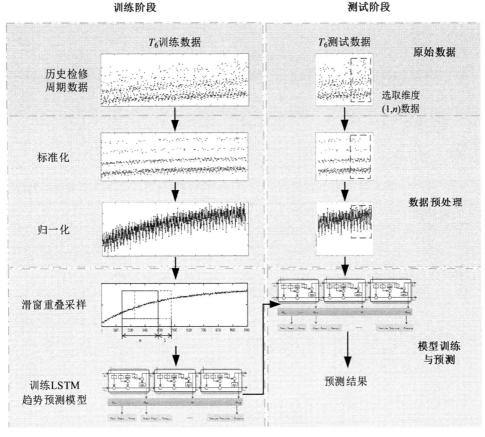

图12.3 LSTM气路性能退化趋势预测算法流程

得到对应温度、压力、转速及燃油流量的修正值分别为

$$T_{i,cor} = \frac{T_i}{K_T} \tag{12.10}$$

$$p_{i,cor} = \frac{p_i}{K_p} \tag{12.11}$$

$$n_{i,cor} = \frac{n}{\sqrt{K_T}} \tag{12.12}$$

$$GF_{i,cor} = \frac{GF_i}{K_p \cdot \sqrt{K_T}} \tag{12.13}$$

2. 参数归一化

燃气轮机工作在不同负荷下,量纲上的差异也给参数特征的提取带来了难度。数据归一化是通过把数据转化为$[0,1]$之间的数值,去除量纲的影响,解决参数之间可比性的问题,同时满足LSTM网络中激活函数的输入范围。本节选择最大最小值法对参数进行归一化处理:

$$x_{\text{norm}}^{i,j} = \frac{x^{i,j} - x_{\min}^j}{x_{\max}^j - x_{\min}^j} \tag{12.14}$$

式中，$x_{\text{norm}}^{i,j}$ 为第 i 个参数 j 归一化后的值；$x^{i,j}$ 为原始数据；$x_{\max}^{j}$ 与 $x_{\min}^{j}$ 为参数 j 的最大值与最小值。

12.2.3　LSTM 模型参数

LSTM 趋势预测模型输入为一维时间序列监测参数信号，大小为 $(1,n)$，输出为 $(1,p)$，n 为滞后因子，p 为预测步长，即通过 n 个数据的变化趋势，预测未来 p 步的数据。为了减小训练数据过少影响预测精度的问题，采用滑窗法实现重叠采样，对训练数据进行扩充，增强模型的泛化能力。即从起始采样点开始，每次采样的数据长度为 n，下一次采样的位置较上一次采样位置偏移 1 步，如图 12.4 所示。

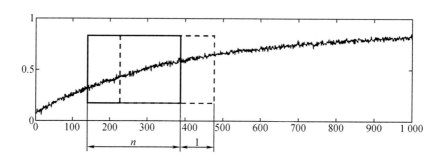

图 12.4　重叠采样过程

本节中用于燃气轮机气路状态趋势预测的模型结构如图 12.5 所示。该模型由一层 LSTM 隐含层和一层全连接层构成。在 LSTM 隐含层中提取低压涡轮排气温度时间序列特征，再通过全连接层实现特征到预测值的回归。LSTM 模型网络结构如表 12.1 所示。

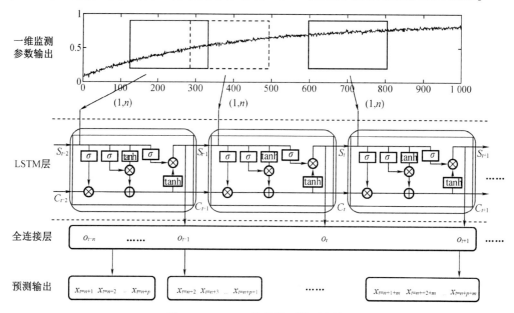

图 12.5　LSTM 趋势预测模型结构

表 12.1   LSTM 网络结构

1	输入节点数	n
2	隐含层单元数	200
3	全连接层单元	50
4	输出节点数	p
5	初始学习率	0.005
6	小批量样本数	100
7	训练次数	500

12.3   LSTM 模型训练过程分析

12.3.1   数据预处理

在 LSTM 模型训练前,首先要对数据进行预处理,以减小工况变化的影响。下面以数据集 GT2 在某 1 组检修周期内 T_6 数据为例,研究数据预处理的影响。图 12.6 是数据集 GT2 在某 1 组检修周期内 T_6 的原始数据,由于环境温度变化导致参数变化区间变大,各个工况的数据互相交叉。

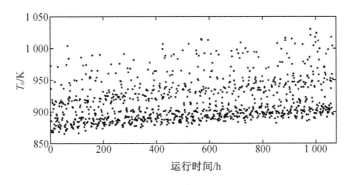

图 12.6   运行周期内 T_6 原始数据

图 12.7 为经标准化修正后,在检修周期内修正值 T_{6cor} 的变化图,可以看出不同工况下的参数 T_{6cor} 分别处于不同的范围内。虽然同一工况内的数据仍存在波动,但是通过标准化方法可以有效地减小温度变化对量纲的不良影响。

图 12.8 为依据工况对 T_{6cor} 分别进行归一化处理后得到的结果。可以看出,经过分工况归一化处理后的数据都处于区间 [0,1] 内,在时序上的退化特征更为明确。

251

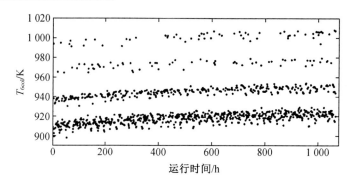

图 12.7　运行周期内标准化后的修正值 T_{6cor}

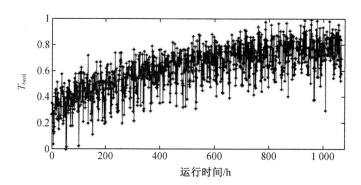

图 12.8　运行周期内归一化后的修正值 T_{6cor}

综上可以看出,通过对数据的预处理,减小了工况变化的影响。虽然不同组数据的退化速率、退化起始点均不同,但是经过归一化后的数据变化区间为[0,1],变化趋势呈现指数型退化,增加了数据的相似性,一定程度上提升了算法的迁移预测能力。

12.3.2　训练数据长度分析

在实际运行条件下,很难获取到足够数量的训练样本,模型的训练往往处于乏样本条件下,因此本书使用数据集 GT1,研究了 LSTM 模型训练数据长度对预测精度的影响。下面使用均方误差与平均绝对误差对基于 LSTM 的气路性能退化趋势预测结果进行评价。

(1)均方误差(root mean squared error, RMSE)是最常被使用的评估指标,由于其结果不受正负的影响,均方误差的大小随预测误差的增大而增大,能够有效反映数据的精度。均方误差的计算如式(12.15)所示:

$$\text{RMSE} = \sqrt{\frac{1}{N}\sum_{i=1}^{N}\left(y_i - p_i\right)^2} \tag{12.15}$$

式中,y_i 为真实值,p_i 为预测值,N 为预测的次数。

(2)平均绝对误差(mean absolute error, MAE)能够真实地反映预测误差的大小。平均绝对误差的计算如式(12.16)所示:

$$\text{MAE} = \frac{1}{N}\sum_{i=1}^{N}\left|y_i - p_i\right| \tag{12.16}$$

以数据集 GT1 的参数 T_6 作为研究对象,取不同长度的训练集数据进行训练,对测试集 GT1-21 进行预测。设滞后因子 $n=8$,预测步长 $p=1$。图 12.9 至图 12.11 是不同训练数据长度条件下,对 GT1-21 检修周期内 801~1 000 h 的数据进行单步预测得到的预测结果。由图可以看到当训练数据长度为 100 时,预测值与真实值存在很大的预测误差。但是随着数据长度的增大,预测曲线的趋势逐渐接近真实值。在数据长度为 2 000 时,预测曲线虽然存在一定的滞后性,但是已经能够很好地预测排气温度 T_6 的走向。

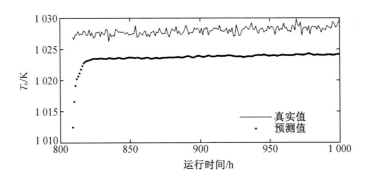

图 12.9 训练数据长度为 100 时的预测结果

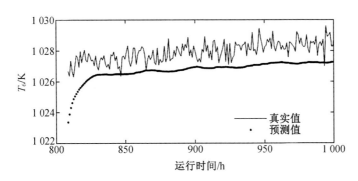

图 12.10 训练数据长度为 500 时的预测结果

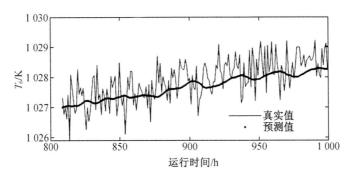

图 12.11 训练数据长度为 2 000 时的预测结果

表 12.2 为不同数据长度条件下的预测结果。可以看出,随着训练数据长度的增加,预测精度逐渐增高。

表 12.2　不同训练数据长度条件下的预测结果

训练数据长度	MAE	RMSE
100	2.576 7	2.742 5
300	0.875 2	1.170 2
800	0.538 4	0.683 5
2 000	0.444 6	0.548 6

上述结果表明,训练数据长度对 LSTM 模型的预测精度有很大影响,训练数据过少,LSTM 模型无法实现有效历史检修周期内船用燃气轮机气路退化监测数据的时序信息的深度学习;当模型至少学习到包含一个完整检修信息时,才能实现对检修周期内燃气轮机退化状态的预测。在 LSTM 模型训练中也发现,训练数据也不是越多越好,如果训练数据过多会导致"概念漂移",即训练样本包含的退化规律过多,导致预测模型无法实现正确决策的现象。因此选取合适的训练数据长度对算法的预测精度有较大影响,并且有必要在未来的研究中深入讨论。

12.4　船用燃气轮机气路性能退化趋势预测结果分析

由于燃气轮机常处于复杂多变的运行条件下,因此燃气轮机的运行退化数据具有很强的随机特征和动态特征。本节将对设计点工况和变工况下模型的预测精度进行测试。此外,结合实际运行过程中的突发故障预警需求,利用 LSTM 趋势预测算法对突发故障的监测能力进行了有益的探索。

12.4.1　设计点工况下退化预测试验

以训练集 GT1 的参数 T_6 作为研究对象,取前 10 个检修周期共 12 139 h 的历史数据作为训练数据。检修周期越长,数据集中包含的退化周期信息越完整,预测效果越好。设置一维监测参数输入大小为(1,24),对应的输出大小为(1,1),表明用 24 个历史数据,向后预测 1 步的信息。依据预测方法流程,先对构造好的训练数据进行预处理,归一化至[0,1]之间,减小工况条件的影响,输入至 LSTM 模型中,训练 LSTM 趋势预测模型。

以测试集 GT1-1 为例进行趋势预测(测试集 GT1-1 代表测试集 GT1 的第 1 组检修周期数据),同样对测试数据进行数据预处理。归一化数据的预测结果如图 12.12 所示。可以看到在单工况条件下,预测结果能够很好地跟踪 T_{6cor} 的变化趋势。

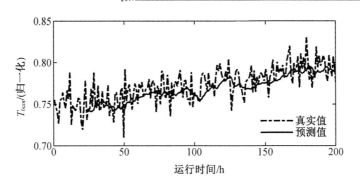

图 12.12 设计点工况 T_{6cor} 趋势预测结果

为了进一步探究 LSTM 趋势预测算法的预测能力,本书在以往研究基础上,使用 ARMA 预测模型对该组测试数据进行预测,并比较两种算法的预测结果。对预测结果进行反归一化计算,T_6 实际值、LSTM 模型与 ARMA 模型预测结果如图 12.13 和图 12.14 所示。

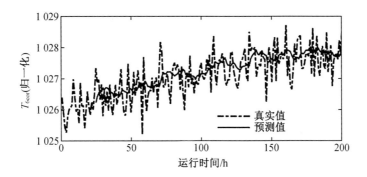

图 12.13 设计点工况 LSTM 趋势预测结果

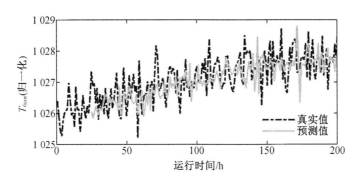

图 12.14 设计点工况 ARMA 趋势预测结果

可以看到在设计点工况条件下,ARMA 模型也有较好的预测结果,但是预测结果受数据波动的影响更明显,并且具有明显的滞后性。表 12.3 为两种预测算法的预测结果,可以看到 LSTM 算法有更高的预测精度。

表 12.3　LSTM 与 ARMA 预测结果比较

算法	MAE	RMSE
LSTM	0.421 3	0.528 7
ARMA	0.457 6	0.603 8

12.4.2　变工况条件退化预测试验

燃气轮机的实际运行过程处于变工况条件下,因此研究变工况条件下对燃气轮机关键健康参数进行趋势预测有更重要的意义。以数据集 GT2 的参数 T_6 作为研究对象,研究变工况条件下 LSTM 趋势预测算法的预测性能。取 GT2 训练集前 10 个检修周期共 13 119 h 的历史数据作为训练数据,对 LSTM 趋势预测模型进行训练。

以测试集 GT2-1 为例进行趋势预测,图 12.15 为 200 h 内的预测结果。可以看到在变工况条件下,LSTM 趋势预测结果也能够很好地跟踪 T_{6cor} 的变化趋势。

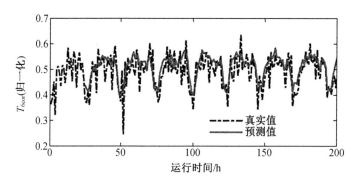

图 12.15　变工况条件下 LSTM 趋势预测结果

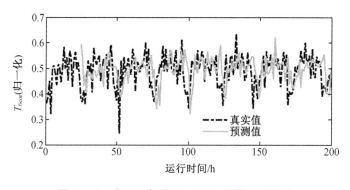

图 12.16　变工况条件下 ARMA 趋势预测结果

比较图 12.15 与图 12.16,可以看出在变工况条件下,LSTM 趋势预测算法有更好的预测结果。ARMA 模型在变工况条件下预测结果的波动大,滞后预测的趋势更为明显。表 12.4 为两种趋势预测算法的预测结果比较,可以看到变工况条件下,LSTM 的预测结果更为优异。

表 12.4　变工况条件下 LSTM 与 ARMA 预测结果比较

算法	MAE	RMSE
LSTM	1.243 9	1.600 1
ARMA	2.102 6	2.755 1

不同于 ARMA 利用历史时间序列递推预测方法,本节提出的 LSTM 趋势预测算法结合当前检修周期数据的趋势信息,在已学习多个历史检修周期信息的基础上,进一步更新了模型,具有更强的跟踪性和精确性。

12.4.3　突发故障预警试验

趋势预测算法的意义一方面是监视退化过程的发展并估计损失,另一方面是识别突发故障并向机组人员进行预警。从长期运行的角度看,突发故障可能并不会导致燃气轮机立即失效,但是往往会大大降低燃气轮机的可靠运行时间。在短期内,突发故障往往发生在几秒钟内,实际运维工作也是对每秒监测到的数据进行监测,并依据数据特征对燃气轮机的状态进行分析。

1. 小时级故障预警

对数据集 GT3 内 T_6 的时间序列数据进行预测,探究趋势预测算法在发生突发故障时的预警能力。以数据集 GT3 第 1 组退化周期数据 T_6 作为测试数据。本组数据所模拟的燃气轮机在 370 h 时发生突发故障,导致低压涡轮效率下降 0.2%。突发故障也导致燃气轮机性能迅速恶化,在 491 h 时就到达剩余使用寿命周期终点,进行停机检修。

由于数据集 GT3 也处于多工况条件下,因此使用 3.4.1 节训练的多工况趋势预测模型对数据集 GT3 进行预测。对 324~480 h 的数据进行单步预测。图 12.17 为归一化后的参数 T_{6cor} 的预测结果,从 324~369 h 的预测曲线可以看到,通过数据集 GT2 训练的预测模型,对 GT3 进行预测也得到了很好的预测效果,算法跟踪到了数据下一步的退化趋势,体现了 LSTM 预测模型的迁移能力。

当 370 h 发生突发故障,导致归一化实际值由约 0.5 突增至 0.8,然而 LSTM 预测模型的结果仍按照原有退化趋势发展,因此出现了较大的预测误差。随着新数据的增加,更新 LSTM 预测模型,使预测结果开始上扬,误差也逐渐减小。在约 400 h 时,预测误差恢复至正常范围内。

图 12.18 为反归一化后 T_{6cor} 的结果,可以看到在 370~390 h 期间有较为明显的预测误差。图 12.19 为预测误差的柱状图,可以看到未发生突发故障时,预测误差的绝对值均小于 5 K,在 370~395 h 区间内,误差明显增大,连续突增至 -10 K 左右,远大于正常的预测误差范围。依据这个特征,机组人员可以判断发生了突发故障。

上述实验验证了 LSTM 预测模型的突发故障预警能力,但是在"小时"尺度确定突发故障是否发生无法满足实际运维工作的需求,因此,有必要对"秒"级尺度的退化数据进行分析研究。

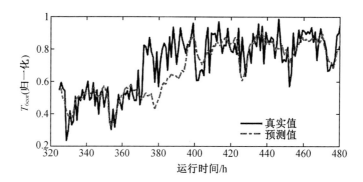

图 12.17　突发故障条件下归一化参数预测结果

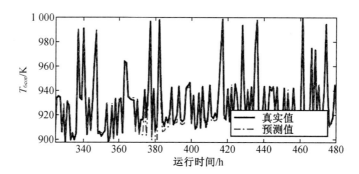

图 12.18　突发故障条件下 T_{6cor} 反归一化后的预测结果

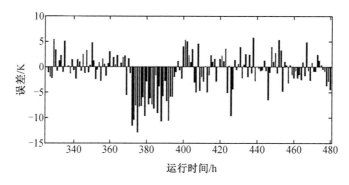

图 12.19　突发故障条件下的预测误差

2. 秒级故障预警

燃气轮机性能退化是一个非常缓慢的过程,每个小时内的退化往往很小。因此,在"秒"级时间尺度内,环境温度、工况、传感器噪声是导致监测参数变化的主要因素。此时,预测算法的首要任务是在噪声环境下区分和识别突发故障,向机组人员进行预警。

利用第 2 章介绍的气路性能退化仿真方法,仿真了 1 h 的燃气轮机实际退化数据。在第 1 870 s 时发生了突发故障,导致高压涡轮效率降低 0.5%。图 12.20 为该组实际退化数据 T_6 在退化周期内的变化曲线,由局部放大图可以看到 1 870 s 时发生的突发故障导致 T_6 发生了小幅阶跃。

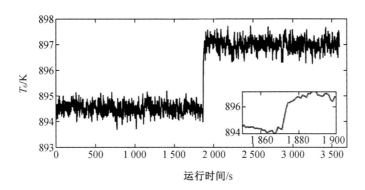

图 12.20　1 h 内参数变化曲线图

在本例中,对于秒级数据,造成波动的主要影响因素是传感器噪声,因此对处于不同工况的数据取 99.7% 置信区间作为上下限,用于验证预测的准确性。使用 3.4.1 节训练的多工况趋势预测模型对该组数据进行单步预测,测试多工况趋势预测模型对秒级数据的跟踪预测能力以及发生突发故障时的预警能力。

对 600~800 s 未发生突发故障的数据进行预测,由图 12.21 可以看到多工况趋势预测模型有小部分预测结果超出了置信区间,虽然预测结果有一定的滞后性,但跟踪数据变化的能力更强。由图 12.22 可知,大部分预测误差在 0.5 K 以下,有较高的预测精度。

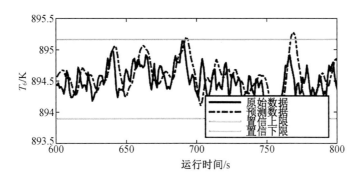

图 12.21　600~800 s 的预测结果

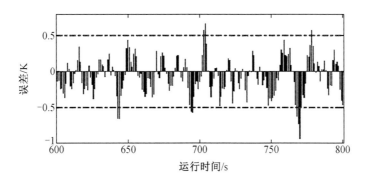

图 12.22　600~800 s 的预测误差

对 1 750~1 950 s 发生突发故障的数据分别进行预测,由图 12.23 可以看到多工况趋势预测模型在突发故障发生时也有较强的跟踪能力,在约 1 880 s 时预测结果就恢复到了正常范围内。

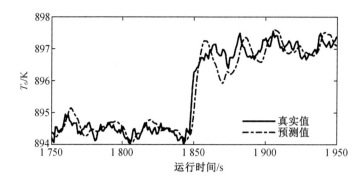

图 12.23　1 750~1 950 s 的预测结果

图 12.24 为预测误差的结果图,可以看到未发生故障时的预测误差均在 0.5 K 范围内,当发生故障后的 1 850~1 890 s,预测误差大于正常误差范围,因此可以判断突发故障的发生。

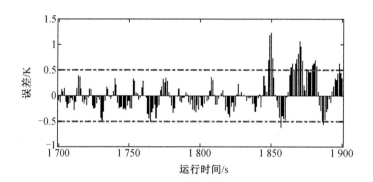

图 12.24　1 750~1 950 s 的预测误差

第13章　燃气轮机剩余使用寿命预测方法

剩余使用寿命(remaining useful life,RUL)是指从当前时刻开始燃气轮机还能继续正常工作的时间。它是 PHM 系统的核心技术,是连接机载状态监视、故障诊断与地面运行规划、维修保障的重要纽带。RUL 预测原理如图 13.1 所示,其主要根据设备当前的健康状态、工作环境和载荷、状态监视传感器信息等,结合物理失效模型、历史性能退化数据、故障诊断信息评估部件或者系统的剩余使用寿命,为维修保障和运行规划提供决策支持。

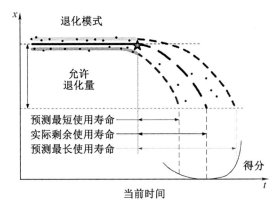

图 13.1　RUL 预测原理示意图

目前关于 RUL 预测的分类各个组织和研究机构的提法不尽相同。但从主流的技术研究和工程应用综合来看,主要可以分为基于经验的预测、基于数据驱动的预测和基于物理失效模型的预测。

1. 基于经验的预测方法

当难以建立系统或部件的物理失效模型且无法通过传感器网络获取设备部件或系统状态、工作环境和载荷时,此时只能采用基于经验的预测方法。这种形式的预测模型复杂度低,只需失效历史数据或在发动机设计时给出的同工作条件下部件使用维护建议。通常,将获取的故障和失效数据拟合为统计分布,例如泊松分布(Poisson)、指数分布(Exponential)、威布尔分布(Weibull)、对数-正态分布(Log-Normal)等。其中,应用最广泛的是威布尔分布,威布尔分布适用于多种情况,包括"浴盆曲线"中的早期失效。基于经验的预测方法都是根据同类部件/设备/系统事件记录的分布,采用历史失效数据估计对象的整体特性(例如,平均故障间隔时间 MTBF、平均失效前时间 MTTF、可靠性运行概率等),统计方法和可靠性分析在其中已得到广泛应用,因此也被称为基于统计和可靠性理论的预测方法。然而,这种方法仅提供了基于同类对象整体可靠性指标的预测评估,缺乏个体故障或者健康状态的信息。此外,维修人员更关心当前运行设备的某些部件或子系统的实际健康状况和剩余使用寿命,而不是同类部件的整体可靠性相关指标。

2. 基于数据驱动的预测方法

数据驱动的方法主要根据设备状态监测数据和同类设备部件或系统由正常到失效退化过程测量参数,预测剩余使用寿命。这种方法仅仅依靠传感器数据并将其转换为相关信息和性能退化模型,不需要关注复杂的物理失效机理,使用简便并且模型通用性较好,因而获得了广泛的研究和推广。

人工智能方法因其在建模方面的灵活性和强大的非线性逼近能力,十分适合用于复杂装备部件或系统的退化过程建模和 RUL 预测建模,因而已经在 RUL 预测中被广泛使用。其中,神经网络是最常用的算法之一。

数据驱动的预测模型构建简单,只需描述数据的输入与输出关系以及相应的过程参数即可,无须对烦琐、复杂的物理失效机理进行分析。相比于基于物理失效模型的方法,该方法可以实现数据的自适应,从大量的样本中发掘出数据之间的内在隐含关系。

由于燃气轮机具有很强的非线性特点,气路内各个部件相互耦合,气路性能受到多种不同类型退化因素,以及环境、负荷等外界因素的综合影响,因此建立燃气轮机监测参数与剩余使用寿命之间的映射关系具有较大的难度。另外,数据驱动的方法对所收集数据的准确性和广泛性要求较高。状态监视传感器数据中所包含的噪声和不确定性,也增加了这种预测技术的实现难度。

3. 基于物理失效模型的预测方法

基于物理失效模型的预测方法需要根据机械动力学知识、设备的结构特点和材料特性,深入分析性能退化过程和物理失效机理,建立物理失效模型,并结合设备当前的工作状态和载荷情况,预测设备的失效时间和剩余使用寿命。物理失效模型可以是根据传统的物理失效原理,比如疲劳裂纹、磨损和腐蚀等得到的函数或微分方程组。基于物理失效模型的预测方法一般仅用于部件级失效和剩余使用寿命预测。对于特定故障,这种模型实际是关于部件损伤如裂纹、碎片等与载荷或者应力的函数。

建立物理失效模型通常需要深入分析故障和失效机理,综合考虑部件所经历的物理、化学、气动热力过程,其建模分析的复杂和困难程度给该方法的使用和推广带来了一些限制。

对以上三类预测方法进行比较分析可以得知,一般基于经验的方法不需要传感器,也不需要特定的物理失效模型,只需根据设备部件或系统的失效历史数据,进行可靠性和使用方面的分析与建模,因此适用面最广。但由于其缺乏群体中个体设备的状态和健康信息,因而精度也最差。数据驱动的方法主要根据传感器监测信息以及数据库中同类型设备的历史数据记录,分析性能退化趋势,以估计未来健康状态和预计失效时间,或者直接进行退化模式特征提取及退化模式识别,其建模相对简单,通用性也较好。当通过仿真或者实际运行积累了大量的燃气轮机运行到失效的数据时,该方法能取得较理想的预测精度。基于物理失效模型的方法预测准确性最高,但是其难度也较大,因为需要知道对象的结构和材料特点、载荷和失效模式等相关信息。对于燃气轮机这类大型复杂设备,其先验知识十分缺乏且获取的代价高昂,加上完全建立其物理失效模型又极端复杂和困难,而数据驱动的预测方法建模简单,预测精度较高,并且随着数据挖掘、信息融合及大数据技术的不断发展,其在燃气轮机预测与健康管理领域应用也不断增强。

本章引入卷积神经网络(convolutional neural networks,CNN),采用 Speraman 相关系数与平均影响值(mean impact value,MIV)模型对敏感特征参数进行筛选,利用多层卷积层结构提取特征参数平面的高维特征,经过一系列非线性变化,深度学习燃气轮机监测参数与剩余使用寿命的映射规律,实现燃气轮机气路剩余使用寿命的预测。经过船用燃气轮机气路性能退化数据集试验测试,验证了所提出剩余使用寿命预测方法的性能。

13.1 卷积神经网络设计

CNN 的局部感知域和池化操作等特点能够提升网络的特征提取能力,降低网络复杂度。目前,它已被广泛用于各类信息处理和特征识别任务中。本书希望利用 CNN 在特征提取上的能力,从燃气轮机历史运行数据中,提取燃气轮机气路的时序退化特征,挖掘气路监测数据与燃气轮机整体状态的非线性相关关系,建立燃气轮机状态与剩余使用寿命之间的映射关系,实现剩余使用寿命的预测。

常见的 CNN 由输入层、卷积层、激活层、池化层、全连接层和输出层构成。卷积层和池化层用于特征的自动提取,全连接层用于对提取的特征进行分类。在网络中使用多层卷积或池化,有助于提取更为复杂与高级的局部特征,可以有效提高网络的分类性能。此外,CNN 中的权值和偏差是由输入的训练数据和参数优化算法决定的,而最常用的算法是随机梯度下降(stochastic gradient descent,SGD)算法。

13.1.1 输入层

通常 CNN 的输入层采用原始图像作为输入,通过简单的非线性模型即可从原始图像中提取出更加抽象的特征,避免了复杂的特征提取过程。因此,相关研究在图像处理方面得到了广泛的应用,并取得了较多的研究成果。

对于燃气轮机的剩余使用寿命预测问题,研究内容为利用 CNN 实现多变量时间序列传感器数据的剩余使用寿命估计。本节引入时间窗策略,通过在序列输入上以一定的步长移动时间窗口,将时间序列输入转化为一系列的短信号,由此构造的输入为特征参数与特定采样长度共同构成的多层特征平面。

采用时间窗策略对输入数据进行重构,可实现数据的重叠采样,如图 13.2 所示。通过时间窗叠加的方法,大大增加了用于网络训练的样本,能够有效增强 CNN 的泛化性能,发挥深度学习网络处理大批量数据的能力。

13.1.2 卷积层

卷积层可以通过卷积操作检测待分类的输入数据或图像的局部特征,并将其存储为特征图。卷积运算由一个由权值矩阵组成的卷积核实现,权值矩阵的大小远小于输入,卷积核可以提取输入数据中接受域的特征,最终构成特征图。

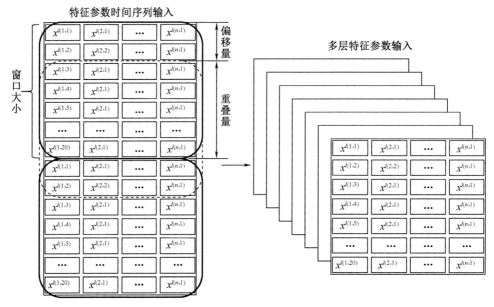

图 13.2　滑窗法重叠采样

在卷积过程中,卷积核分别在接受域沿水平和垂直轴方向执行卷积运算,如式(13.1)所示。

$$o_j^l = f\left(\sum_{i \in M_j} x_i^l \otimes k_{ij}^l + b_j^l \right) \tag{13.1}$$

式中,M_j 为选择的图像输入,k_{ij}^l 为第 l 个卷积层的卷积核,$\otimes$ 代表卷积运算,b_j^l 为第 l 个卷积层的偏置,x_i^l 与 o_i^l 为第 l 个卷积层的输入与输出,$f(\cdot)$ 代表激活函数。

与图像输入不同,时间序列输入的特征参数来自不同的传感器,因此没有空间上的相关关系。因此在卷积层对输入进行卷积运算时,应相应地选取一维卷积滤波器进行处理,对不同的特征参数序列分别进行卷积计算,来挖掘序列的特征。以图 13.3 为例,构造的输入信号为 20×1 的特征矩阵,卷积核的大小为 10×1,可以实现分别提取每个特征参数的特征。经过 10 个不同的卷积过滤器处理,可以得到 10 组不同的卷积处理后的特征,如图 13.4 所示。

在卷积计算后,常常要经过激活层对输出进行激活处理。常见的激活函数有 Relu 和 tanh,激活函数能够解决梯度爆炸、梯度消失问题,同时也能够加快收敛速度。图 13.5 为两种激活函数的曲线图。

卷积层和激励层通常合并在一起称为"卷积层"。常见的 CNN 常常使用多层卷积层的结构,网络的输入随着进入网络越深和经过更多卷积层后,将得到更为复杂特征的激活映射,但是卷积层层数增加同时也会导致计算速度降低,模型收敛速度慢。本节利用多层卷积层对气路退化特征矩阵内的时序退化信息进行提取。

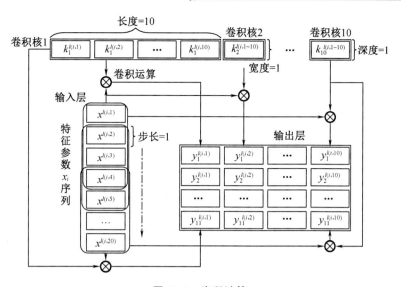

图 13.3 卷积计算

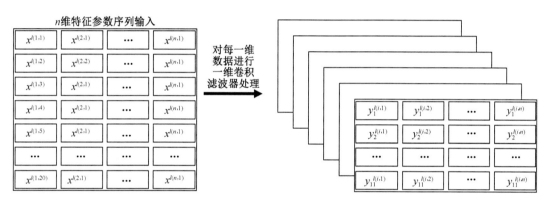

图 13.4 卷积层计算

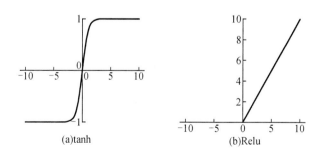

图 13.5 激活函数

13.1.3 池化层

在 CNN 网络结构中,卷积层后常常紧跟一层池化层结构,卷积层的特征面与池化层的特征面唯一对应。池化层在这里起到降采样的作用,即通过降低特征面分辨率来降低卷积特征输出的大小,降低网络的计算量。其最常见的池化方法有最大池化和均值池化等。最

大池化即对卷积层输出的局部接受域取最大值。本书中采用最大池化层对卷积处理后的退化特征进行降采样,最大池化运算如下:

$$o_j^l = \max\left(x_j^l\right) \tag{13.2}$$

式中,x_j^l 为第 l 个池化层的输入,$\max(\ )$ 为取最大值函数。最大池化层计算如图 13.6 所示。

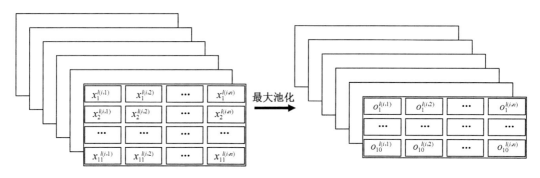

图 13.6　最大池化层计算

13.2　基于 Spearman-MIV 模型的变量筛选方法

13.2.1　相关性分析

本节研究燃气轮机气路整体的性能退化,采用燃气轮机气路内的主要热力参数对气路性能进行评估和预测。由于选取的参数多为温度、压力这类热力参数,它们之间的相关性较高,因此当受到同一种类型的退化影响时,会呈现较为类似的变化规律。在使用这部分参数进行预测或诊断时,容易造成信息的冗余及计算成本的增加。因此采用 Spearman 相关系数来量化气路热力参数之间的相关性,并对参数进行优选,以初步降低监测参数矩阵的维度。

Spearman 相关系数由英国统计学家斯皮尔曼根据积差相关的概念推导而来,一些人把斯皮尔曼等级相关看作积差相关的特殊形式。Spearman 相关系数也称秩相关系数,是利用变量之间秩次的大小进行相关分析,对原始变量的分布要求较低,适用范围较广。当变量之间具有非线性关系时,Spearman 相关系数依然能够较好地刻画变量之间的相关性。式(13.3)为 Spearman 相关系数的简化计算公式:

$$\rho = 1 - \frac{6\sum d_i^2}{n^3 - n} \tag{13.3}$$

式中,n 是指变量个数,d_i 是指两列变量秩的差数。d_i 的值越大,表明参数之间的距离越大,参数可能呈负相关;反之呈正相关关系。可以通过计算燃气轮机监测参数之间的 Spearman

相关系数,量化比较参数之间的相关关系,实现基于相关性的燃气轮机监测参数优选。

13.2.2　平均影响值模型

气路整体的性能在退化过程中会受到多种退化的影响,在不同检修周期内,各类退化的积累程度也有较大差别。不同退化所影响的气路部件不同,如低压压气机积垢退化对低压压气机出口温度的影响和对燃烧室出口温度的影响是不同的。这种差别的具体表现为监测参数的敏感性不同,即测量参数随组件运行状态变化而变化的程度。噪声是影响气路故障诊断与性能预测精度的重要原因,当气路性能发生退化时,难以从噪声中识别对退化敏感性低的参数。

因此,为了实现特征提取,降低系数矩阵的维度,应对所有气路监测参数进行相关性和敏感性分析,选取合适的参数作为预测的输入。因此,本书引入平均影响值(mean impact value,MIV)模型对变量进行筛选,以提高预测算法的有效性。

MIV模型是Dombi提出的一类指标,用于评估变量在神经网络应用中对结果的影响。在利用训练集完成网络的训练后,对训练样本中的某个参数根据其原始值增加或减少10%,得到两组新的训练样本,用新训练样本在已完成训练的网络中进行测试,得到一组差值,即影响值(IV)。影响值的结果越大,表示该参数的变化会导致对预测结果有更强的冲击效果。MIV取值的正负表示输入参数和结果的正负相关性。通过分别计算燃气轮机气路监测参数的MIV值的大小,确定监测参数对预测结果影响程度的排序,实现对变量的筛选。MIV-CNN参数筛选流程如图13.7所示。

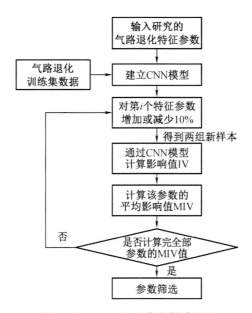

图 13.7　MIV-CNN 参数筛选流程

基于 MIV-CNN 的参数筛选流程步骤如下。

步骤 1：利用气路退化训练数据，选择要研究的气路特征参数，建立基于 CNN 的剩余使用寿命预测模型。

步骤 2：对第 i 个特征参数的值，分别增加或减小 10%，得到两组新训练样本。利用训练好的模型分别预测两组样本对应的剩余使用寿命，即

$$IV = RUL^+ - RUL^- \tag{13.4}$$

式中，IV 值的均值即为 MIV 值。

步骤 3：以此类推，按上述步骤循环迭代，直到计算完所有的 MIV 值，比较参数的 MIV 值实现参数的筛选。

13.3 基于 CNN 的燃气轮机剩余使用寿命预测算法流程

综合基于 CNN 剩余使用寿命预测模型与 Spearman-MIV 变量筛选方法，得到了基于 CNN 的燃气轮机剩余使用寿命预测算法。预测算法开发流程如图 13.8 所示，具体实施步骤如下。

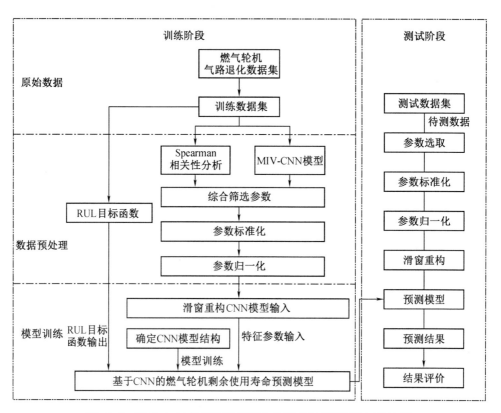

图 13.8 基于 CNN 的燃气轮机剩余使用寿命预测算法开发流程

步骤1:数据预处理。

(1)对已知的训练集数据,计算监测参数的 Spearman 相关系数与 MIV 值,进行参数的相关性与敏感性排序,综合参数的相关性与敏感性结果,筛选用于预测燃气轮机剩余使用寿命的参数。

(2)对输入参数进行参数标准化与归一化,以降低工况的影响。

(3)利用训练集数据建立剩余使用寿命目标函数,用于后续模型的训练与测试,对测试集数据进行同样的数据预处理操作。

步骤2:模型训练阶段。

(1)确定 CNN 模型结构,实现提取序列数据中包含高维特征的能力。

(2)使用滑窗法对训练集预处理后的监测参数输入进行重叠采样,构造符合 CNN 模型的特征参数输入

(3)将特征参数输入与对应的剩余使用寿命目标函数输入在 CNN 模型中进行训练,得到基于 CNN 的剩余使用寿命预测模型。

步骤3:测试阶段。

基于训练好的 CNN 剩余使用寿命预测模型对测试集燃气轮机单元的剩余使用寿命进行预测,使用测试集给定的参考剩余使用寿命结果计算预测误差,并通过多种评价指标对预测模型的精度进行评价。

13.4　CNN 模型训练过程分析

13.4.1　CNN 模型结构

本节所使用的 CNN 结构如图 13.9 所示,CNN 预测模型结构如表 13.1 所示。

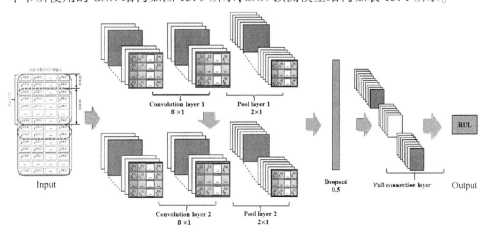

图 13.9　基于 CNN 的剩余使用寿命预测模型结构

该网络由两层卷积层、两层池化层及一个全连接层构成。网络的输入信号为 $20 \times n \times 1$ 的一维图像输入,n 为特征参数的个数,输入第一层卷积层进行卷积处理,卷积核的大小为 8×1,卷积核个数为 10,激活层函数为 tanh;经过最大池化层进行降采样,池化层区域的大小为 2×1;第二层卷积层及池化层结构与第一层结构相同,采用两层卷积层有助于提取监测数据的高维特征,在保证预测精度的同时提升模型的收敛速度。在池化层后连接一层 Dropout 层,以防止模型出现过拟合;最后连接一层全连接层,输出该组输入数据对应的剩余使用寿命值。

表 13.1　基于 CNN 的剩余使用寿命预测模型结构

序号	网络层	大小	数目
1	卷积层 1	8×1	10
2	池化层 1	2×1	2
3	卷积层 2	8×1	10
4	池化层 2	2×1	2
5	Dropout 层	0.5	1
6	全连接层	100	1

13.4.2　输入参数筛选

1. 监测参数之间的相关性分析

依据数据集 GT1 的训练集数据,计算 12 个监测参数之间的 Spearman 相关系数,并得到 12 个气路监测参数的聚类图,如图 13.10 所示。

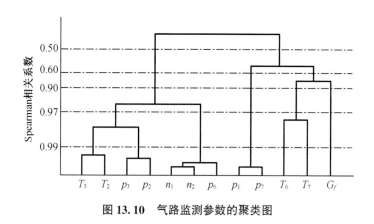

图 13.10　气路监测参数的聚类图

本节设定相关度阈值为 0.99,初步将测量参数划分为 7 类,分别为$[T_3, T_2]$、$[p_2, p_3]$、$[(n_1, n_2), p_6]$、$[p_1, p_7]$、T_6、T_7、G_f,将用于剩余使用寿命预测模型的参数限制在 7 个。气路监测参数相关系数的大小反映了参数之间的相似性,如 n_1、n_2 都属于转速类参数,受到退化的影响也类似,因此相关系数较高。接下来对监测参数与剩余使用寿命目标函数进行相关性分析,选取与剩余使用寿命最相关的监测参数。

2. 监测参数与剩余使用寿命的相关性

利用训练集数据计算监测参数与剩余使用寿命之间的 Spearman 相关系数,计算结果如表 13.2 所示:

表 13.2　监测参数与剩余使用寿命的相关系数结果

参数	p_1	T_2	p_2	T_3	p_3	T_6
相关系数	0.687 1	0.409 6	0.293 7	0.349 8	0.263 0	0.969 6
参数	p_6	T_7	p_7	n_1	n_2	G_f
相关系数	0.152 4	0.940 5	0.687 0	0.114 5	0.119 1	0.757 5

相关性排序结果为 $T_6 > T_7 > G_f > p_1 > p_7 > T_2 > T_3 > p_2 > p_3 > p_6 > n_2 > n_1$。由该组排序结果可以看出,相关关系更强的参数排序结果更接近。

3. 基于 MIV-CNN 模型的敏感性分析结果

依据 MIV-CNN 模型,计算各个监测参数的 MIV 值,比较各个监测参数与退化之间的敏感度关系,计算结果如图 13.11 所示。

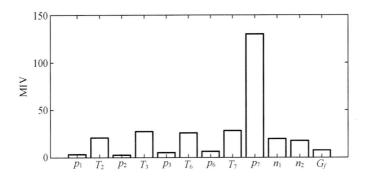

图 13.11　气路监测参数 MIV 值

由 MIV 值得到的参数敏感性排序结果为 $p_7 > T_7 > T_3 > T_6 > T_2 > n_1 > n_2 > G_f > p_6 > p_3 > p_2 > p_1$,可以看到 p_7 的变化会导致剩余使用寿命预测结果发生更大的变化。

4. 基于 CNN 的单参数预测结果

使用单参数训练剩余使用寿命预测模型,结果如图 13.12 所示,实际上也是建立单监测参数与剩余使用寿命目标函数之间的映射关系,反映了单监测参数与燃气轮机实际退化的相似性,预测结果越好,表示该监测参数与退化规律的相关性越强。

对单参数的预测结果进行排序,得到单参数预测模型的精度排序结果:$T_6 > T_7 > p_1 > G_f > T_3 > p_7 > p_3 > T_2 > p_6 > p_2 > n_2 > n_1$。可以看到该排序结果及监测参数与剩余使用寿命相关性排序结果类似,表明这组预测结果同样能够反映监测参数与剩余使用寿命的相关关系。

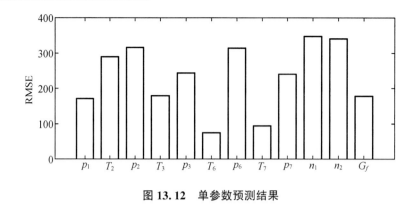

图 13.12　单参数预测结果

综合上述四类指标结果,首先依据相关性将相似性强的参数进行分类,再依据相关性与敏感性指标,选取与剩余使用寿命更为相关,对预测模型更为敏感,更能够反映燃气轮机退化趋势的参数,以达到降低系数矩阵,优化特征参数的目的。最终选取 G_f、T_6、p_7、T_7、n_1、T_2、p_3 作为基于 CNN 的燃气轮机剩余使用寿命预测算法的输入参数。

13.5　船用燃气轮机剩余使用寿命预测结果分析

为了验证本书提出的基于 CNN 的剩余使用寿命预测算法的性能,本节将在设计点工况和变工况下,进行基于 CNN 的剩余使用寿命预测算法的试验。

13.5.1　设计点工况下剩余使用寿命预测试验

使用本书第 8 章建立的燃气轮机气路退化数据集 GT1 进行预测。依据上文介绍的数据预处理流程,对数据集 GT1 的训练集数据进行归一化,并使用滑窗法对数据进行切割重构,构造多维特征序列输入作为 CNN 模型的输入。将训练数据集 80% 的样本作为训练集,其对应的剩余使用寿命值作为输出;剩余 20% 的样本作为验证集,以 RMSE 作为评价指标,通过 Adam 算法优化网络权值,达到最佳的 CNN 结构。以 RMSE 作为回归评估指标,经过两轮迭代周期 10 200 次迭代,完成了基于 CNN 的剩余使用寿命预测模型的训练过程。使用数据集 GT1 的测试集对算法的预测性能进行检验。为了减小随机性,每次预测均重复 5次,并取计算结果的平均值作为最终结果。

图 13.13 为部分测试集模型的预测结果,可以得到以下结论。

(1)由于船用燃气轮机的可靠性很高,一次离线水洗周期的长度大多都在 500 h 以上,因此燃气轮机的剩余有效寿命的区间很大,预测结果的剩余使用寿命的范围定为[0,1 000],并且由结果可以看到测试集燃气轮机的剩余使用寿命都处于该范围内。

(2)大部分的模型预测结果的趋势与真实寿命趋势非常接近,能够很好地跟踪燃气轮机在运行周期内的退化状态,实现有效的剩余使用寿命预测,如 GT1-44、GT1-52 等。

（3）存在少部分预测结果无法有效预测燃气轮机的状态，如 GT1-89，在这台燃气轮机的运行周期内预测结果存在非常大的误差。

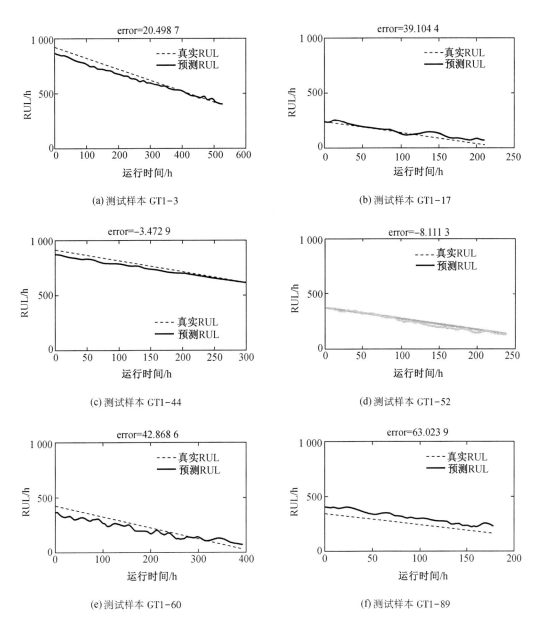

图 13.13 单工况部分测试集预测结果

平均绝对百分误差(mean absolute percentage error，MAPE)常用于度量真实值与预测值之间的相对偏差。MAPE 的值越小，表明预测结果与真实值越接近。

$$\text{MAPE} = \frac{1}{N}\sum_{i=1}^{N}\left|\frac{y_i - p_i}{y_i}\right| \times 100 \tag{13.5}$$

为了更直观地体现 CNN 算法的预测性能和训练速度，本章还使用其他几种类型的神经网络算法，如 BP 神经网络、LSTM 算法与 GRU 算法对该测试集进行预测，并与 CNN 预测算法进行比较,比较结果如表 13.3 所示。由表 13.3 可知,本书所设计的基于 CNN 的剩余使用寿命预测算法在各项预测指标上均优于其他算法,表明 CNN 在试车工况下有着更好的预测性能,同时可以看到 CNN 模型的训练时间也是最短的。

表 13.3 单工况预测结果比较

项目	BP	LSTM	GRU	CNN
MAE	59.387 8	57.190 3	63.389 5	56.101 4
MAPE	130.809 8	162.298 0	207.440 1	107.871 3
RMSE	73.975 9	76.051 5	77.546 4	70.954 0
训练时间	263 s	318 s	301 s	184 s

图 13.14 为四种剩余使用寿命算法的预测误差绝对值分布比较图,分布越偏左意味着预测误差越小,表明算法的预测效果越好。可以看到,相比其他三种算法,CNN 预测模型的预测结果处于小误差范围的占比更大,预测误差小于 100 的预测结果多于其他三种算法,基于 CNN 的剩余使用寿命预测算法的预测精度也明显优于其他算法。

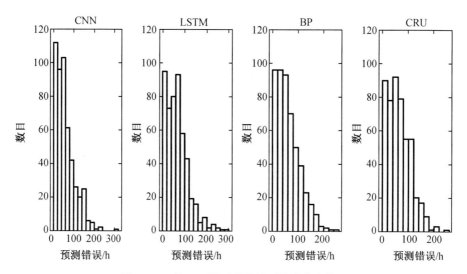

图 13.14 单工况预测误差绝对值分布比较图

13.5.2 变工况条件剩余使用寿命预测试验

使用本书第 8 章建立的燃气轮机气路退化数据集 GT2 进行预测,探究基于 CNN 的剩余使用寿命预测算法在多工况条件下的预测性能。数据处理流程与单工况条件的数据类似,但是需要额外对数据进行标准化与分工况归一化处理,以减小运行条件的影响。预处理后的数据通过滑窗法生成 CNN 模型训练输入后,训练多工况 CNN 预测模型。对数据集 GT2 的测试集数据进行预处理及滑窗重构,输入训练好的 CNN 模型进行剩余使用寿命的预测。

图 13.15 为部分测试集的预测结果。可以得到以下结论：

（1）与单工况条件的预测结果相比，由于工况的随机变化使预测精度有一定程度的降低，体现出变工况条件对预测算法精度的影响；

（2）由于环境温度变化的影响，预测结果有明显的起伏波动，可以看到部分结果能够有效跟踪剩余使用寿命的降低过程，如 GT2-10、GT2-32 和 GT2-47；

（3）部分结果无法跟踪退化过程，如 GT2-11、GT2-60。

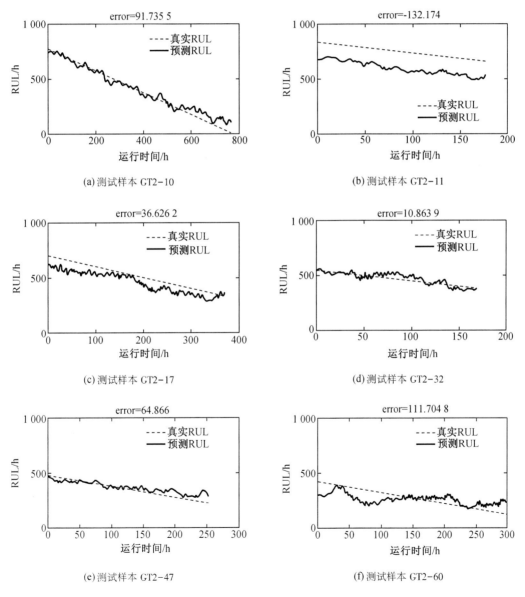

图 13.15　多工况部分测试集预测结果

由表 13.4 所示的多工况预测结果可以看出,基于 CNN 的剩余使用寿命预测算法在多工况条件下的预测精度明显高于其他算法,有着更高的预测精度。图 13.16 为四种剩余使用寿命算法的预测误差绝对值分布图,可以看到,相比其他三种算法,CNN 预测模型的结果中,预测误差小于 100 的预测结果多于其他三种算法,因此有更高的预测精度。

表 13.4 多工况预测结果比较

项目	BP	LSTM	GRU	CNN
MAE	123.413 7	106.020 0	111.872 3	101.343 2
MAPE	554.710 3	450.215 4	521.844 5	457.789 6
RMSE	144.327 9	126.465 2	131.881 7	123.374 0
训练时间	272 s	303 s	147 s	183 s

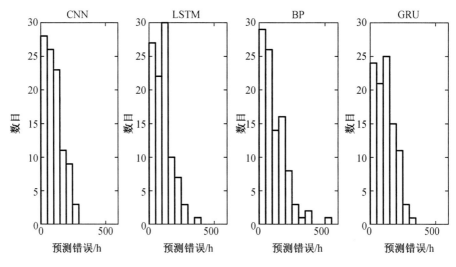

图 13.16 多工况预测误差绝对值分布比较图

比较深度学习算法与 BP 算法,由于深度学习算法能够挖掘历史数据中更深层次的时序关系特征,相比传统神经网络,在变工况条件下有更强的鲁棒性;BP 神经网络的预测误差很大,难以满足预测精度的要求。

参 考 文 献

[1] 赵连春,马丁利.飞机发动机控制:设计、系统分析和健康监视[M].北京:航空工业出版社,2012.

[2] 孙健国,李秋红,杨刚,等. 航空燃气涡轮发动机控制[M].上海:上海交通大学出版社,2014.

[3] 姚华. 航空发动机全权限数字式电子控制系统[M]. 北京:航空工业出版社, 2014.

[4] SOARES C. Gas turbines:a handbook of air, land and sea applications[M].Oxford:Butterworth-Heinemann, 2007.

[5] LI J, DU J, NIE C,et al. Review of tip air injection to improve stall margin in axial compressors[J]. Progress in aerospace sciences, 2019(16):15−31.

[6] PENG K, FAN D, YANG F, et al. Active generalized predictive control of turbine tip clearance for aero-engines[J]. Chinese journal of aeronautics, 2013, 26(5):1147−1155.

[7] 王威,李雅军,苗安立,等. 燃气轮机振荡燃烧的主动控制方法[J]. 热能动力工程, 2017,32(9):33−39.

[8] 陈雪峰. 智能运维与健康管理[M].北京:机械工业出版社,2018.

[9] 倪维斗,徐向东,李政,等. 热动力系统建模与控制的若干问题[M]. 北京:科学出版社,1996.

[10] 李孝堂. 航机改型燃气轮机设计及试验技术[M]. 北京:航空工业出版社,2017.

[11] XUE D,CHEN Y , ATHERTON D P . Linear feedback control:Analysis and design with matlab[M]. Philadelphia:Society for Industrial and Applied Mathematics, 2008.

[12] 顾恒文.全燃联合并车技术的研究[D].哈尔滨:哈尔滨工程大学,2012.

[13] 郭正榘. 燃气轮机自动控制系统设计[M].北京:机械工业出版社,1986.

[14] 张兵. 基于卡尔曼滤波器的燃气轮机故障诊断研究[D]. 哈尔滨:哈尔滨工程大学, 2016.

[15] 杨庆材. 基于多模型的船用燃气轮机故障诊断研究[D]. 哈尔滨:哈尔滨工程大学, 2018.

[16] 龚建政,缪四春,石恒. 船用燃气轮机启动过程仿真[J]. 舰船科学技术,2010,32 (5):116−119.

[17] 栾永军,孙鹏,俞世康. 船用三轴燃气轮机启动特性研究[J]. 舰船科学技术, 2010,32(8):105−110.

[18] 马亮.某型燃气轮机发电模块控制系统半物理仿真研究[D].北京:中国舰船研究院,2015.

[19] 马磊.基于模糊PI控制的推进电机调速研究[D].武汉:华中科技大学,2006.

[20] 司维.燃气轮机转速控制器的设计与优化[D].沈阳:东北大学,2016.

[21] 中国华电集团公司. 大型燃气-蒸汽联合循环发电技术丛书控制系统分册[M]. 北京:中国电力出版社,2009.

[22] 王敏. 燃燃联合动力装置特性的仿真研究[D]. 哈尔滨:哈尔滨工程大学,2007.

[23] 吉佳明. 用于护卫舰的 Maag 齿轮传动装置[J]. 热能与动力工程,2005(4):360.

[24] 范威,毕晓煦,吉桂明. 国外船用大中型齿轮传动形式的发展现状[J]. 热能与动力工程,2003(2):208-211,219.

[25] 张仁兴,赵小龙,王世安. 全燃联合推进装置的配置方案特性分析[J]. 舰船科学技术,2007,29(3):49-52.

[26] 张振海,张仁兴,龚建政. 舰船燃气轮机双机并车控制仿真技术研究[J]. 海军工程大学学报,2005(2):28-32,58.

[27] 詹志刚. 变距桨的船、机、桨最佳工况匹配及自动调节[D]. 武汉:武汉交通科技大学,1997.

[28] 肖冰,石爱国,余力,等. 可调螺距螺旋桨舰船船-机-桨优化匹配[J]. 舰船科学技术,2007,29(6):34-37.

[29] 王海刚. 高速船可调桨推进系统建模及仿真研究[D]. 武汉:武汉理工大学,2008.

[30] 覃峰,詹志刚,杨波,等. 基于遗传算法的船舶推进系统船、机、桨匹配优化设计[J]. 武汉理工大学学报,2003(1):50-52.

[31] 张仁兴,王明新,马俊. 全燃动力装置特性仿真研究[J]. 燃气轮机技术,2007(1):43-46.

[32] 陈国钧,曾凡明. 现代舰船轮机工程[M]. 长沙:国防科技大学出版社,2001.

[33] 江嘉铭. S.S.S. 离合器的动力学仿真研究[D]. 哈尔滨:哈尔滨工程大学,2010.

[34] 朱树文. 船舶动力装置原理与设计[M]. 北京:国防工业出版社,1980.

[35] 翁史烈. 燃气轮机性能分析[M]. 上海:上海交通大学出版社,1987.

[36] 赵巍,杨道刚. 基于组件的燃气轮机变工况仿真建模[J]. 发电装备,2003,17(3):54-58.

[37] 张方伟. 中冷回热燃气轮机动态仿真研究[D]. 上海:上海交通大学,2004.

[38] 樊焕然. 船舶燃气轮机发电仿真技术研究[D]. 哈尔滨:哈尔滨工程大学,2009.

[39] 彭振宇. 船舶全电力推进系统工作特性仿真研究[D]. 哈尔滨:哈尔滨工程大学,2009.

[40] 杨涛. 船用燃气轮机发电机组仿真技术研究[D]. 哈尔滨:哈尔滨工程大学,2008.

[41] 唐鸿羽. COGAG 装置动态特性与机桨匹配仿真研究[D]. 哈尔滨:哈尔滨工程大学,2010.

[42] 余放,王明为. 舰船减速齿轮装置的加工与设计[M]. 北京:国防工业出版社,2009.

[43] 黎振宇. 船用燃气轮机并车控制器设计与研究[D]. 哈尔滨:哈尔滨工程大学,2014.

[44] 李达. 船舶动力装置故障处理系统研究[D]. 武汉:武汉理工大学,2010.

[45] 刘志花. 无人机故障预测与健康管理技术研究[D]. 北京:北京化工大学,2010.

[46] 高美娟. 复杂机电装备健康管理系统研究[D]. 西安:西安工业大学,2015.

[47] 宁东方,章卫国,李斌. 预测和健康管理技术[J]. 航空制造技术,2009(5):71-73.

[48] 张亮,张凤鸣,李俊涛,等. 机载预测与健康管理(PHM)系统的体系结构[J]. 空军工

程大学学报,2008,9(2):6-9.

[49] 许丽佳.电子系统的故障预测与健康管理技术研究[D].成都:电子科技大学,2009.

[50] 李强.民航发动机健康管理技术与方法研究[D].南京:南京航空航天大学,2008.

[51] 尉询楷,杨立,刘芳,等.航空发动机预测与健康管理[M].北京.国防工业出版社,2004.

[52] 张静.基于 PHM 技术的智能开关柜故障监测及诊断方法研究[D].北京:华北电力大学,2015.

[53] 彭云.RLV 健康管理方案及关键系统监控原理[D].西安:西北工业大学,2005.

[54] MICHAEL G P. Prognostics and health management of electronics [M]. New Jersey:John Wiley&Sons. Inc, 2008.

[55] 朱霄珣.基于支持向量机的旋转机械故障诊断与预测方法研究[D].北京:华北电力大学,2013.

[56] LU K S,SAEKS R. Failure prediction for all on-line maintenance system in a passion shock environment[J]. IEEE transactions on systems, man and cybernetics, 2009(6):356-362.

[57] MARSEGUERRA M, MINOGGIO S, ROSSI A. Neural networks prediction and fault diagnosis applied to stationary nonstationary arma modeled time series[J]. Progress in nuclear energy,1992,27(1):25-36.

[58] KYUNG S P. Condition-based predictive maintenance by multiple logistic function[J]. IEEE transactions on reliability,1993,42(4):556-560.

[59] ARKADAN A A, KIELGAS B W. Switched reluctance motor drive systems dynamic performance prediction under internal and external fault conditions[J]. IEEE transactions on energy conversion,1994,9(1):45-52.

[60] TRIANTAFYLLOS G, VASSILIADIS S, KOBROSLY W. On the prediction of computer implementation faults via static error prediction models [J]. Journal of systems and software,1995,28(2):129-142.

[61] RAY A,TANGIRALA S. Stochastic modeling of fatigue crack dynamics for on-line failure prognostics[J]. IEEE transactions on control systems technology,1996,4(4):443-451.

[62] 徐东.装备综合保障关键技术研究[D].长沙:国防科技大学,2008.

[63] 胡茑庆,胡雷,陈凌,等.装备健康管理的现状、未来与挑战[J].国防科技,2015,36(1):10-15.

[64] 孙博,康锐,谢劲松.故障预测与健康管理系统研究和应用现状综述[J].系统工程与电子技术,2007,29(10):1762-1767.

[65] 彭宇,刘大同,彭喜元.故障预测与健康管理技术综述[J].电子测量与仪器学报,2010,24(1):1-9.

[66] 周志才,刘东风,石新发.故障预测与健康管理在舰用柴油机中的应用[J].兵工自动化,2014(1):29-31.

[67] 徐晓健.船舶动力系统故障诊断方法与趋势预测技术研究[D].武汉:武汉理工大学,2014.

[68] 张宝珍.预测与健康管理技术的发展及应用[J].测控技术,2008,27(2):5-7.

[69] 代京,张平,李行善,等.综合运载器健康管理健康评估技术研究[J].宇航学报,2009 (4):1711-1721.

[70] 龙兵,孙振明,姜兴渭.航天器集成健康管理系统研究[J].航天控制,2003,21(2):56-61.

[71] 翁沙羚.文晖大桥健康监测评估系统的研究与开发[D].杭州:浙江大学,2004.

[72] 黄赞武.轨道电路故障预测与健康管理关键技术研究[D].北京:北京交通大学,2013.

[73] 杨明明.大型风电机组故障模式统计分析及故障诊断[D].北京:华北电力大学,2009.

[74] 钱新博.水力发电机组故障预测与状态维修策略研究[D].武汉:华中科技大学,2014.

[75] 袁成.全寿命保障信息管理软件开发及船舶动力系统性能分析[D].武汉:武汉理工大学,2012.

[76] 景博,黄以锋,张建业.航空电子系统故障预测与健康管理技术现状与发展[J].空军工程大学学报(自然科学版),2010,11(6):1-6.

[77] 戎翔.民航发动机健康管理中的寿命预测与维修决策方法研究[D].南京:南京航空航天大学,2008.

[78] 吕德刚,杨占才.故障预测与健康管理系统建模技术研究[J].测控技术,2011,30(1):59-62.

[79] 于宏军,韩建军,张华,等.航空发动机健康管理系统标准探讨[J].航空标准化与质量,2012(4):9-11.

[80] 韩建军,张华,张瑞,等.航空发动机健康管理系统技术与标准发展综述[J].航空标准化与质量,2013(3):5-9.

[81] 周圣林.OSA-CBM标准适用性分析和航空应用探讨[J].航空标准化与质量,2012 (3):38-41.

[82] 蒋觉义,李播,曾照洋.故障预测与健康管理标准体系研究[J].测控技术,2013,32(11):1-5.

[83] 游勇涛.故障预测与健康管理(PHM)技术在雷达系统中的应用[D].重庆:重庆大学,2013.

[84] 章涵.国外预测与健康管理(PHM)标准分析[J].航空标准化与质量,2010(5):44-48.

[85] 韩春阳,王宁.航空故障预测与健康管理技术[J].电子世界,2015(13):184-186.

[86] 滕宪斌,蔡建国,林少芬.船舶及船用设备的可维修性[J].上海海事大学学报,2007,28(1):89-93.

[87] 胡晓棠,张文瑶,郦智斌.船舶可维修性设计分析[J].中国修船,2007,20(6):46-48.

[88] 李振翼.PHM对提升新一代飞机综合保障能力的研究[D].成都:电子科技大学,2009.

[89] ZADEH L A. Fuzzy logic and proximate reasoning [J]. Synthese,1975,30(3-4):407-428.

[90] 孙跃武.燃气轮机性能退化及趋势预测技术研究[D].哈尔滨:哈尔滨工程大学,2014.

[91] 马飒飒,赵守伟,陈国顺,等.复杂装备故障预测与健康管理技术及应用[M].石家庄:河北科学技术出版社,2012.

[92] 卢明亮.盐雾腐蚀对压气机性能影响的研究[D].哈尔滨:哈尔滨工程大学,2013.

[93] 崔志超.基于小波分析的船舶同步发电机故障诊断仿真研究[D].厦门:集美大学,2010.

[94] AREMU O O, HYLAND-WOOD D, MCAREE P R. A machine learning approach to circumventing the curse of dimensionality in discontinuous time series machine data[J]. Reliability engineering and system safety,2019(195):178-185.

[95] 李辉.燃气轮机气路故障诊断技术研究[D].哈尔滨:哈尔滨工程大学,2013.

[96] 杨庆材.基于多模型的船用燃气轮机气路故障诊断研究[D].哈尔滨:哈尔滨工程大学,2019.

[97] 韩国栋.基于深度学习的船用燃气轮机气路性能退化预测方法研究[D].哈尔滨:哈尔滨工程大学,2021.

[98] 翁史烈,王永泓.燃气轮机性能分析[M].上海:上海交通大学出版社,1987.

[99] 黄郑,周建新,何玉宝,等.基于 APROS 的燃气轮机及其控制系统整体仿真建模研究[J].燃气轮机技术,2016,29(4):14-20.

[100] 袁环,刘永葆.基于主因子模型的船用燃气轮机监测参数优化[J].燃气轮机技术,2014,27(2):46-49.

[101] 程学亮.舰用燃气轮机气路部件性能退化的仿真研究[D].哈尔滨:哈尔滨工业大学,2014.

[102] 余又红,贺星.燃气轮机性能退化的动态特性[J].海军工程大学学报,2012,24(5):39-42,107.

[103] 贺星,孙丰瑞,周密,等.火用效率在燃气轮机气路故障诊断中的应用研究[J].燃气涡轮试验与研究,2009,22(3):50-53,59.

[104] TARABRIN A P, SCHUROVSKY V A, BODROV A I, et al. An analysis of axial compressor fouling and a blade cleaning method[J]. Journal of turbomachinery, 1998, 120(2):256-261.

[105] KRISTIN J, MOHSEN A, MAGNUS G. Variations in gas-turbine blade life and cost due to compressor fouling-a thermoeconomic approach [J]. International journal of thermodynamics,2002,5(1):30.

[106] ARETAKIS N, ROUMELIOTIS I, DOUMOURAS G, et al. Compressor washing economic analysis and optimization for power generation[J]. Applied energy,2012(95):77-86.

[107] 姜娜.涡扇发动机性能退化预测与维修策略研究[D].哈尔滨:哈尔滨工业大学,2020.

[108] 闻化,胡志伟.装备故障预测与健康管理能力验证评估技术[J].计算机测量与控制,2019,27(11):260-264.

[109] ALTOSOLE M, CAMPORA U, MARTELLI M, et al. Performance decay analysis of a marine gas turbine propulsion system[J]. Journal of ship research,2014,58(3):117-129.

[110] SUN J, ZUO H, WANG W, et al. Application of a state space modeling technique to system prognostics based on a health index for condition-based maintenance [J]. Mechanical systems and signal processing, 2012, 28(4): 585-596.

[111] 张秋雁, 杨忠, 姜遇红, 等. 基于多源信息融合的飞行器部件剩余使用寿命预测 [J]. 机械制造与自动化, 2020, 49(1): 82-86.

[112] 黄婷婷, 余磊. SDAE-LSTM 模型在金融时间序列预测中的应用 [J]. 计算机工程与应用, 2019, 55(1): 142-148.

[113] CUI C, HE M, DI F, et al. Research on power load forecasting method based on lstm model [C]// 2020 IEEE 5th Information Technology and Mechatronics Engineering Conference (ITOEC). IEEE, 2020.

[114] BAE J, AHN J, LEE S J. Comparison of multilayer perceptron and long short-term memory for plant parameter trend prediction [J]. Nuclear technology, 2019(4): 1-11.

[115] AHMAD T, CHEN H. Deep learning for multi-scale smart energy forecasting [J]. Energy, 2019(175): 98-112.

[116] ZHIQUAN C, SHISHENG Z, ZHIQI Y. Fuel savings model after aero-engine washing based on convolutional neural network prediction [J]. Measurement, 2020, 151(3): 151.

[117] 钟诗胜, 雷达, 丁刚. 卷积和离散过程神经网络及其在航空发动机排气温度预测中的应用 [J]. 航空学报, 2012, 33(3): 438-445.

[118] 余映红. 基于深度学习的航空发动机气路参数基线建模和趋势预测研究 [D]. 厦门: 厦门大学, 2019.

[119] ELLEFSEN A L, BJORLYKHAUG E, AESOY V, et al. Remaining useful life predictions for turbofan engine degradation using semi-supervised deep architecture [J]. Reliability engineering & system safety, 2019(183): 240-251.

[120] TAREK B, MOUSS H, KADRI O, et al. Aircraft engines remaining useful life prediction with an adaptive denoising online sequential extreme learning machine [J]. Engineering applications of artificial intelligence, 2020, 96(103396): 1-10.

[121] 高峰, 曲建岭, 袁涛, 等. 基于改进差分时域特征和深度学习优化的航空发动机剩余寿命预测算法 [J]. 电子测量与仪器学报, 2019, 33(3): 21-28.

[122] 刘康, 肖娜. 基于堆叠稀疏自编码神经网络的航空发动机剩余寿命预测方法研究 [J]. 计算机测量与控制, 2019, 27(12): 29-33, 38.

[123] 刘小勇. 基于深度学习的机械设备退化状态建模及剩余寿命预测研究 [D]. 哈尔滨: 哈尔滨工业大学, 2018.

[124] 徐鹏, 曹云鹏, 欧惠宇, 等. 船用三轴燃气轮机气路故障建模与聚类诊断技术 [J]. 中国舰船研究, 2014, 9(3): 88-92.

[125] 赫英辉. 基于性能的船用燃气轮机健康评估方法研究 [D]. 哈尔滨: 哈尔滨工程大学, 2019.

[126] 赵鹤楠. 船用三轴燃气轮机气路故障诊断研究 [D]. 哈尔滨: 哈尔滨工程大

学,2014.

[127] 麦克弗森 J W.可靠性物理与工程:失效时间模型［M］秦飞,安彤、朱文辉,等,译.北京:科学出版社,2013.

[128] 金光.基于退化的可靠性技术［M］.北京:国防工业出版社,2014.

[129] 王伟影,王建丰,崔宝,等.基于时间序列模型的燃气轮机气路性能退化预测[J].热能动力工程,2016,31(3):50-55.

[130] 宋宏海,黄治国.发电用燃气轮机使用寿命的影响因素分析[J].航空发动机,2011,37(4):51-53,14.

[131] 刘雪晨,李宝瑜,张晰.蒙特卡洛特征样本采样方法研究［J］.统计与信息论坛,2019,34(1):3-12.

[132] 郭伟其,沙伟,沈红梅,等.东海沿岸海水表层温度的变化特征及变化趋势[J].海洋学报:中文版,2005,27(5):1-8.

[133] CHATTERJEE S,LITT J. Online model parameter estimation of jet engine degradation for autonomous propulsion control［R］. NASA, technical manual tm2003-212608, 2003.

[134] CAO Y,HE Y,YU F. A Two-layer multi-model gas path fault diagnosis method［C］// ASME Turbo Expo 2018:Turbomachinery Technical Conference and Exposition. American Society of Mechanical Engineers Digital Collection,2018.

[135] 吴明昊. 船舶燃气轮机发电模块健康评估研究［D］.哈尔滨:哈尔滨工程大学, 2018.

[136] CAO Y,HU P,YANG Q. Fuzzy analytic hierarchy process evaluation method of gas turbine based on health degree［C］//ASME Turbo Expo 2018:Turbomachinery Technical Conference and Exposition. American Society of Mechanical Engineers Digital Collection, 2018.

[137] 谭世勇,索双富,陈绍仁.基于层次分析法的机械元件失效率预计[J].机械设计,2014,31(3):6-10.

[138] VICHARE N M,RODGERS P,PECHT M G. Methods for binning and density estimation of load parameters for prognostic health monitoring［J］. International journal of performability engineering,2006,2(2):149-161.

[139] 何正嘉,曹宏瑞,訾艳阳,等.机械设备运行可靠性评估的发展与思考[J].机械工程学报,2014,50(2):171-186.

[140] KYRIAKIDES E,HEYDT G T. Calculating confidence intervals in parameter estimation:a case study［J］. IEEE transactions on power delivery,2005,21(1):508-509.

[141] CAMPORA U,CAPELLI M,CRAVERO C. Metamodels of a gas turbine powered marine propulsion system for simulation and diagnostic purposes［J］. Journal of naval architecture and marine engineering,2015,12(1):1-14.

[142] 高建华,王鹏飞,余又红,等.部件性能退化对船用三轴燃气轮机性能的影响[J].海军工程大学学报,2014,26(2):29-33.

[143] ALTOSOLE M,BENVENUTO G,FIGARI M,et al. Real-time simulation of a COGAG

naval ship propulsion system[J]. Proceedings of the institution of mechanical engineers, 2009,223(1):47-61.

[144] SAXENA A,CELAYA J,BALABAN E. Metrics for evaluating performance of prognostic techniques[C]//2008 International conference on prognostics and health management. IEEE,2008:1-17.

[145] 胡盼. 船用燃气轮机运行状态评估及预测方法研究[D]. 哈尔滨:哈尔滨工程大学,2020.

[146] 应雨龙. 船用燃气轮机气路诊断技术研究[D]. 哈尔滨:哈尔滨工程大学,2016.

[147] MESKIN N,KHORASANI K,NADERI E. Nonlinear fault diagnosis of jet engines by using a multiple model-based approach[J]. Journal of engineering for gas turbines & power,2011,13(1):63-75.

[148] MAGILL D T. Optimal adaptive estimation of sampled stochastic processes[J]. IEEE transactions on automatic control,1965,10(4):434-439.

[149] 张君昌. 多模型混合估计理论及其在系统故障检测与诊断中的应用[D]. 西安:西北工业大学,1999.

[150] LI X R,JILKOV V P. Survey of maneuvering target tracking. part V. multiple-model methods[J]. IEEE transactions on aerospace & electronic systems,2005,41(4):1255-1321.

[151] BLOM,HENK A P,BARSHALOM,et al. The interacting multiple model algorithm for systems with Markovian switching coefficients [J]. IEEE transactions on automatic control,1988,33(8):780-783.

[152] LI X R. Engineer's guide to variable-structure multiple-model estimation for tracking [J]. Multitarget-multisensor tracking:applications and advances,2000(3): 499-567.

[153] MAYBECK P S,HANLON P D. Performance enhancement of a multiple model adaptive estimator[J]. IEEE transactions on aerospace & electronic systems,1995, 31(4):1240-1254.

[154] MAYBECK P S. Multiple model adaptive algorithms for detecting and compensating sensor and actuator/surface failures in aircraft flight control systems[J]. International journal of robust and nonlinear control,1999,9(14):1051-1070.

[155] MENKE T E, MAYBECK P S. Sensor/actuator failure detection in the Vista F-16 by multiple model adaptive estimation[J]. IEEE transactions on aerospace and electronic systems,1995,31(4):1218-1229.

[156] HANLON P D, MAYBECK P S. Multiple-model adaptive estimation using a residual correlation Kalman filter bank [J]. IEEE transactions on aerospace and electronic systems,2000,36(2):393-406.

[157] POURBABAEE B,MESKIN N,KHORASANI K. Sensor fault detection,isolation, and identification using multiple-model-based hybrid kalman filter for gas turbine engines [J]. IEEE transactions on control systems technology,2016,24(4):1184-1200.

[158] 郭玉英. 基于多模型的飞机舵面故障诊断与主动容错控制[D]. 南京:南京航空航天大学,2009.

[159] 贾林.基于多模型估计的转子典型故障诊断与参数识别方法研究[D].上海:上海交通大学,2013.

[160] 荆建平,张传斌,孟光.基于多模型估计的转子裂纹故障诊断方法[J].汽轮机技术,2007,49(1):1-4,7.

[161] MAYBECK P S. Stochastic models, estimation, and control[M]. New York:Academic Press,1982.

[162] 蒲星星.基于模型的重型燃气轮机气路故障诊断研究[D].北京:清华大学,2013.

[163] RAHME S,MESKIN N. Adaptive sliding mode observer for sensor fault diagnosis of an industrial gas turbine [J]. Control engineering practice,2015(38):57-74.

[164] WILLSKY A S, JONES H L. A generalized likelihood ratio approach to the detection and estimation of jumps in linear systems[J]. IEEE transactions on automatic control, 1976,21(1):108-112.

[165] 姜伟.水电机组混合智能故障诊断与状态趋势预测方法研究[D].武汉:华中科技大学,2019.

[166] HINTON G E,SALAKHUTDINOV R R. Reducing the dimensionality of data with neural networks [J]. Science,2006,313(5786):230.

[167] GRAVES A.Supervised sequence labelling with recurrent neural networks[M]. Berlin: Spring,2012.

[168] KARIM F,MAJUMDAR S,DARABI H,et al. LSTM fully convolutional networks for time series classification[J]. IEEE access,2018,6(99):1662-1669.

[169] JAW L C, MATTINGLY J D. Aircraft engine controls:design, system analysis, and health monitoring [M]. New York: American Institute of Aeronautics and Astronautics, 2009.

[170] LI X,DING Q,SUN J Q . Remaining useful life estimation in prognostics using deep convolution neural networks[J]. Reliability engineering and system safety,2018(172):1-11.

[171] 王书芹.基于深度学习的瓦斯时间序列预测与异常检测 [D].北京:中国矿业大学,2018.

[172] 周俊.数据驱动的航空发动机剩余使用寿命预测方法研究[D].南京:南京航空航天大学,2017.

[173] 王小川,张劲华.燃气轮机预测及诊断方法研究进展[J].燃气轮机技术,2017,30(1):7-10.

[174] 谢文华.Spearman 相关系数的变量筛选方法[D].北京:北京工业大学,2015.

[175] ZHANG X,CHEN L,SUN Y,et al. Determination of zinc oxide content of mineral medicine calamine using near-infrared spectroscopy based on MIV and BP-ANN algorithm [J]. Spectrochim acta part a mol biomolecur spectroscopy,2017(193):133-140.

[176] JIANG J L,SU X,ZHANG H,et al. A novel approach to active compounds identification based on support vector regression model and mean impact value[J]. Chemical biology & drug design,2013,81(5):650-657.

［177］ ZHANG C,LIM P,QIN A K,et al. Multiobjective deep belief networks ensemble for remaining useful life estimation in prognostics［J］. IEEE transactions on neural networks and learning systems,2016,28(10):2306-2318.

［178］ ZHANG J,PENG W,YAN R,et al. Long short-term memory for achine remaining life prediction［J］. Journal of manufacturing systems,2018,48(C):78-86.

［179］ LAREDO D,CHEN Z,SCHTZE O,et al. A neural network-evolutionary computational framework for remaining useful life estimation of mechanical systems ［J］. Neural networks,2019(116):178-187.